图书在版编目(CIP)数据

汉语800字 = Essential Chinese Dictionary /《汉语800字》编写组编. — 北京：外语教学与研究出版社，2007.10（2011.7重印）
ISBN 978-7-5600-7010-0

Ⅰ. 汉… Ⅱ. 汉… Ⅲ. 汉语—字典 Ⅳ. H163

中国版本图书馆CIP数据核字（2007）第158085号

出 版 人：蔡剑峰
责任编辑：潘瑞芳
封面设计：山文丰
版式设计：王　军
插图提供：心　合　权迎升
出版发行：外语教学与研究出版社
社　　址：北京市西三环北路19号（100089）
网　　址：http://www.fltrp.com
印　　刷：北京双青印刷厂
开　　本：850×1280　1/64
印　　张：8.875　彩插0.125
版　　次：2007年11月第1版
　　　　　2011年7月第13次印刷
书　　号：ISBN 978-7-5600-7010-0
定　　价：45.00元

*　　*　　*

购书咨询：(010)88819929　电子邮箱：club@fltrp.com
如有印刷、装订质量问题，请与出版社联系
联系电话：(010)61207896　电子邮箱：zhijian@fltrp.com

号：170100001

汉语800字

Essential Chinese Dictionary

《汉语800字》编写组 编

Hanban

外语教学与研
FOREIGN LANGUAGE TEACHING
北京 BEIJING

顾问：许嘉璐　赵沁平　周有光

主编：许　琳　姚喜双

执行主编：马箭飞　郭龙生

编者：戴红亮　郭龙生

孙文正　谢俊英

姚喜双　张书岩

张彤辉

审订：曹先擢

英文翻译：刘治琳　潘瑞芳　牛园园

英文审订：章思英

Advisors: Xu Jialu　Zhao Qinping　Zhou Youguang

Chief Editors: Xu Lin　Yao Xishuang

Executive Editors: Ma Jianfei　Guo Longsheng

Authors: Dai Hongliang　Guo Longsheng

Sun Wenzheng　Xie Junying

Yao Xishuang　Zhang Shuyan

Zhang Tonghui

Editor: Cao Xianzhuo

English Translators: Liu Zhilin　Pan Ruifang　Niu Yuanyuan

English Editor: Zhang Siying

Table of Contents
目　录

Table of Contents

目 录

To Our Readers

Essential Chinese Dictionary is designed for overseas learners to master the most frequently used 800 characters so as to enable them to communicate in the language within a short period of time.

Selection of the 800 characters is based on a questionnaire conducted more than a dozen times among different international students studying Chinese in China, with reference to several dozen course books and dictionaries published either in the country or abroad.

The example words and sentences are concise and easy to understand. More importantly, as they are frequently used in day-to-day life, you can use them as soon as you learn.

You can easily locate the character you need either by phonetic or by radical order and quickly grasp its meaning through the corresponding English translation. Pronunciation is made easy with the annotation of *pinyin* to every character, every word and every sentence.

We hope this dictionary will prove to be a new help to your study of Chinese and we would greatly appreciate your comments and suggestions.

The Compilers
September 2007

致读者

《汉语 800 字》是一本专门为海外汉语学习者编写的实用字典，旨在让您通过掌握汉语中最常用的汉字，快速地掌握汉语，运用汉语进行交流。

经过对来华学习汉语的留学生的十几次问卷调查，同时参考国内外数十本教材和词典，我们选定了日常生活中最常用的 800 个汉字，并列出常用词语和例句。

我们在选用例词、例句时力求简洁明了、通俗易懂，大多是生活中的常见词语和日常会话中的常见句子。因此，学习以后您就可以在生活中使用。

为方便您学习，我们给每个汉字、例词、例句都标注了汉语拼音，例词、例句都有相应的英文翻译。您可以利用拼音和部首的方法迅速检索到所需要的汉字。

我们期望这本字典能够以新的面貌呈现在您面前，能为您的汉语学习提供帮助。最后期待您在使用过程中给我们提出宝贵意见和建议。

编　者

2007 年 9 月

How to Use the Dictionary

使用说明

I. Entries

1. Eight hundred of the most frequently used Chinese characters, of which 68 can be pronounced in various ways, are included in this dictionary.
2. The list of radicals as a guide to the entries is arranged in accordance with the phonetic order of *pinyin*. Entries with the same pronunciation are listed in the order of their beginning strokes, i.e. horizontal stroke (一), vertical stroke (丨), downward stroke to the left (丿), dot (丶), and horizontal stroke with a bending tip (乛).
3. Traditional forms of characters are listed in the brackets under the relevant entries. Nonstandard variants of characters are not included in this dictionary.
4. Some traditional forms of characters are not listed if one of the definitions does not have a traditional form.

II. Phonetic Transcription

1. Single characters, example words and example sentences are phonetically transcribed in *pinyin*, with four different tone marks placed on main vowels. The tone mark "ˉ" stands for the high and level tone, "ˊ" the rising tone, "ˇ" the falling-rising tone and "ˋ" the falling tone.

2. r-ending retroflection, which means the suffixation of a nonsyllabic "r" to nouns, verbs and adjectives, causing a retroflection of the proceeding vowel, is indicated by adding a phonetic symbol "r" to the end of relevant phonetic transcriptions.
3. If a character has a different pronunciation, it is indicated in the last line of the entry by the sentence "See … on p. …".

III. Definition

1. Different definitions of an entry in English are separated by the symbol "♥". Different senses of the same definition are separated by a semicolon, and a colon is added to the end of a definition.
2. Parts of speech of an entry are indicated in italic type at the beginning of a definition.
3. Nine categories of parts of speech (noun, verb, adjective, numeral, classifier, pronoun, adverb, preposition and conjunction) are adopted in defining the entries in this dictionary. In cases of parts of speech other than the nine categories, only usage information is provided.

IV. Reference

1. Page numbers of the entries can be referred to the Phonetic Guide to Entries, in which phonetic transcriptions are arranged alphabetically.
2. Page numbers of the radicals can be referred to the Radical Guide to Entries.

3. In the Radical Guide to the Entries, page numbers of radicals are indicated, and accordingly the entry characters and their page numbers can be found by checking their radicals and their number of strokes, excluding the strokes of the radicals.
4. Variants of radicals are listed after the last entry under the normal radical and are indicated with the symbol "△", or annotated in brackets immediately after the normal radicals.
5. Some characters are listed under different radicals, such as 男, which is listed under both the radicals of 田 and 力.

V. Illustrations

Nearly 80 sketches in the main text of this dictionary are intended to help you understand the meanings of the entries. Eight pages of colour illustrations of categorized nouns bearing close relationship to daily life are added before the appendices with a view to helping learners enlarge their vocabulary.

Phonetical Guide to Entries

音序检字表

(The number to the right of each character indicates the page number in this dictionary.
字右边的数字指该字在本字典正文中的页码。)

A

ā	阿	1
à	啊	1
a	啊	1
ài	爱	2
ān	安	2

B

bā	八	3
bā	巴	3
bā	吧	3
bǎ	把	3
bà	把	4
bà	爸	4
ba	吧	4
bái	白	5
bǎi	百	5
bān	班	6
bǎn	板	6
bàn	办	7
bàn	半	7
bāng	帮	8
bāo	包	8
bǎo	饱	9
bǎo	宝	9
bǎo	保	9
bào	报	10
bào	抱	11
bēi	杯	11
běi	北	12
bèi	备	12
bèi	被	13
běn	本	13
bí	鼻	14
bǐ	比	14
bǐ	笔	15
bì	币	15
bì	必	15
biān	边	16
biàn	变	16
biàn	便	17
biǎo	表	17
bié	别	18
bìng	病	19
bù	不	19
bù	布	20
bù	步	20
bù	部	21

C

cā	擦	22
cái	才	22
cái	财	23
cài	菜	23
cān	参	24
cān	餐	24
cǎo	草	24
céng	层	25
chā	差	25
chá	茶	26
chá	查	26
chá	察	26
chà	差	27
chǎn	产	27
cháng	长	28
cháng	场	29
cháng	常	29
chǎng	厂	30
chǎng	场	30
chàng	唱	30
cháo	朝	30
chǎo	吵	31
chē	车	31
chén	晨	32
chéng	成	32
chéng	城	33
chī	吃	33
chí	持	34
chóng	重	34
chǒu	丑	34
chū	出	34
chū	初	35
chú	除	36
chǔ	处	36
chù	处	37

zhí 直 470
zhǐ 只 471
zhǐ 纸 471
zhǐ 指 471
zhì 至 473
zhì 志 474
zhì 制 474
zhì 治 475
zhōng 中 476
zhōng 钟 477
zhòng 中 477
zhòng 众 479
zhòng 重 480
zhōu 州 481
zhōu 周 481
zhōu 洲 483
zhū 猪 483
zhǔ 主 484
zhù 助 486
zhù 住 486
zhù 注 487
zhù 祝 487
zhuàn 传 488
zhuāng 装 488
zhǔn 准 489
zhuō 桌 490
zhuó 着 491
zǐ 子 492
zì 自 493
zì 字 494
zǒng 总 494
zǒu 走 495
zū 租 496
zú 足 497
zú 族 498
zǔ 组 499
zǔ 祖 500
zuǐ 嘴 500
zuì 最 501
zuì 罪 501
zuó 昨 502
zuǒ 左 502
zuò 作 503
zuò 坐 504
zuò 座 505
zuò 做 505

Radical Guide to Entries
部首检字表

I. Contents of Radicals
部首目录

（The number to the right of each character indicates the page number in the radical guide.

字右边的数字指字典检字表的页码。）

Four strokes 四画

Five strokes 五画

II. Radical Guide

检字表

（1.The number to the right of each character indicates the page number in the dictionary.

字右边的数字指字典正文页码。

2. Characters in brackets are the traditional forms.

带圆括弧的字是繁体字。）

A

ā

阿

♥ **used before a pet name, monosyllabic surname, or number denoting order of seniority in a family, or used before kindship terms, to make it sound more endearing:**

ā huáng | ā míng
阿 黄 | 阿 明
Ah Huang | Ah Ming

ā yí
阿 姨
aunt

See ē on p.70

à

啊

♥ **expressing surprise or admiration:**

à xià xuě le
啊，下 雪 了！
Oh, it's snowing!

à cháng chéng shì jiè de qí guān
啊，长 城，世 界 的 奇 观！
Ah, the Great Wall, a world wonder!

See a on p.1

a

啊

♥ **attached to the end of sentence to show approval or admiration or doubt:**

tā de zì xiě de duō hǎo a
他 的 字 写 得 多 好 啊。
He has nice handwriting.

nǐ qù bu qù a
你 去 不 去 啊？
Are you going?

See à on p.1

ài 爱 (愛)	♥ ***v.* love; like:**
	ài hù　xǐ ài 爱护 ｜ 喜爱 treasure; take good care of ｜ like
	lǎo shī ài wǒ men 老师爱我们。 The teacher loves us.
ān 安	♥ ***adj.* content; satisfied:**
	píng ān　wǎn ān 平安 ｜ 晚安 safe ｜ good night
	ān lè 安乐 carefree
	♥ ***adj.* calm; at ease:**
	ān jìng　ān xīn 安静 ｜ 安心 calm ｜ feel at ease; be relieved
	♥ ***v.* install; fix:**
	ān zhuāng 安装 install; set up
	ān diàn dēng 安电灯 fix an electric light
	sù shè lǐ ān le yī bù diàn huà 宿舍里安了一部电话。 A telephone has been mounted in our dormitory.

B

bā 八	♥ ***num.* eight:** bā bǎo fàn 八 宝 饭 eight-treasure rice pudding bā zhī xiǎo niǎo 八 只 小 鸟 eight little birds sì miàn bā fāng 四 面 八 方 all around
bā 巴	♥ ***v.* hope earnestly; wait anxiously:** bā wàng	bā bù dé 巴 望	巴 不 得 look forward to	earnestly wish
bā 吧	♥ ***n.* place that provides some kind of service:** jiǔ bā	wǎng bā 酒 吧	网 吧 bar	Internet café; Internet bar See ba on p.4
bǎ 把	♥ ***v.* grasp; hold:** bǎ wò	bǎ shǒu 把 握	把 守 grasp	guard; watch over tā shǒu bǎ shǒu jiāo wǒ 他 手 把 手 教 我。 He passed his own knowledge and skills to me.

♥ **used as a classifier:**

liǎng bǎ shàn zi bāng tā yī bǎ
两 把 扇 子 | 帮 他 一 把
two fans | give him a helping hand

♥ ***prep.*** **used when the object is before the verb:**

bǎ shū hé shàng
把 书 合 上
close the book

zhè xià kě bǎ tā lè huài le
这 下 可 把 他 乐 坏 了。
He is overwhelmed with joy.

See bà on p.4

bà
把

♥ ***n.*** **handle or grip for holding or grasping; stem; stalk (of leaf, flower or fruit):**

dāo bàr guǒ zi bàr
刀 把儿 | 果 子 把儿
knife handle | fruit stalk

See bǎ on p.3

bà
爸

♥ ***n.*** **dad; pa:**

bà ba
爸 爸
dad; father

bà nǐ kàn wǒ huà de huà
爸，你 看 我 画 的 画！
Dad, look at my drawing!

ba
吧

♥ **used at the end of a sentence, expressing all kinds of moods:**

kuài zǒu ba
快 走 吧！
Let's go!

hǎo jiù zhè me bàn ba
好，就这么办吧。
Ok, just do it that way.

tā bù huì bù zhī dào ba
他不会不知道吧？
Surely he knows.

See bā on p.3

bái
白

♥ ***adj.* colour of fresh snow:**

xuě bái | bái zhǐ
雪白 | 白纸
snow white | white paper

dōng fāng fā bái le
东方发白了。
Dawn is breaking.

♥ ***adj.* clear:**

míng bai | biǎo bái
明白 | 表白
clear | explain oneself

zhēn xiàng dà bái le
真相大白了。
The truth is out; the facts are clear now.

♥ ***adv.* in vain; for nothing:**

bái pǎo yī huí
白跑一回
make a fruitless trip

lì qi bái fèi le
力气白费了。
All efforts are in vain.

bǎi
百

♥ ***num.* hundred; variety; all kinds of:**

sān bǎi rén | bǎi huò
三百人 | 百货
three hundred people | general merchandise

bǎi huā qí fàng
百花齐放
let hundreds of flowers bloom

bān 班

♥ ***n.* unit organized for the purposes of work or study:**

sān nián jí yī bān
三年级一班
class one, grade three

bān lǐ lái le xīn tóng xué
班里来了新同学。
There is a new student in the class.

♥ ***n.* mechanism which runs at regular intervals:**

bān chē
班车
shuttle bus

wǒ jīn tiān shàng zǎo bān
我今天上早班。
I am working the morning shift today.

bǎn 板

♥ ***n.* thin piece of hard material:**

tiě bǎn | hēi bǎn
铁板 | 黑板
metal sheet | blackboard

dì shàng yǒu jǐ kuài mù bǎn
地上有几块木板。
There are some wooden planks on the floor.

♥ ***n.* boss:**

lǎo bǎn gěi gōng rén tí le gōng zī
老板给工人提了工资。
The boss raised the workers' salary.

bàn

办

(辦)

♥ ***v.* do; handdle:**

bàn gōng bàn shì
办公 | 办事
handle official business | handle affairs

kuài guò nián le qù bàn diǎnr nián huò
快过年了，去办点儿年货。
New Year is coming. Go buy some seasonal goods.

♥ ***v.* set up; operate:**

jǔ bàn kāi bàn
举办 | 开办
operate | start

tā bàn le yī suǒ xué xiào
他办了一所学校。
He set up a school.

♥ ***v.* punish; bring to justice:**

fǎ bàn
法办
punish by law

shǒu è bì bàn
首恶必办。
The principal perpetrator must be punished.

bàn

半

♥ ***num.* half; in the middle:**

bàn jià bàn lǐ dì
半价 | 半里地
half price | two hundred and fifty metres

xiǎo lǐ bàn yè hái zài kàn diàn shì
小李半夜还在看电视。
Xiao Li was still watching TV at midnight.

♥ ***adv.*** **partly:**

bàn chéng pǐn
半 成 品
semi-finished product

dà mén bàn kāi zhe
大 门 半 开 着。
The door was left half open.

bāng 帮 (幫)

♥ ***v.*** **help; assist:**

bāng zhù | bāng bié rén gàn huór
帮 助 | 帮 别 人 干 活儿
help | help sb. with chores

♥ ***classifier.*** **used to refer to people:**

lái le yī bāng rén
来了一 帮 人。
There comes a bunch of people.

bāo 包

♥ ***v.*** **wrap in paper or cloth:**

bāo zhuāng | bāo jiǎo zi
包 装 | 包 饺 子
wrap | make dumplings

xiǎo míng zì jǐ bāo shū pír
小 明 自己 包 书 皮儿。
Xiao Ming wrapped his books by himself.

♥ ***n.*** **bundle; package:**

jīn tiān xiǎo zhōu shōu dào yī gè yóu bāo
今天 小 周 收 到 一个 邮 包。
Xiao Zhou received a package today.

♥ ***n.*** **bag; sack:**

shū bāo | gōng wén bāo
书 包 | 公 文 包
schoolbag | briefcase

nǐ de bāo zhēn piào liang
你的包真漂亮。
Your bag is very nice.

bǎo
饱
(飽)

♥ ***adj.* full:**

wǒ chī bǎo le
我吃饱了。
I am full.

♥ ***adj.* full; plump:**

bǎo mǎn
饱满
plump; full; plenty

bǎo
宝
(寶)

♥ ***n.* treasure:**

guó bǎo | chuán jiā bǎo
国宝 | 传家宝
national treasure | heirloom

shān lǐ dào chù dōu shì bǎo
山里到处都是宝。
There are treasures all over the mountain.

♥ ***adj.* precious; treasured:**

bǎo dāo | bǎo wù
宝刀 | 宝物
treasured knife | treasures

zhè shì yī bǐ bǎo guì de cái fù
这是一笔宝贵的财富。
This is a precious treasure.

bǎo
保

♥ ***v.* protect; safeguard:**

bǎo jiàn | bǎo hù
保健 | 保护
health protection | protect

bǎo hù huán jìng
保护环境
protect the enviornment

♥ ***v.* keep; guarantee:**

bǎo wēn
保温
maintain temperature by preserving heat; heat preservation

bǎo zhì bǎo liàng wán chéng rèn wù
保质保量完成任务。
Guarantee the completion of a task in terms of both quality and quantity.

bào

报

(報)

♥ ***v.* report; announce:**

bào gào | bào jǐng
报告 | 报警
report | report a case to the police

bào míng cān jiā bǐ sài
报名参加比赛。
Sign up to take part in a competition.

♥ ***v.* reply; respond:**

bào dá | bào chóu
报答 | 报仇
repay; recompense | revenge

huí bào xīn lǎo gù kè
回报新老顾客
repay new and repeat customers

♥ ***n.* newspaper:**

rì bào | bào zhǐ
日报 | 报纸
daily newspaper | newspaper

dìng yī fèn bào
订 一 份 报
subscribe to a newspaper

bào
抱

♥ ***v.* hold or carry in the arms; clasp in the arms; hug; embrace:**

yōng bào
拥 抱
hug; embrace

bào zhe hái zi
抱 着 孩 子
hold the child in one's arms

♥ ***v.* cherish; harbour:**

bào yǒu xī wàng
抱 有 希 望
have hopes

bào zhe yuǎn dà de lǐ xiǎng
抱 着 远 大 的 理 想
cherish lofty ideals

bēi
杯

♥ ***n.* cup:**

chá bēi | jiǔ bēi
茶 杯 | 酒 杯
tea cup | wine glass

mǎi jǐ gè bēi zi
买 几 个 杯 子
buy a few glasses

♥ ***n.* prize cup; trophy:**

jiǎng bēi | jīn bēi
奖 杯 | 金 杯
prize cup | gold cup

kàn shì jiè bēi zú qiú sài
看 世 界 杯 足 球 赛
watch the World Cup football games

běi

北

♥ ***n.* north:**

běi fāng
北 方
the north

běi fēng
北 风
north wind

běi jīng shì zhōng guó de shǒu dū
北 京 是 中 国 的 首 都。
Beijing is the capital of China.

bèi

备

(備)

♥ ***adj.* complet; ready:**

wán bèi | qí bèi
完 备 | 齐 备
complete | complete; all ready

guān xīn bèi zhì
关 心 备 至
show every consideration

♥ ***v.* prepare:**

bèi yòng
备 用
reserve

zǎo cān bèi hǎo le
早 餐 备 好 了。
Breakfast is ready.

♥ ***n.* equipment:**

zhuāng bèi
装 备
equipment

bàn gōng shì shè bèi qí quán
办 公 室 设 备 齐 全。
All kinds of office equipment are available.

bèi 被

♥ ***n.* quilt:**

gài bèi zi
盖被子
cover with a quilt

♥ **indicating passive voice:**

bèi hài
被害
be hurt

bèi shuō fú
被说服
be won over

mén bèi dǎ kāi le
门被打开了。
The door was opened.

běn 本

♥ ***n.* the roots of an organism:**

gēn běn | wàng běn
根本 | 忘本
essence | forget one's class origin

běn mò dào zhì
本末倒置
put the incidental before the fundamental

♥ ***adj.* original; initial:**

běn zhì | běn lái
本质 | 本来
essence | original

běn yǐ wéi tā bù huì lái
本以为她不会来。
I thought she wouldn't come.

♥ ***pron.* one's own; present:**

běn rén | běn shì jì
本人 | 本世纪
oneself | this century

píng xuǎn běn nián dù xiān jìn rén wù
评 选 本 年 度 先 进 人 物。
Choose the most outstanding person in this year.

♥ ***n.* book:**

shū běn | zhàng běnr
书 本 | 账 本儿
book | account book

bí
鼻

♥ ***n.* nose:**

bí zi | bí liáng
鼻子 | 鼻 梁
nose | bridge of the nose

yǒu gè diàn yǐng de míng zi jiào hóng bí zi
有 个 电 影 的 名 字 叫《红 鼻 子》。
There is a movie called *Red Nose*.

bí
鼻
nose

bǐ
比

♥ ***v.* compare; contrast:**

bǐ sài | bǐ jiào
比 赛 | 比 较
compete | compare

tā de hàn yǔ bǐ wǒ hǎo
他 的 汉 语 比 我 好。
His Chinese is better than mine.

xiǎo wáng bǐ wǒ gāo
小 王 比 我 高。
Xiao Wang is taller than me.

♥ *v.* (of a score) to:

bǐ fēn jiē jìn
比分接近
closing the gap between scores

shuāng fāng dǎ chéng wǔ bǐ yī
双方打成五比一。
The final score was five to one.

bǐ
笔
(筆)

♥ *n.* **tool for writing and drawing:**

máo bǐ | yī zhī bǐ
毛笔 | 一支笔
Chinese writing brush | a pen

yòng bǐ xiě zì
用笔写字
write with a pen

qiān bǐ
铅笔
pencil

bì
币
(幣)

♥ *n.* **money; currency:**

qián bì | rén mín bì
钱币 | 人民币
money | RMB

zhuō shàng yǒu jǐ méi yìng bì
桌上有几枚硬币。
There are several coins on the table.

bì
必

♥ *adv.* **must; have to; surely:**

bì rán | bì xū
必然 | 必须
inevitable | must; have to

sān rén xíng bì yǒu wǒ shī
三人行，必有我师。
Out of the three of us, there must be one better than me.

---

biān

边

(邊)

♥ ***n.* place next to a person or thing:**

páng biān | huā biānr
旁边 | 花边儿
side | lace

zài xiǎo hé biān wánr
在小河边玩儿。
Play near the small stream.

♥ ***n.* border; frontier:**

biān jì | shǒu biān
边际 | 守边
limit; boundary | defend the border

♥ ***n.* side; party:**

duō biān huì yì
多边会议
multilateral talks

shuāng biān huì tán
双边会谈
bilateral talks

---

biàn

变

(變)

♥ ***v.* become different; change:**

biàn huà | gǎi biàn
变化 | 改变
change | change

xǔ duō dì fang de qì hòu dōu biàn nuǎn le
许多地方的气候都变暖了。
The climate has become warmer in many places.

♥ ***n.* unexpected turn of major events:**

biàn luàn | shì biàn
变乱 | 事变
turmoil | incident

fā dòng zhèng biàn
发动政变
stage a coup d'état

biàn 便

♥ ***adj.* suitable; convenient:**

biàn lì | qīng biàn
便利 | 轻便
handy | light; portable

zhè běn zì diǎn yòng qǐ lái hěn fāng biàn
这本字典用起来很方便。
This dictionary is very convenient to use.

♥ ***v.* excrete; relieve oneself:**

dà biàn | xiǎo biàn
大便 | 小便
defecate | urinate

See pián on p.245

biǎo 表

♥ ***n.* surface; outside:**

biǎo miàn | biǎo pí
表面 | 表皮
appearance; surface | epidermis

biǎo lǐ rú yī
表里如一
think and act in one and the same way

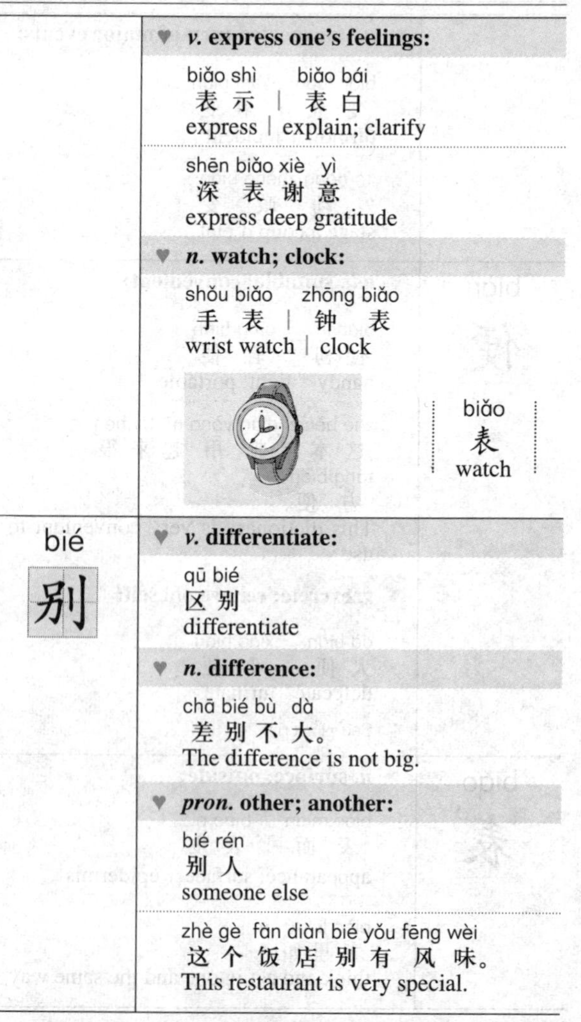

♥ ***v.* express one's feelings:**

biǎo shì | biǎo bái
表示 | 表白
express | explain; clarify

shēn biǎo xiè yì
深表谢意
express deep gratitude

♥ ***n.* watch; clock:**

shǒu biǎo | zhōng biǎo
手表 | 钟表
wrist watch | clock

biǎo
表
watch

bié

别

♥ ***v.* differentiate:**

qū bié
区别
differentiate

♥ ***n.* difference:**

chā bié bù dà
差别不大。
The difference is not big.

♥ ***pron.* other; another:**

bié rén
别人
someone else

zhè gè fàn diàn bié yǒu fēng wèi
这个饭店别有风味。
This restaurant is very special.

bìng 病

♥ ***n.* sickness; illness:**

shēng bìng
生 病
get sick

xīn zàng bìng
心 脏 病
heart disease

tā de bìng hǎo le
他 的 病 好 了。
He is well again.

♥ ***n.* fault; defect:**

bìng jù | yǔ bìng
病 句 | 语 病
grammatically or logically faulty sentence | ill-chosen word

yǒu máo bìng jiù gǎi
有 毛 病 就 改。
If you have a problem, you should change.

bù 不

♥ ***adv.* expressing negative:**

bù qù | bù xiǎo
不去 | 不 小
not going | not small

gōng zuò bù tài máng
工 作 不 太 忙。
Work is not too busy.

♥ ***adv.* used by itself as a negative answer:**

nǐ tóng yì ma bù bù tóng yì
—你 同 意 吗？—不，不 同 意。
– Do you agree? – No, I don't.

bù 布

♥ ***n.* cloth:**

bù xié　　huā bù
布鞋 | 花布
cloth shoes | printed cloth

zhè jiàn shàng yī shì bù zuò de
这件上衣是布做的。
This jacket is made of cloth.

♥ ***v.* spread:**

fēn bù　　sàn bù
分布 | 散布
distribute | sow; spread

biàn bù quán guó
遍布全国
country-wide

♥ ***v.* declare; announce:**

bù gào　　xuān bù
布告 | 宣布
public notice | declare; proclaim

xiāo xi yǐ jing gōng bù
消息已经公布。
The information has already been announced.

bù 步

♥ ***n.* step; pace:**

jiǎo bù　　bù xíng
脚步 | 步行
footstep | go on foot

zǒu jǐ bù
走几步
take a few steps

tā xǐ huan zǎo shang pǎo bù
他喜欢早上跑步。
He likes to run in the morning.

♥ ***n.* stage; step:**

chū bù
初步
the first step

fēn sān bù jiě jué wèn tí
分三步解决问题
solve the problem in three steps

bù
部

♥ ***n.* part:**

jú bù | nèi bù
局部 | 内部
portion | inner part or side

rén quán bù dào qí le
人全部到齐了。
Everyone is here.

♥ ***n.* unit; ministry:**

wài jiāo bù
外交部
foreign ministry

tā zài biān jí bù gōng zuò
她在编辑部工作。
She works at the editorial department.

C

cā
擦

♥ ***v.* wipe or clean with a rag or towel:**

cā yǐ zi
擦椅子
wipe the chair

bǎ zhuō zi cā yī cā
把 桌 子擦 一擦
wipe off the table

♥ ***v.* apply:**

cā yào shuǐ
擦 药 水
apply medicine

shǒu shàng cā diǎnr hù shǒu shuāng
手 上 擦 点儿 护 手 霜
put some hand cream on your hands

cái
才

♥ ***n.* talent; ability:**

cái néng | cái gàn
才 能 | 才 干
ability | ability; capability

nà gè rén hěn yǒu cái
那 个 人 很 有 才。
He is very talented.

♥ ***n.* capable person:**

rén cái | tiān cái
人 才 | 天 才
person of talent | genius

tā zhēn shì gè qí cái
他 真 是 个 奇 才。
He is really a prodigy.

♥ *adv.* **indicating something has just happened:**

gāng cái
刚 才
just now

tā cái huí lái hái méi yǒu chī fàn
他才回来，还没有吃饭。
He didn't have dinner because he just came home.

cái
财
(財)

♥ *n.* **general term for money and property:**

qián cái | cái fù
钱 财 | 财 富
wealth; money | wealth; property

cái dà qì cū
财大气粗。
Money talks.

cài
菜

♥ *n.* **vegetable:**

qīng cài | bái cài
青 菜 | 白 菜
greens | Chinese cabbage

wǒ men zài yuàn zi lǐ zhòng cài
我们在院子里种菜。
We grow vegetables in the yard.

♥ *n.* **dish:**

ròu cài | sì cài yī tāng
肉 菜 | 四 菜 一 汤
meat dish | four dishes and a soup

cài
菜
vegetable

cān
参
(參)

♥ *v.* **join; enter:**

cān sài
参 赛
enter a competition

tā míng tiān cān jiā hūn lǐ
他明天参加婚礼。
Tomorrow he will participate in a wedding.

♥ *v.* **consult; refer to:**

cān kǎo wài wén shū
参考外文书
consult foreign-language books

See shēn on p.289

cān
餐

♥ *v.* **eat:**

huì cān | yě cān
会餐 | 野餐
dine together | picnic

♥ *n.* **food; meal:**

zǎo cān | kuài cān
早餐 | 快餐
breakfast | fast food

wǒ men gòng jìn wǔ cān
我们共进午餐。
Let's have lunch together.

cǎo
草

♥ *n.* **grass:**

cǎo dì | qīng cǎo
草地 | 青草
grass land | green grass

zài yuàn zi lǐ zhòng cǎo
在院子里种草。
Grow grass in the yard.

♥ ***adj.* careless:**

cǎo cǎo shōu bīng
草 草 收 兵
come to a hasty conclusion

zì xiě de tài cǎo
字写得太草。
The handwriting is very sloppy.

céng 层 (層)

♥ ***n.* layer level; storey:**

céng cì | biǎo céng
层次 | 表层
level | surface layer

wǒ jiā zhù zài wǔ céng
我家住在五层。
My house is on the fifth floor.

chā 差

♥ ***adj.* different:**

chā bié | chā jù
差别 | 差距
difference | gap; difference

zhè lǐ zǎo wǎn wēn dù chā bié bù dà
这里早晚温度差别不大。
The temperature difference here is not that great between morning and evening.

♥ ***n.* mistake; error:**

chā cuò
差错
mistake; error

tā tǒng jì de shù zì méi yǒu chā cuò
他统计的数字没有差错。
The statistics he compiled are accurate.

See chà on p.27

chá

茶

♥ *n.* **tea:**

lǜ chá　hē chá
绿茶 | 喝茶
green tea | drink tea

tā měi tiān fàn hòu dōu yào hē chá
他每天饭后都要喝茶。
He always drinks tea after meal.

chá

查

♥ *v.* **check; examine; look up:**

jiǎn chá
检查
check

tā jīng cháng dào tú shū guǎn chá zī liào
他经常到图书馆查资料。
He often goes to the library to consult data.

♥ *v.* **investigate:**

chá fǎng　diào chá
查访 | 调查
investigate | look into

kǎo chá xué sheng de biǎo dá néng lì
考查学生的表达能力。
Check the ability of the students in oral expressions.

chá

察

♥ *v.* **scrutinize; look into:**

guān chá　chá kàn
观察 | 察看
observe | inspect; watch

duō guān chá cái néng xiě chū hǎo
多 观 察 才 能 写 出 好
wén zhāng
文 章。
Only after enough observation can one write a good article.

chà
差

♥ ***adj.* different from:**

chà bù duō
差 不 多
more or less

chà de yuǎn
差 得 远
fall far short of

♥ ***v.* fall short of:**

chà 5 fēn 10 diǎn
差 5 分 10 点
five minutes to ten

hái chà yī gè rén
还 差 一 个 人。
We are short of one person.

kàn diàn yǐng hái chà jǐ zhāng piào
看 电 影 还 差 几 张 票。
We were short of a few tickets when we went to see the movies.

See chā on p.25

chǎn
产
(産)

♥ ***v.* give birth to; lay:**

chǎn fù | nán chǎn
产 妇 | 难 产
woman in labour | difficult labour

zhè zhǒng jī chǎn dàn liàng hěn dà
这 种 鸡 产 蛋 量 很 大。
This kind of chicken lays a lot of eggs.

♥ ***v.* produce; make; manufacture:**

zēng chǎn | zhōng guó chǎn
增产 | 中国产
increase production | China-made

♥ ***n.* property; estate; wealth:**

jiā chǎn | cái chǎn
家产 | 财产
family property | property; wealth

yīn guǎn lǐ bù shàn ér pò chǎn
因管理不善而破产
bankruptcy due to poor management

cháng

长

(長)

♥ ***adj.* long (time or length):**

cháng pǎo | cháng qī
长跑 | 长期
long-distance running | long term

zhè gè qiáo hěn cháng
这个桥很长。
This bridge is very long.

♥ ***n.* distance between two points:**

cháng dù | zhōu cháng
长度 | 周长
length | circumference

cháng jiāng quán cháng 6300 duō gōng lǐ
长江全长6300多公里。
The Yangtzi River is over six thousand and three hundred kilometres long.

♥ ***n.* strong point:**

cháng chù | tè cháng
长处 | 特长
strong point | specialty

tā de zhuān cháng shì huà huà
他的专长是画画。
His specialty is drawing.

See zhǎng on p.453

cháng 场 (場)

♥ ***n.*** **level; open place:**

dǎ cháng
打场
thresh

shài cháng
晒场
threshing ground

See chǎng on p.30

cháng 常

♥ ***adj.*** **often; frequent:**

jīng cháng
经常
frequently

shí cháng
时常
often; usually; frequently

wǒ men cháng qù gōng yuán yóu wán
我们常去公园游玩。
We frequently go to the park to play.

♥ ***adj.*** **invariable; constant:**

cháng lǜ | dōng xià cháng qīng
常绿 | 冬夏常青
evergreen | remain green throughout the year

♥ ***adj.*** **ordinary; average:**

cháng rén | cháng shí
常人 | 常识
average person | common sense

chǎng
厂
(廠)

♥ ***n.* factory:**

huà gōng chǎng | diàn qì chǎng
化工厂 | 电器厂
chemical factory | electrical appliance factory

mā ma zài gōng chǎng shàng bān
妈妈在工厂上班。
Mom works at the factory.

chǎng
场
(場)

♥ ***n.* large place where people gather for a specific purpose:**

guǎng chǎng | jù chǎng
广场 | 剧场
square; plaza | theatre

nóng chǎng lǐ zhòng le xǔ duō cài
农场里种了许多菜。
There are many vegetables planted on the farm.

See cháng on p.29

chàng
唱

♥ ***v.* sing:**

chàng gē | yǎn chàng
唱歌 | 演唱
sing a song | sing in a performance

nǐ chàng de zhēn hǎo tīng
你唱得真好听。
You sing very well.

cháo
朝

♥ ***n.* dynasty:**

wáng cháo | hàn cháo
王朝 | 汉朝
dynasty | Han Dynasty

gǎi cháo huàn dài
改朝换代
dynasty change

♥ ***v.* face toward:**

liǎn cháo tiān
脸 朝 天
face the sky

yǒu rén cháo zhè biān zǒu lái le
有 人 朝 这 边 走 来 了。
There is someone coming this way.

See **zhāo** on p.456

chǎo
吵

♥ ***v.* make a noise:**

hái zi zài shuì jiào qǐng bù yào chǎo
孩子在睡觉，请不要吵。
The child is sleeping; be quiet please.

♥ ***v.* quarrel:**

chǎo zuǐ | zhēng chǎo
吵 嘴 | 争 吵
quarrel; bicker | squabble

liǎng rén chǎo le qǐ lái
两 人 吵 了 起 来。
Two people started quarrelling.

♥ ***adj.* noisy:**

wū lǐ tài chǎo le
屋里太吵了。
It's too noisy in the room.

chē
车
(車)

♥ ***n.* vehicle:**

huǒ chē | qì chē
火 车 | 汽 车
train | car

wǒ zuò gōng gòng qì chē shàng bān
我 坐 公 共 汽车 上 班。
I go to work by bus.

chén 晨

♥ ***n.* morning:**

qīng chén | chén guāng
清晨 | 晨光
early morning | morning sunlight

chén fēng
晨风
morning breeze

chéng 成

♥ ***v.* finish; succeed:**

chéng gōng | wán chéng
成功 | 完成
succeed | complete

dà gōng gào chéng
大功告成。
The great mission has been accomplished.

♥ ***n.* result; yield:**

chéng guǒ
成果
positive result

jīn nián de shōu cheng hěn hǎo
今年的收成很好。
This year's harvest was good.

♥ ***adj.* established; finalized; mature:**

chéng pǐn | chéng chóng
成品 | 成虫
finished product | mature worm

zhè jiā gōng chǎng shēng chǎn chéng yào
这家工厂生产成药。
This factory produces patent medicine.

chéng 城

♥ ***n.* city wall:**

chéng lóu | chéng wài
城楼 | 城外
tower atop a city gate | outside the city

wǒ qù guo wàn lǐ cháng chéng
我去过万里长城。
I have been to the Great Wall.

♥ ***n.* within the city wall:**

chéng qū
城区
city and districts in and close to the city; urban area

chéng shì jiāo tōng hěn fā dá
城市交通很发达。
The transportation system in the city is well developed.

chī 吃

♥ ***v.* eat:**

chī fàn | chī nǎi
吃饭 | 吃奶
eat food | suckle

yáng ài chī qīng cǎo
羊爱吃青草。
Sheep like to eat green grass.

♥ ***v.* endure; withstand:**

chī kǔ | chī lì
吃苦 | 吃力
bear hardships | laborious

tā chī jīng de kàn zhe wǒ
她吃惊地看着我。
She looked at me in surprise.

chí

持

♥ *v.* **hold; manage:**

shǒu chí yī bǎ huā
手持一把花
hold a bundle of flowers

♥ *v.* **keep; maintain:**

jiān chí | chí jiǔ
坚持 | 持久
insist on | protracted; lasting; enduring

bǎo chí liáng hǎo de zhuàng tài
保持良好的状态
keep in good condition

chóng

重

♥ *adv.* **again; once more:**

chóng xiě | chóng xiàn
重写 | 重现
rewrite | reappear

See zhòng on p.480

chǒu

丑

(醜)

♥ *adj.* **ugly:**

tā zhǎng de yī diǎn yě bù chǒu
她长得一点也不丑。
She is not ugly at all.

♥ *n.* **scandal:**

chǒu wén | jiā chǒu
丑闻 | 家丑
scandal | family scandal

chū chǒu
出丑
make a fool of oneself

chū

出

♥ *v.* **proceed from inside to outside:**

chū mén | chū guó
出门 | 出国
go out | go abroad

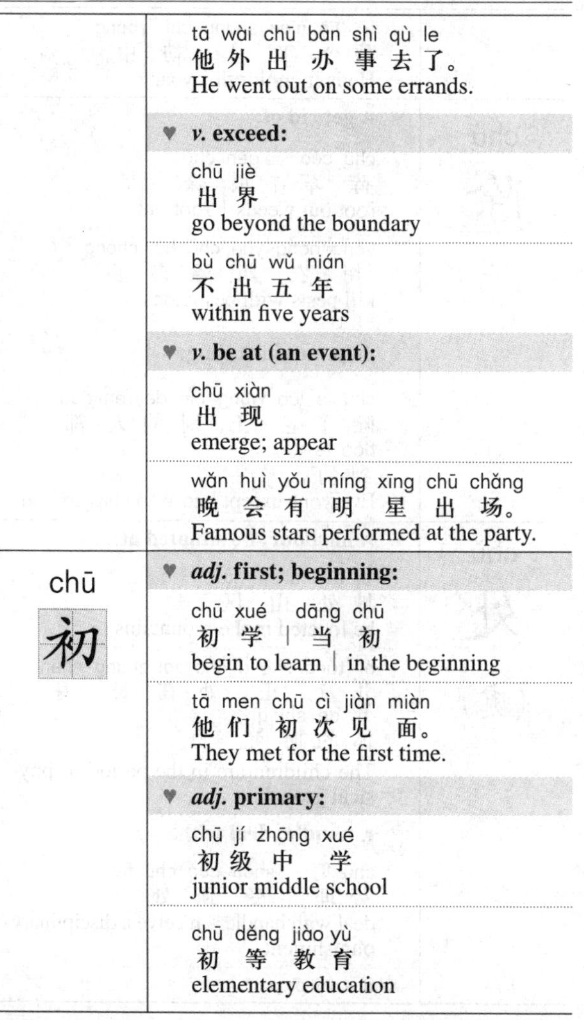

tā wài chū bàn shì qù le
他外出办事去了。
He went out on some errands.

♥ ***v.* exceed:**

chū jiè
出界
go beyond the boundary

bù chū wǔ nián
不出五年
within five years

♥ ***v.* be at (an event):**

chū xiàn
出现
emerge; appear

wǎn huì yǒu míng xīng chū chǎng
晚会有明星出场。
Famous stars performed at the party.

chū 初

♥ ***adj.* first; beginning:**

chū xué | dāng chū
初学 | 当初
begin to learn | in the beginning

tā men chū cì jiàn miàn
他们初次见面。
They met for the first time.

♥ ***adj.* primary:**

chū jí zhōng xué
初级中学
junior middle school

chū děng jiào yù
初等教育
elementary education

tā jīn nián shàng chū zhōng
他今年上初中。
He is in junior this year.

chú
除

♥ ***v.* get rid of:**

chú cǎo | gēn chú
除草 | 根除
root out weeds | root out

yòng nóng yào chú hài chóng
用农药除害虫
kill pests with pesticides

♥ ***prep.* not including:**

chú le lǎo wáng bié de rén dōu dào le
除了老王，别的人都到了。
Everyone except Lao Wang has arrived.

chǔ
处 (處)

♥ ***v.* harbour; be situated at:**

dì chǔ shān qū
地处山区
be located in the mountains

ér tóng zhèng chǔ zài zhǎng shēn tǐ de shí qī
儿童正处在长身体的时期。
The children are in the period of physical growth.

♥ ***v.* handle; deal with:**

chǔ lǐ | shòu dào chǔ fèn
处理 | 受到处分
deal with handle | receive a disciplinary punishment

See chù on p.37

chù

处 (處)

♥ ***n.* place:**

chù suǒ　zhù chù
处所 | 住处
place | living quarters

yuǎn chù yǒu yī zuò shān
远处有一座山。
There is a mountain in the distance.

♥ ***n.* department:**

bàn shì chù　zǒng wù chù
办事处 | 总务处
office | general affairs department

zhè shì gōng yuán de guǎn lǐ chù
这是公园的管理处。
This is the park management office.

See chǔ on p.36

chuān

穿

♥ ***v.* wear clothes, shoes, socks, etc.:**

chuān xié
穿鞋
put on shoes

kuài chuān hǎo yī fu
快穿好衣服。
Put on your clothes quickly.

♥ ***v.* pass through:**

chuān kǒng　chuān xíng
穿孔 | 穿行
bore or pierce a hole | pass through

chuān guò guǎng chǎng
穿过广场
pass through a plaza

chuán
传
(傳)

♥ ***v.* pass one to another:**

chuán qiú
传 球
pass the ball

chuán dì
传 递
deliver sth. from or by one party to another

zhè jiàn yín qì shì zǔ chuán de
这 件 银 器 是 祖 传 的。
This silverware is inherited.

♥ ***v.* promulgate:**

chuán rǎn
传 染
infect; contagion

zuò hǎo chǎn pǐn de xuān chuán
做 好 产 品 的 宣 传
publicize a product

♥ ***v.* transmit:**

chuán diàn chuán rè
传 电 | 传 热
transmit electricity | transmit heat

nuǎn liú chuán biàn quán shēn
暖 流 传 遍 全 身。
Heat circulates about the body.

♥ ***v.* express:**

chuán shén méi mù chuán qíng
传 神 | 眉 目 传 情
graphic | show one's feelings through the eyes

See zhuàn on p.488

chuán
船

♥ *n.* **boat; ship:**

mù chuán | yóu chuán
木 船 | 游 船
wooden boat | pleasure boat; tourist boat

hé biān tíng zhe yī zhī xiǎo chuán
河边停着一只小船。
There is a small boat docked at the river side.

chuāng
窗

♥ *n.* **window:**

chuāng qián | chuāng tái
窗 前 | 窗 台
in front of a window | window sill

tā zǒu dào chuāng qián
他走到窗前。
He walked to the front of the window.

chuāng
窗
window

chuáng
床

♥ *n.* **bed:**

chuáng wèi
床 位
bunk; bed

tā mǎi le yī zhāng xīn chuáng
他买了一张新床。
He bought a new bed.

chuáng
床
bed

chuī 吹

♥ ***n.* blow or puff with the mouth:**

chuī hào | chuī chū yī kǒu qì
吹号 | 吹出一口气
play a brass instrument | give a puff

♥ ***v.* blow; strike:**

fēng chuī yǔ dǎ
风吹雨打
weather beaten

chuī fēng jī
吹风机
hair-dryer

fēng chuī le yī tiān
风吹了一天。
The wind blew all day.

chūn 春

♥ ***n.* spring:**

chūn jì | chūn fēng
春季 | 春风
spring | spring breeze

zhè lǐ sì jì rú chūn
这里四季如春。
It's like spring all year round here.

cí 词 (詞)

♥ ***n.* smallest unit of a language that can be used freely:**

míng cí | cí xìng
名词 | 词性
noun | part of speech

tā men biān le yī běn cí diǎn
他们编了一本词典。
They compiled a dictionary.

♥ ***n.* words in speech or poem:**

gē cí | tái cí
歌词 | 台词
lyrical | actor's lines

tā de tái cí shuō de hěn hǎo
他 的 台 词 说 得 很 好。
His stage lines are spoken well.

cì
次

♥ ***n.* order:**

cì xù | míng cì
次序 | 名次
order; sequence | ranking

♥ ***adj.* second:**

cì rì | cì yào
次日 | 次要
next day | less important

bù yào chū cì pǐn
不要 出 次品。
Don't produce sub-standard products.

cóng
从
(從)

♥ ***v.* follow; obey:**

shùn cóng
顺从
obey; obedient; comply with

suí cóng
随从
attendant

tīng cóng nǐ de ān pái
听 从 你 的 安 排。
Follow your arrangements.

♥ ***v.* join; be engaged in:**

cóng zhèng | cóng jūn
从政 | 从军
go into politics | join the army

cóng shì wài jiāo gōng zuò
从 事 外 交 工 作
engage in foreign affairs work

♥ ***prep.*** **from; through:**

cóng gǔ dào jīn
从古到今
from past to present

cóng shān xià zǒu guò
从山下走过
pass by the foot of the mountain

xiǎo hé cóng mén qián liú guò
小河从门前流过。
The river passes in front of the door.

cūn
村

♥ ***n.*** **village:**

cūn mín
村民
villager; village people

zhāng jiā cūn miàn mào yī xīn
张家村面貌一新。
Zhangjia Village took on an entirely new look.

♥ ***n.*** **neighborhood in a city:**

yà yùn cūn | dù jià cūn
亚运村｜度假村
Asian Games Village | holiday village

cún
存

♥ ***v.*** **exist; live:**

gòng cún
共存
co-exist

xīn pǐn zhǒng de yáng róng yì cún huó
新品种的羊容易存活。
The new breed of lamb thrives easily.

♥ *v.* **store; reserve:**

cún qián　cún chē chù
存钱 | 存车处
deposit money | parking lot

gān guǒ róng yì bǎo cún
干果容易保存。
Dried fruit is easy to store.

cuò
错
(錯)

♥ ***adj.*** **wrong:**

cuò wù　guò cuò
错误 | 过错
incorrect; error | fault

zhè dào tí wǒ zuò cuò le
这道题我做错了。
I did not answer the question correctly.

♥ *v.* **interlocked and jagged:**

jiāo cuò　pán gēn cuò jié
交错 | 盘根错节
criss-cross; interlace | twisted roots and gnarled branches

D

dá

答

♥ *v.* **answer; respond:**

huí dá
回答
answer

dá xiè
答谢
express appreciation

zhǔ chí rén hé lái bīn yī wèn yī dá
主持人和来宾一问一答。
The host asked the guest questions and the guest responded.

dǎ

打

♥ *v.* **knock or hit with hand or a tool:**

dǎ gǔ　　dǎ tiě
打鼓 | 打铁
beat a drum | forge iron

bù yào dǎ cǎo jīng shé
不要打草惊蛇。
Don't beat the grass and startle the snake.

♥ *v.* **beat; fight:**

dǎ rén
打人
hit someone

liǎng rén dǎ qǐ lái le
两人打起来了。
Two people started fighting.

♥ *v.* **expressing certain kinds of action:**

dǎ shuǐ　　dǎ qiú
打水 | 打球
draw water | play ball

qǐng dǎ kāi chuāng hu
请 打开 窗 户。
Open the window, please.

dà
大

♥ ***adj.* big; large:**

dà guǎng chǎng | lì qi dà
大 广 场 | 力气大
big square | great strength

wài miàn fēng hěn dà
外 面 风 很 大。
The wind is blowing hard outside.

♥ ***adj.* eldest:**

lǎo dà
老 大
the eldest

tā shì wǒ dà gē
他是 我 大哥。
He is my eldest brother.

dài
代

♥ ***v.* take place of; replace:**

dài tì | qǔ dài
代 替 | 取 代
replace | take the place of

dài wǒ xiàng tā wèn hǎo
代 我 向 他 问 好。
Give my regards to him.

♥ ***n.* historical period; times:**

cháo dài | gǔ dài
朝 代 | 古 代
dynasty | ancient times

xué xí xiàn dài wén xué
学习 现 代 文 学
study modern literature

♥ ***n.* generation:**

lǎo yī dài
老 一代
older generation

sì dài tóng táng
四代 同 堂
four generations together

dài

带

(帶)

♥ ***n.* long thin strip:**

dài zi | jì xié dàir
带 子 | 系鞋 带儿
band | tie shoe laces

♥ ***v.* carry with oneself:**

chū mén dài zhe zhèng jiàn
出 门 带 着 证 件。
Carry your certificates when you leave.

♥ ***n.* belt; zone; area:**

rè dài | cháng chéng yī dài
热带 | 长 城 一带
tropical zone | the Great Wall area

♥ ***v.* lead:**

dài lǐng | dài lù
带 领 | 带 路
guide; lead | show the way

dài xué sheng cān guān bó wù guǎn
带 学 生 参 观 博 物 馆。
Take students to visit a museum.

dài

待

♥ ***v.* wait; await:**

děng dài | zhěng zhuāng dài fā
等 待 | 整 装 待发
wait | be ready to start out

♥ *v.* **treat ; entertain:**

yōu dài
优 待
provide preferential treatment

dài kè
待客
entertain a guest

yǐ lǐ xiāng dài
以礼相 待
be polite to sb.

dān

单

(單)

♥ ***adj.* one; single:**

dān shēn　dān yī
单 身 | 单 衣
single; bachelor | unlined garment

dān rén jiān
单 人 间
single room

♥ ***adj.* lacking in variety; easy:**

dān diào
单 调
dull

zhè jiàn shì hěn jiǎn dān
这 件 事 很 简 单。
This is very easy.

♥ ***adj.* odd number:**

dān hào　dān shù
单 号 | 单 数
odd number | odd number; singular

dān rì fā chē
单 日发车。
The bus leaves on odd-numbered days.

dàn 但

♥ **but; yet:**

dàn shì
但 是
but; yet

zhè shuāng xié bù piào liang, dàn chuān
这 双 鞋不 漂 亮，但 穿
zhe hěn shū fu
着 很 舒 服。
This pair of shoes isn't very attractive, but they're quite comfortable.

♥ ***adv.* merely; only:**

dàn yuàn
但 愿
if only it were so or true

shì qíng bù dàn zuò wán le hái zuò de
事 情 不 但 做 完 了，还 做 得
hěn hǎo
很 好。
Not only was it done, but it was done very well.

dàn 蛋

♥ ***n.* egg:**

jī dàn | yā dàn
鸡蛋 | 鸭 蛋
egg | duck egg

mǔ jī yī gòng xià le 20 zhī dàn
母鸡一 共 下了20 只 蛋。
The hen layed twenty eggs all together.

dàn
蛋
egg

♥ *n.* **egg-shaped thing:**

liǎn dàn | líng dàn
脸蛋 | 零蛋
face | zero

dāng
当
(當)

♥ *adj.* **equal; match:**

mén dāng hù duì | shí lì xiāng dāng
门当户对 | 实力相当
equal or similar family background | equal strength

♥ *v.* **administer; work as:**

dāng zhèng | dāng jiā
当政 | 当家
be in office | run a household

tā zài dà xué dāng lǎo shī
他在大学当老师。
He is a teacher at a university.

♥ *v.* **ought to; should:**

yīng dāng
应当
should; ought to

dāng bàn jiù bàn
当办就办
do what needs to be done

♥ *prep.* **just at; facing:**

dāng nián | dāng miàn dào xiè
当年 | 当面道谢
that year | thank somebody face to face

dāng wǒ gǎn dào chē zhàn chē yǐ jing kāi le
当我赶到车站，车已经开了。

When I rushed to the bus stop, the bus had already left.

See dàng on p.50

dàng 当 (當)

♥ ***adj.* proper:**

chǔ lǐ dé dàng
处理得 当
handle properly

yòng cí bù dàng
用 词不 当
use improper words

♥ ***v.* treat as; think:**

dàng zhēn
当 真
take something seriously

wǒ dàng nǐ zǒu le ne yuán lái nǐ hái zài zhèr
我 当 你走 了呢，原 来你还 在 这儿。
I thought you had already left, but you're still here.

See dāng on p.49

dāo 刀

♥ ***n.* knife:**

cài dāo | cì dāo
菜 刀 | 刺刀
kitchen knife | bayonet

dāo zi
刀 子
knife

dāo
刀
knife

dǎo
导 (導)

♥ ***v.* lead; instruct:**

dǎo yóu　lǐng dǎo
导 游 | 领 导
tour guide | lead

jì zhù lǎo shī de jiào dǎo
记 住 老 师 的 教 导。
Remember the teacher's instructions.

♥ ***v.* transmit:**

dǎo guǎn　dǎo diàn
导 管 | 导 电
conduit | transmit electric current

bàn dǎo tǐ
半 导 体
semiconductor

dǎo
倒

♥ ***v.* fall:**

dǎ dǎo
打 倒
down with sb. ; defeat (sb. or sth.)

shuāi dǎo
摔 倒
fall down

fēng guā dǎo le xiǎo shù
风 刮 倒 了 小 树。
The tree was blown over by the wind.

♥ ***v.* transfer:**

dǎo bān　dǎo huàn
倒 班 | 倒 换
change shifts | rotate

wǒ shàng bān yào dǎo liǎng cì chē
我 上 班 要 倒 两 次 车。
When I go to work I have to transit twice.

See dào on p.52

dào 到

♥ ***v.* get to a place; arrive:**

dào zhàn le | kàn bù dào
到站了 | 看不到
arrive at the station | can't see

xiǎng ràng wǒ shàng dàng bàn bù dào
想让我上当，办不到！
You can't trick me!

rén dōu dào qí le
人都到齐了。
Everyone has arrived.

♥ ***v.* go to; leave to:**

dào xué xiào shàng kè
到学校上课
go to school for class

duō dào hù wài huó dòng
多到户外活动。
Go outside and do more exercises.

♥ ***adj.* considerate; thoughtful:**

zhōu dào
周到
thoughtful

nǐ xiǎng de hěn zhōu dào
你想得很周到。
You have thought of everything.

dào 倒

♥ ***v.* reverse:**

dào lì | dào tuì
倒立 | 倒退
stand on one's head | go backwards

cì xù fàng dào le
次序放倒了。
The order was reversed.

♥ *v.* **tip; pour:**

dào shuǐ
倒 水
pour water

gěi kè rén dào chá
给 客人 倒 茶。
Pour tea for the guests.

See dǎo on p.51

dào
道

♥ *n.* **way; road:**

dào lù | tiě dào
道路 | 铁道
road | railway

xià shuǐ dào xiū hǎo le
下 水 道 修 好 了。
The sewer has been fixed.

♥ *n.* **orientation; way; method:**

tiān dào | gōng dào
天 道 | 公 道
natural or heavenly laws | justice

♥ *n.* **technique; skill:**

chá dào | qí dào
茶道 | 棋道
tea ceremony | chess skill

tā hěn dǒng yī dào
她 很 懂 医 道。
She is very skilled in medicine.

♥ ***classifier.*** **used to refer to questions:**

shí dào tí
十 道 题
ten quesions

dé 得

♥ ***v.* get; obtain:**

dé dào　qǔ dé
得到 | 取得
get | obtain

dé le mǎn fēn
得了满分
get full points

♥ ***v.* fit; proper:**

dé dàng
得当
apt; appropriate

dé fǎ
得法
work in a proper way

shuō huà dé tǐ
说话得体
speak in a proper manner

♥ ***v.* can; able:**

zhè lǐ de shū bù dé ná zǒu
这里的书不得拿走。
One cannot take these books away.

See **de** on p.55

de 地

♥ **used after an adjective or phrase to form an adverbial adjunct before the verb:**

fēi kuài de pǎo
飞快地跑
run as fast as flying

tiān màn màn de hēi le
天慢慢地黑了。
The sky is slowly getting darker.

See **dì** on p.57

de 的

♥ **used after a pronoun, noun, adjective:**

sòng xìn de
送 信 的
letter deliverer

tiān rán de
天 然 的
natural

huā yǒu bái de yǒu qiǎn huáng de
花 有 白 的，有 浅 黄 的。
There are white and light yellow flowers.

♥ **used at the end of a statement to indicate certainty:**

jì huà shì què dìng le de
计划 是 确 定 了的。
The plan has been fixed.

zhè gè xiāo xi wǒ zhī dào de
这 个 消 息我 知 道 的。
I am aware of this information.

See dí on p.57；dì on p.58

de 得

♥ **used after a verb or an adjective to introduce a complement of result or degree:**

ná de qǐ lái | cā de gān jìng
拿得起来 | 擦得 干 净
can be picked up | can be wiped clean

zuò de fēi cháng hǎo
做 得非 常 好。
Well done.

See dé on p.54

dēng
灯
(燈)

♥ ***n.* lamp; light:**

diàn dēng | rì guāng dēng
电 灯 | 日 光 灯
electric lamp | fluorescent lamp

lǜ dēng liàng le
绿 灯 亮 了。
The (traffic) green light is on.

dēng
灯
light

děng
等

♥ ***adj.* same in degree or quantity:**

xiāng děng | děng tóng
相 等 | 等 同
equal | be equal; equate

yī jiā yī děng yú èr
一加一 等 于二。
One plus one equals two.

♥ ***n.* class; grade:**

tè děng | yōu děng shēng
特 等 | 优 等 生
super grade | outstanding student

jiǎng pǐn fēn sān děng
奖 品 分 三 等。
Prizes are divided into three grades.

♥ ***v.* wait for; await:**

děng chē | děng rén
等 车 | 等 人
wait for a bus | wait for someone

děng tā lái le zài zǒu ba
等 他来了 再 走 吧。
We will leave when he arrives.

dī
低

♥ ***adj.* at a short distance from the ground; low:**

dī ǎi | dī kōng fēi xíng
低矮 | 低空飞行
low | fly at low altitude; fly low

shuǐ wèi biàn dī le
水位变低了。
The water level dropped.

♥ ***adj.* below average:**

dī wēn | dī gōng zī
低温 | 低工资
low temperature | low salary

shēng yīn tài dī tīng bù qīng
声音太低，听不清。
The sound is too low to hear clearly.

♥ ***v.* hang down:**

dī xià tóu lái
低下头来
hang one's head

dí
的

♥ ***adj.* true; real:**

dí què hěn hǎo
的确很好。
It's really good.

See **de** on p.55； **dì** on p.58

dì
地

♥ ***n.* land:**

gāo dì | cǎo dì
高地 | 草地
highland | grassland

chūn huí dà dì
春回大地。
Spring is coming, and everything is growing.

♥ ***n.* a place:**

nèi dì | dì wèi
内 地 | 地位
hinterland | position

quán qiú gè dì
全 球 各地
all around the world

♥ ***n.* earth:**

dì céng
地 层
earth stratum

dì xīn wēn dù hěn gāo
地心 温 度 很 高。
The temperature of the earth's core is very high.

See **de** on p.54

dì
弟

♥ ***n.* brother; male cousin:**

dì di
弟弟
younger brother

sān dì
三 弟
third younger brother

biǎo dì dào wǒ jiā lái wánr
表 弟 到 我家来 玩儿。
My younger male cousin came to my house to visit.

dì
的

♥ ***n.* goal:**

mù dì dá dào le
目的达 到 了。
The goal has been reached.

See **de** on p.55；**dí** on p.57

dì 第	♥ **used before integers to indicate order:**
	dì yī míng 第一名 number one; first place
	dì wǔ cì lái dào zhè gè dì fang 第五次来到这个地方。 This is the fifth time I came to this place.
diǎn 典	♥ ***n.* standard；canon:**
	diǎn zhāng jīng diǎn 典章 | 经典 laws and rules | classic
	xué huì chá zì diǎn 学会查字典。 Learn how to consult a dictionary.
	♥ ***n.* ceremony:**
	diǎn lǐ kāi guó dà diǎn 典礼 | 开国大典 ceremony | founding ceremony of a state
diǎn 点 (點)	♥ ***n.* dot; speck:**
	hēi diǎn yǔ diǎn 黑点 | 雨点 black dot | drop of rain
	yī diǎn diǎn 一点点 a little bit
	♥ ***n.* point:**
	qǐ diǎn yōu diǎn 起点 | 优点 starting point | strong point

lì jiǎo diǎn | zhuā zhù zhòng diǎn
立脚点 | 抓住重点
standpoint | grasp the focal point

♥ ***v.* check numbers:**

diǎn míng | diǎn shù
点名 | 点数
call the roll | count numbers

qīng diǎn rén shù
清点人数
count the number of people

♥ ***v.* nod:**

diǎn tóu biǎo shì tóng yì
点头表示同意。
Nodding of the head indicates agreement.

♥ ***n.* hour; appointed time**

zhèng diǎn dào dá
正点到达
arrive on time

huǒ chē wǎn diǎn
火车晚点。
The train is delayed.

diàn
电
(電)

♥ ***n.* electricity:**

diàn dēng
电灯
electric light

fā diàn
发电
generate electricity

yī tái diàn dòng jī
一台电动机
an electric motor

♥ ***n.* lightening:**

shǎn diàn
闪 电
lightning

diàn shǎn léi míng
电 闪 雷 鸣。
There is thunder and lightning.

diàn
店

♥ ***n.* shop:**

yào diàn
药 店
pharmacy

qù shū diàn
去 书 店
go to book shop

dào zá huò diàn mǎi yī píng yóu
到 杂 货 店 买 一 瓶 油。
Go and buy a bottle of oil at a grocery shop.

♥ ***n.* inn:**

kè diàn | lǚ diàn
客 店 | 旅 店
inn | hotel

kè rén zhù zài diàn lǐ
客 人 住 在 店 里。
Customers stay in the hotel.

diào
调
(調)

♥ ***v.* transfer; move:**

diào dù
调 度
organize and dispatch

diào gōng zuò
调 工 作
change positions at work; transfer work

zhè wèi xiào zhǎng shì xīn diào lái de
这位校长是新调来的。
This schoolmaster was just transferred here.

♥ ***v.* investigate:**

diào chá
调查
investigate; look into

rèn zhēn zuò hǎo diào chá gōng zuò
认真做好调查工作。
Do the investigation work seriously.

♥ ***n.* tone; tune:**

mín jiān xiǎo diào
民间小调
folk tunes

zhè shǒu gē de diàor hěn hǎo tīng
这首歌的调儿很好听。
The tune of this song is pleasant.

See **tiáo** on p.333

dìng
订 (訂)

♥ ***v.* book; order:**

dìng bào
订报
subscribe to a newspaper

dìng gōng yuē
订公约
work out a convention

qǐng bāng wǒ dìng yī zhāng piào
请帮我订一张票。
Please help me book a ticket.

♥ ***v.* amend; edit:**

dìng zhèng
订正
make corrections

jiào dìng wén zhāng
校订文章
edit an article

dìng 定

♥ ***adj.* calm; stable:**

ān dìng
安定
stable; settled

xīn shén bù dìng
心神不定
agitated

♥ ***adj.* fixed:**

dìng jià
定价
fixed price

dìng qī
定期
scheduled period of time

♥ ***adv.* surely; certainly:**

yī dìng
一定
certainly; for sure

zhè jiàn shì yī dìng néng chéng gōng
这件事一定能成功。
This will definitely be a success.

dōng 东 (東)

♥ ***n.* east; one of the cardinal directions:**

dōng fāng | dōng fēng
东方 | 东风
the east | east wind

wǒ jiā zhù dōng chéng
我家住东城。
I live in the east of the city.

dōng 冬	♥ ***n.* winter:** dōng jì　dōng tiān 冬季｜冬天 winter｜winter xiǎo mài shì yuè dōng zuò wù 小麦是越冬作物。 Wheat is a winter crop.
dǒng 懂	♥ ***v.* understand; know:** dǒng shì 懂事 sensible yī kàn jiù dǒng 一看就懂 understand at a glance tā dǒng hǎo jǐ mén wài yǔ 他懂好几门外语。 He knows several foreign languages.
dòng 动 (動)	♥ ***v.* change the place or position of something; move:** zǒu dòng　dòng shēn 走动｜动身 move｜leave fēng chuī cǎo dòng 风吹草动。 The grass sways in the wind. ♥ ***v.* use; make use of:** dòng shǒu　dòng bǐ 动手｜动笔 start work｜start writing yù shì duō dòng nǎo zi 遇事多动脑子。 Use your head when doing anything.

♥ ***v.* touch one's heart; arouse:**

dòng xīn | dòng rén
动 心 | 动 人
be touched | moving

tā de huà zhēn ràng rén gǎn dòng
他 的 话 真 让 人 感 动。
What he said is really touching.

dōu
都

♥ ***adv.* completely; all; totally:**

kè rén dōu dào le
客 人 都 到 了。
All the guests have arrived.

quán jiā dōu qù le
全 家 都 去 了。
The whole family went.

♥ ***adv.* used to emphasize:**

tiān yī diǎnr dōu bù lěng
天 一 点儿 都 不 冷。
It's not cold at all.

zhè dào lǐ lián hái zi dōu zhī dào
这 道 理 连 孩 子 都 知 道。
This is common sense even for children.

See dū on p.65

dū
都

♥ ***n.* capital:**

jiàn dū
建 都
establish the capital

xīn zhōng guó shǒu dū jiàn zài běi jīng
新 中 国 首 都 建 在 北 京。
The capital of new China has been established in Beijing.

♥ ***n.* big city:**

dū huì
都会
metropolis

shàng hǎi shì gè dà dū shì
上海是个大都市。
Shanghai is a metropolitan.

See dōu on p.65

dú
毒

♥ ***n.* poison:**

xiāo dú
消毒
disinfect

zhè zhǒng qì tǐ yǒu dú
这种气体有毒。
This gas is poisonous.

♥ ***adj.* cruel:**

hěn dú
狠毒
cruel

tā bèi dú dǎ le yī dùn
他被毒打了一顿。
He was beat relentlessly.

dú
读
(讀)

♥ ***v.* read aloud; read:**

dú bào
读报
read newspaper

dú zhě duì zhè běn shū hěn mǎn yì
读者对这本书很满意。
Readers are very pleased with this book.

tā xǐ huan dú shū
他喜欢读书。
He likes reading books.

dù 度

♥ ***classifier.* unit of measurement:**

chánɡ dù | wēn dù
长度 | 温度
length | temperature

línɡ xià 5 dù
零下5度
five degrees below zero

♥ ***n.* extent:**

ɡāo dù | zhī mínɡ dù
高度 | 知名度
height | fame

ɡuò dù láo lèi
过度劳累
overwork

♥ ***n.* constitution; rules:**

fǎ dù | zūn shǒu zhì dù
法度 | 遵守制度
law | follow the rules

duǎn 短

♥ ***adj.* short:**

duǎn pǎo
短跑
short-distance running

duǎn qī
短期
short period

zhè jiàn yī fu yī diǎn yě bù duǎn
这件衣服一点也不短。
This garment is not short at all.

♥ ***v.* lack; shortcoming:**

duǎn shǎo | duǎn chù
短少 | 短处
deficient | shortcoming

jí shí jiě jué zī jīn duǎn quē wèn tí
及时解决资金短缺问题
solve fund-shortage promptly

duì

对

(對)

♥ *adj.* **right; normal:**

nǐ shuō de duì
你说得对。
You're right.

zhè dào tí zuò duì le
这道题做对了。
This question was solved correctly.

tā de shén sè bù duì
他的神色不对。
He doesn't look right.

♥ *v.* **check; compare:**

chá duì | duì zhào
查对 | 对照
check | compare

duì jié guǒ
对结果
compare results

♥ *v.* **be directed at; face:**

duì dài | miàn duì miàn
对待 | 面对面
treat | face to face

dà mén duì zhe shān
大门对着山。
The gate faces the mountains.

♥ *classifier.* **pair; couplet:**

yī duì ěr huán
一对耳环
a pair of earrings

dùn 顿 (頓)

♥ *v.* **pause:**

tā tíng dùn le yī xià
他停顿了一下。
He made a short pause.

♥ *v.* **arrange; settle:**

zhěng dùn
整顿
consolidate; rectification

bǎ jiā shǔ ān dùn xià lái
把家属安顿下来。
Let family members settle down.

♥ *adv.* **suddenly; immediately:**

tīng le tā de huà dà jiā dùn shí ān jìng xià lái
听了他的话,大家顿时安静下来。
Once they heard what he said, everyone became quiet all of a sudden.

duō 多

♥ *adj.* **exceed the original; many:**

duō shù | duō nián
多数 | 多年
most | many years

♥ *adv.* **indicating surprise, compliment, or question:**

yuè sè duō měi a
月色多美啊!
How beautiful the moon is!

mén yǒu duō gāo
门有多高?
How tall is the door?

E

ē

阿

♥ *v.* **play up to:**

gāng zhèng bù ē
刚 正 不 阿
upright and above flattery

See ā on p.1

è

饿

(餓)

♥ *adj.* **hungry:**

wǒ è le kuài kāi fàn ba
我 饿 了，快 开 饭 吧。
I'm hungry. Let's eat.

yòu lèi yòu è
又 累 又 饿
be tired and hungry

ér

儿

(兒)

♥ *n.* **child:**

ér tóng | ér kē
儿 童 | 儿 科
child | pediatrics

tā de liǎng gè nǚ ér zài yī qǐ wánr
她 的 两 个 女 儿 在 一 起 玩儿。
Her two daughters are playing together.

♥ *n.* **youngster; youth:**

nán ér | yùn dòng jiàn ér
男 儿 | 运 动 健 儿
young man | athlete

♥ *n.* **son:**

shēng ér yù nǚ
生 儿 育 女
raise children

tā yǒu liǎng ér yī nǚ
他 有 两 儿 一 女。
He has two sons and one daughter.

ěr 耳	♥ ***n.* ear:**
	ěr yǔ 耳 语 whisper
	zhè gè shēng yīn hěn ěr shú 这 个 声 音 很 耳 熟。 This voice sounds familiar.
èr 二	♥ ***num.* two:**
	dì èr cì 第二次 the second time
	méi kāi èr dù 梅 开 二 度 the second blooming of the plum tree

F

fā

发

(發)

♥ ***v.* produce:**

fā shēng
发 生
happen

jiàn fā diàn chǎng
建 发 电 厂
build an electric power plant

♥ ***v.* enlarge:**

fā yù | fā zhǎn
发育 | 发展
grow | develop

miàn fā qǐ lái le
面 发起来了。
The dough has risen.

♥ ***v.* expose; unmask:**

fā xiàn
发 现
find; discover

zào zhǐ shù shì zhōng guó gǔ dài
造 纸 术 是 中 国 古 代
de sì dà fā míng zhī yī
的 四 大 发 明 之 一。
Papermaking is one of the four great inventions in ancient China.

♥ ***v.* start doing something; generate:**

chū fā | fā qǐ
出 发 | 发 起
depart | initiate

fā rén shēn sī
发人深思
set people thinking

See fà on p.73

fǎ
法

♥ ***n.* law:**

fǎ lǜ
法律
law

hé fǎ | shāng biāo fǎ
合法 | 商标法
legal | trade mark law

♥ ***n.* method; way:**

yòng fǎ | fǎ shù
用法 | 法术
usage | witchcraft

zuò fǎ
做法
way of doing something

jiě jué wèn tí de bàn fǎ
解决问题的办法
the way to solve the problem

tā de bàn fǎ zhēn duō
他的办法真多。
He has many methods.

fà
发
(髮)

♥ ***n.* hair:**

máo fà | bái fà
毛发 | 白发
hair | white hair

bà ba qù lǐ fà le
爸爸去理发了。
Dad went to get a haircut.

See fā on p.72

fán

烦

(煩)

♥ ***adj.* unhappy:**

xīn fán yì luàn
心 烦 意 乱
be terribly upset

♥ ***adj.* superfluous and confusing:**

fán luàn
烦 乱
depressed and perturbed

bàn shì yù dào le má fan
办 事 遇 到 了 麻 烦。
Come across some trouble while doing something.

fǎn

反

♥ ***adj.* inside out:**

shì dé qí fǎn
适 得 其 反。
The result is quite the opposite.

xiǎo háir wà zi chuān fǎn le
小 孩儿 袜 子 穿 反 了。
The child's socks were put on backwards.

♥ ***v.* return; counter:**

fǎn wèn | fǎn xǐng
反 问 | 反 省
retort | self-examine

tā tí chū xiāng fǎn de yì jiàn
她 提 出 相 反 的 意 见。
She has the opposite opinion.

♥ ***v.* oppose; be against:**

tā de yì jiàn shòu dào fǎn duì
他 的 意 见 受 到 反 对。
His opinion was opposed.

fàn

饭

(飯)

♥ ***n.* cooked rice or other cereals:**

mǐ fàn　gān fàn
米饭 | 干饭
rice | cooked rice

♥ ***n.* regular meal:**

wǔ fàn　wǎn fàn
午饭 | 晚饭
lunch | supper

kāi fàn le
开饭了。
Food is ready.

fāng

方

♥ ***adj.* square:**

zhèng fāng tǐ　fāng kuài zì
正方体 | 方块字
cube | square-shaped characters

zhè zhāng zhuō zi shì fāng de
这张桌子是方的。
The table is square.

♥ ***n.* direction or side or place:**

dōng fāng　duì fāng
东方 | 对方
the east | the other party

yuǎn fāng　sì miàn bā fāng
远方 | 四面八方
remote place; far away | in all directions

♥ ***n.* method; approach:**

fāng fǎ　qiān fāng bǎi jì
方法 | 千方百计
way | make every attempt

♥ ***adv.* just; at the time when:**

fāng cái
方 才
just now

lái rì fāng cháng
来日方长。
There will be a time for this.

fáng
房

♥ ***n.* house; room:**

lóu fáng | píng fáng
楼房 | 平房
building | single-storey house

tā zài shū fáng kàn shū
她在书房看书。
She's reading in the study.

fáng
房
house

fǎng
访
(訪)

♥ ***v.* visit:**

fǎng wèn | fǎng yǒu
访问 | 访友
visit; call on | call on a friend

kè rén lái fǎng
客人来访
have visitors

♥ ***v.* seek by enquiry or search:**

chá fǎng
察访
investigate

jì zhě cǎi fǎng le yī wèi guān zhòng
记者采访了一位观众。
The reporter interviewed a spectator.

fàng 放

♥ ***v.* release:**

fàng xué | fàng yáng
放学 | 放羊
class dismissal at the end of the day | herd sheep

bǎ guān zhe de niǎor fàng le
把关着的鸟儿放了。
Release the birds from the cage.

♥ ***v.* expand:**

fàng dà | kāi fàng
放大 | 开放
magnify; enlarge | open

bǎi huā qí fàng
百花齐放
let hundreds of flowers bloom

♥ ***v.* lay aside:**

cún fàng | fàng xīn
存放 | 放心
leave in sb's care | carefree

bǎ shū fàng zài zhuō zi shàng
把书放在桌子上。
Put the book on the table.

fēi 飞 (飛)

♥ ***v.* fly:**

fēi chóng
飞虫
flying insects

niǎo fēi zǒu le
鸟飞走了。
The bird flew away.

fēi jī fēi wǎng fǎ guó
飞机飞往法国。
The plane is flying for France.

♥ ***adv.* describe something as fast as flying:**

fēi kuài
飞 快
very quick

mǎ zài cǎo yuán shàng fēi pǎo
马 在 草 原 上 飞 跑。
The horses are running fast on the grassland.

fēi
非

♥ ***adj.* go against:**

fēi fǎ | fēi lǐ | fēi fèn
非 法 | 非 礼 | 非 分
illegal | impolite | not one's due

♥ ***v.* oppose; blame:**

fēi nàn
非 难
blame

tā de zuò fǎ shòu dào fēi yì
他 的 做 法 受 到 非 议。
His actions were criticized.

féi
肥

♥ ***adj.* fat:**

féi ròu | féi yóu
肥 肉 | 肥 油
fat meat | grease; fat

zhè zhī yáng zhēn féi
这 只 羊 真 肥。
This sheep is fat.

♥ ***adj.* loose; wide:**

zhè jiàn yī fu yǒu diǎnr féi
这 件 衣服 有 点儿 肥。
This garment is a little big.

fèi

费

(費)

♥ ***n.* cost; spent:**

huā fèi　fèi yòng
花 费 | 费 用
cost | fee

dào yín háng jiāo shuǐ diàn fèi
到 银 行 交 水 电 费。
Go to pay for water and power at a bank.

♥ ***adj.* consume too much:**

zhè zhǒng qì chē tài fèi yóu
这 种 汽 车 太 费 油。
This car uses too much gas.

fēn

分

♥ ***v.* divide; separate:**

fēn lí　fēn qīng shì fēi
分 离 | 分 清 是 非
separate; leave | distinguish right from wrong

bǎ yī gè píng guǒ fēn chéng liǎng bàn
把 一 个 苹 果 分 成 两 半。
Divide an apple into two halves.

♥ ***classifier.* name of a unit of measurement:**

1 xiǎo shí děng yú 60 fēn
1 小 时 等 于 60 分。
One hour equals sixty minutes.

1 jiǎo qián děng yú 10 fēn
1 角 钱 等 于 10 分。
One *jiao* equals ten *fen*.

See fèn on p.80

fèn
分

♥ ***n.* component:**

shuǐ fèn | táng fèn
水分 | 糖分
moisture content | sugar content

niú nǎi hán yǒu duō zhǒng yǎng fèn
牛奶含有多种养分。
Milk has many nutrients.

♥ ***n.* limit of one's right or obligation:**

běn fèn
本分
one's duty

nǐ zuò de yǒu diǎn guò fèn
你做得有点过分。
You are behaving excessively.

See fēn on p.79

fēng
丰 (豐)

♥ ***adj.* rich:**

fēng fù | fēng shōu
丰富 | 丰收
rich; abundant | big harvest

fēng yī zú shí
丰衣足食
have ample food and clothing

fēng
风 (風)

♥ ***n.* wind; breeze:**

guā fēng | tái fēng
刮风 | 台风
blow | typhoon

fēng lì bù dà
风力不大。
The wind isn't very strong.

♥ *adj.* **as swift as the wind:**

fēng xíng quán guó
风行全国
popular throughout the country

♥ *n.* **scene; scenery:**

fēng guāng
风光
view; scene

zhè lǐ fēng jǐng yōu měi
这里风景优美。
The scenery here is beautiful.

♥ *n.* **attitude; manner:**

fēng dù
风度
manner; bearing

zuò fēng
作风
style of work

fū 夫

♥ *n.* **husband:**

fū fù
夫妇
married couple; husband and wife

wǒ de zhàng fu shì gè qǐ yè jiā
我的丈夫是个企业家。
My husband is an entrepreneur.

♥ *n.* **man:**

yú fū
渔夫
fisherman

nóng fū zài zhòng dì
农夫在种地。
The farmer is planting crops.

fú
服

♥ *n.* **clothes:**

fú zhuāng zhì fú
服装 | 制服
clothing | uniform

tā shēn chuān biàn fú
他身穿便服。
He wears informal clothes.

♥ *v.* **take medicine:**

fú yào
服药
take medicine

zhè zhǒng yào shì nèi fú de
这种药是内服的。
This medicine should be taken orally.

♥ *v.* **convince:**

fú cóng
服从
follow; obey

xīn fú kǒu fú
心服口服
be completely convinced

yǐ lǐ fú rén
以理服人
convince others by reasoning

fú
福

♥ *n.* **happiness; luck; fortune:**

fú qi
福气
good luck; good fortune

tí gāo zhí gōng de fú lì
提高职工的福利。
Improve employees' benefits.

fǔ
府

♥ ***n.* official residence; mansion:**

wáng fǔ zhèng fǔ
王府 | 政府
residence of a prince | government

zǒng tǒng fǔ
总统府
presidential palace

fù
父

♥ ***n.* father:**

fù qin fù mǔ
父亲 | 父母
father | father and mother; parents

♥ ***n.* male relative of an older generation:**

zǔ fù
祖父
grandfather

shū fù jiāo wǒ xué diàn nǎo
叔父教我学电脑。
My uncle taught me about computers.

fù
负
(負)

♥ ***v.* shoulder; bear:**

fù zhòng dān fù
负重 | 担负
bear a load or weight | shoulder; take on

shēn fù zhòng rèn
身负重任
shoulder an important task

♥ ***v.* lose:**

bù fēn shèng fù fù yú duì fāng
不分胜负 | 负于对方
draw | lose to the other team

♥ ***adj.* minus; opposite side:**

fù shù
负 数
negative number

fù hào
负 号
negative sign

fù diàn
负 电
negative electricity

fù
复
(複)
(複)

♥ ***v.* repeat; compound:**

fù xiě
复 写
duplicate

zhè gè wén jiàn fù zhì 5 fèn
这 个 文 件 复 制 5 份。
Make five copies of this file.

♥ ***v.* turn back:**

fǎn fù | wǎng fù
反 复 | 往 复
chop and change | move back and forth

tā yòu chóng fù le yī biàn
他 又 重 复 了 一 遍。
He repeated it again.

♥ ***v.* answer; repay:**

huí fù | fù chóu
回 复 | 复 仇
reply | revenge

zhè gè wèn tí qǐng jìn kuài dá fù
这 个 问 题 请 尽 快 答 复。
A quick reply is very much appreciated.

fù

♥ ***adj.* rich; wealthy; plenty:**

fù rén　fēng fù
富人 | 丰富
rich person | abundant

nóng mín fù qǐ lái le
农民富起来了。
The farmers became rich.

♥ ***n.* wealth:**

jī lěi cái fù
积累财富
accumulate wealth

G

gāi
该
(該)

♥ *v.* **need; ought to :**

yīng gāi
应 该
should; ought to

tiān wǎn le gāi xiū xi le
天 晚 了，该 休 息 了。
It's late now. It's time to go to bed.

gǎi
改

♥ *v.* **change; transform:**

gǎi biàn | gēng gǎi
改 变 | 更 改
change | transform

♥ *v.* **alter; revise; correct:**

gǎi zhèng | gǎi zuò wén
改 正 | 改 作 文
correct; amend | revise a composition

gǎi jìn jì shù
改 进 技 术
improve technology

gān
干
(乾)

♥ ***adj.*** **dry; without use of water:**

gān xǐ
干 洗
dry cleaning

yī fu gān le
衣 服 干 了。
The clothes are dry.

♥ *n.* **dried food:**

niú ròu gānr
牛 肉 干儿
dried beef

mǎi yī hé bǐng gān
买 一 盒 饼 干。
Buy a box of cookies.

♥ ***adj.* over; done:**

shuǐ kuài liú gān le
水 快 流 干 了。
The water has almost run out.

See **gàn** on p.88

gǎn
赶
(趕)

♥ ***v.* catch up with; rush for:**

zhuī gǎn | gǎn lù
追 赶 | 赶 路
run after | hurry along one's journey

tā qí chē wǎng diàn yǐng yuàn gǎn
他 骑 车 往 电 影 院 赶。
He rode his bike to the movie theatre quickly.

♥ ***v.* drive away:**

gǎn yáng | gǎn mǎ chē
赶 羊 | 赶 马 车
herd sheep | drive a carriage

bǎ fēi chóng gǎn zǒu
把 飞 虫 赶 走。
Whisk away flying insects.

gǎn
敢

♥ ***adj.* bold; be certain; be sure:**

yǒng gǎn | guǒ gǎn
勇 敢 | 果 敢
brave | courageous and resolute

tā gǎn zài dōng tiān yóu yǒng
她 敢 在 冬 天 游 泳。
She is brave enough to swim in winter.

gǎn

♥ *v.* **feel; sense:**

gǎn dào　gǎn jué
感到 | 感觉
feel | sense; feelings

hěn gǎn yì wài
很感意外
feel very surprised

♥ *v.* **move; touch; affect:**

gǎn dòng　gǎn xiǎng
感动 | 感想
be moved by something | impressions; thoughts

zhè gè gù shi hěn gǎn rén
这个故事很感人。
This story is very touching.

♥ *n.* **feelings; emotions:**

hǎo gǎn　yǐn qǐ fǎn gǎn
好感 | 引起反感
favor; good impression | arouse a negative sentiment

gàn

干

(幹)

♥ *n.* **main part:**

shù gàn　tiě lù gàn xiàn
树干 | 铁路干线
tree trunk | railway trunk line

♥ *v.* **do; work:**

gàn huór　kǔ gàn
干活儿 | 苦干
do work | work hard

tā gàn guo kuài jì
她干过会计。
She was an accountant.

♥ ***adj.* capable; able:**

gàn liàn
干 练
capable and experienced

jīng míng qiáng gàn
精 明 强 干
intelligent and capable

See gān on p.86

gāng
刚
(剛)

♥ ***adv.* just now:**

gāng cái
刚 才
just now

tā gāng huí jiā
他 刚 回 家。
He just got home.

♥ ***adj.* hard; strong:**

gāng qiáng | gāng zhí
刚 强 | 刚 直
unyielding | upright and outspoken

xìng qíng gāng zhèng
性 情 刚 正
strong character

gāo
高

♥ ***adj.* tall; high:**

gāo lóu | gāo shān
高 楼 | 高 山
high building | high mountains

zhàn de gāo
站 得 高
stand on a high place

♥ ***n*. height:**

shēn gāo　yīn gāo
身高 | 音高
height | pitch

xiǎo lǐ yǒu liǎng mǐ gāo
小李有两米高。
Xiao Li is two metres tall.

♥ ***adj*. above the average; a notch above:**

gāo shuǐ píng　gāo jí
高水平 | 高级
high level | advanced

tǐ wēn yǒu diǎnr gāo
体温有点儿高。
His temperature is a little high.

gǎo
搞

♥ ***v*. do; carry on:**

gǎo shēng chǎn
搞生产
be engaged in production

gǎo jiàn shè
搞建设
be engaged in construction work

gōng zuò gǎo chū chéng jì
工作搞出成绩。
The work has been successful.

♥ ***v*. get hold of:**

gǎo qíng bào
搞情报
obtain intelligence

gǎo dào yī xiē cái liào
搞到一些材料
get some materials

gào

♥ ***v.* tell; inform:**

gōng gào 公告 | zhōng gào 忠告
public notice | advice

tā gào su wǒ yī jiàn zhòng yào de shì qing
她告诉我一件重要的事情。
She told me something important.

♥ ***v.* go to law against somebody:**

dào fǎ yuàn qù gào tā
到法院去告他。
Go to court and sue him.

♥ ***v.* declare:**

gào bié
告别
bid farewell

gào tuì
告退
ask for leave

dà gōng gào chéng
大功告成。
This was successful.

gē

哥

♥ ***n.* brother; elder male relative of the same generation:**

gē ge 哥哥 | dà gē 大哥
elder brother | eldest brother

biǎo gē
表哥
older male cousin

♥ ***n.* term of endearment for older male acquaintances:**

zhāng èr gē | lǎo dà gē
张 二 哥 | 老 大 哥
Second Brother Zhang | eldest brother

gē 歌

♥ ***n.* song:**

mín gē
民 歌
folk song

chàng yī zhī gē
唱 一 支 歌
sing a song

♥ ***v.* sing:**

gāo gē yī qǔ
高 歌 一 曲。
Sing a song loudly.

gé 格

♥ ***n.* squares formed by crossing lines:**

fāng gér | dài gér de běn zi
方 格儿 | 带 格儿 的 本 子
checker | checkered notebook

♥ ***n.* standard:**

jí gé
及 格
pass (a test)

chǎn pǐn quán bù hé gé
产 品 全 部 合 格。
All the products meet the standard.

♥ ***n.* character:**

rén gé | pǐn gé gāo shàng
人 格 | 品 格 高 尚
personality | lofty moral character

gè
个
(個)

♥ **used as a classifier:**

yī gè rén | liǎng gè xiǎo shí
一 个 人 | 两 个 小 时
one person | two hours

♥ ***adj.* single:**

gè bié | gè rén
个 别 | 个 人
individual | individual person

gè tǐ
个 体
individual

♥ ***n.* size; height:**

gè zi | gāo gèr
个 子 | 高 个儿
height | tall person

dà gèr de píng guǒ
大 个儿 的 苹 果
big apple

gè
各

♥ ***pron.* different; various:**

gè zhǒng shāng pǐn
各 种 商 品
all kinds of commodities

gè guó péng you
各 国 朋 友
friends from every country

liǎng gè rén gè yǒu tè diǎn
两 个 人 各 有 特 点。
Both people have their own strong points.

gěi
给
(給)

♥ *v.* **give; pay:**

gěi tā liǎng běn shū
给 他 两 本 书。
Give him two books.

bǎ bǐ huán gěi xiǎo míng
把 笔 还 给 小 明。
Return the pen to Xiao Ming.

♥ ***prep.*** **in the interest of; for:**

tā gěi wǒ men bāng máng
他 给 我 们 帮 忙。
He helped us out.

lǎo shī gěi wǒ men shàng kè
老 师 给 我 们 上 课。
The teacher taught us.

See 几 on p.139

gēn
根

♥ *n.* **root:**

shù gēn | xū gēn
树 根 | 须 根
tree root | fibrous root

zhè kē shù de gēn hěn fā dá
这 棵 树 的 根 很 发 达。
The roots of this tree are deep.

gēn
根
root

♥ *n.* **origin; source:**

gēn jù
根 据
according to

zhī gēn zhī dǐ
知根知底
know each other's background very well

♥ ***adv.* thoroughly; completely:**

gēn chú
根除
root out

yǒu bìng yào gēn zhì
有病要根治。
If you're ill, you must treat it completely.

gēn
跟

♥ ***n.* heel:**

gāo gēnr xié
高跟儿鞋
high-heeled shoes

jiǎo hòu gēn
脚后跟
heel

♥ ***v.* follow:**

gēn suí
跟随
follow

gēn zhe bà ba qù gōng yuán
跟着爸爸去公园
go to the park with dad

♥ ***prep.* with; toward:**

tā yǒu shì yào gēn nǐ shāng liang
她有事要跟你商量。
She has something to consult with you about.

♥ ***conj.* and:**

mén qián zhòng le huā gēn cǎo
门 前 种 了 花 跟 草。
There are flowers and grass in front of the gate.

gēng 更

♥ ***v.* change; replace:**

gēng gǎi | gēng xīn
更改 | 更新
change; alter | replace the old with the new

rì chéng hái xū yào biàn gèng yī xià
日程还需要变更一下。
You still need to change your agenda.

See gèng on p.96

gèng 更

♥ ***adv.* more; even more:**

gèng jiā | gèng hǎo
更加 | 更好
more; still more | even better

xiǎo shù zhǎng de gèng gāo le
小树长得更高了。
The little tree grew even taller.

See gēng on p.96

gōng 工

♥ ***n.* worker:**

jì gōng | hé tong gōng
技工 | 合同工
skilled worker | contract worker

♥ ***n.* industry:**

huà gōng | qīng gōng
化工 | 轻工
chemical industry | light industry

♥ ***n.* work; construction project:**

gōng jù　dòng gōng
工具 | 动工
tool | start work

zài gōng chǎng zuò gōng
在工厂做工
work in a factory

gōng
公

♥ ***adj.* public; public affairs:**

gōng wù　bàn gōng
公物 | 办公
public property | handle official business

dà gōng wú sī
大公无私
selfless

♥ ***adj.* common; international:**

gōng shì
公式
formula

gōng lǐ　gōng yuē
公理 | 公约
truth acknowledged by the public | convention

♥ ***adj.* fair:**

gōng dào
公道
justice; fair

tā bàn shì hěn gōng zhèng
她办事很公正。
She is fair in doing everything.

♥ *v.* **make public; publicize:**

gōng bù 公布 announce | gōng gào 公告 public notice

gōng bù yú shì 公布于世 make known to the world

♥ ***adj.* (of an animal) male:**

gōng jī 公鸡 rooster | gōng niú 公牛 bull

zhè zhī māo shì gōng de 这只猫是公的。This is a male cat.

gōng

宫

♥ ***n.* imperial palace:**

gù gōng 故宫 Imperial Palace (in Beijing)

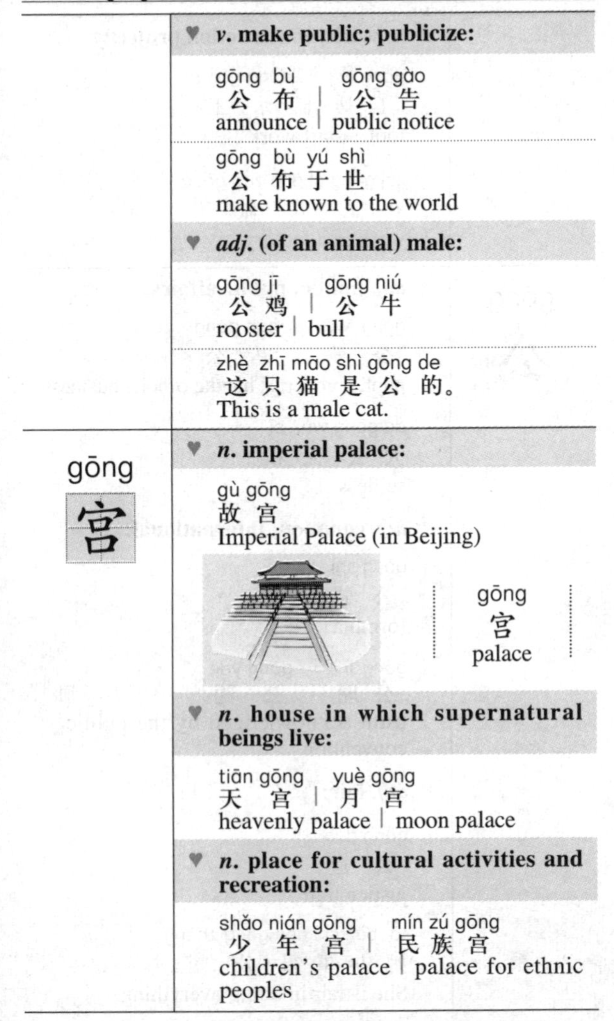

gōng 宫 palace

♥ ***n.* house in which supernatural beings live:**

tiān gōng 天宫 heavenly palace | yuè gōng 月宫 moon palace

♥ ***n.* place for cultural activities and recreation:**

shǎo nián gōng 少年宫 children's palace | mín zú gōng 民族宫 palace for ethnic peoples

gē jù zài wén huà gōng yǎn chū
歌剧在文化宫演出。
The opera was performed in the Cultural Palace.

gòng 共

♥ ***adv*. general; together:**

gòng tóng
共同
common

hé píng gòng chǔ
和平共处
peaceful coexistence

♥ ***adv*. altogether; amount to:**

zhè zuò dà lóu gòng yǒu shí èr céng
这座大楼共有十二层。
This is a twelve-storey building.

mǎi jiā jù gòng huā le 2000 yuán
买家具共花了2000元。
I spent two thousand *yuan* in total on furniture.

gǒu 狗

♥ ***n*. dog:**

xiǎo gǒu | kān mén gǒu
小狗 | 看门狗
puppy | watch-dog

jiā lǐ yǎng le liǎng zhī gǒu
家里养了两只狗。
I keep two dogs at home.

gǒu
狗
dog

gòu 够

♥ ***v.* enough; reach a certain point or a certain extent:**

cái liào bù gòu yòng
材料不够用。
There are not enough materials.

bié zháo jí shí jiān hái gòu
别着急，时间还够。
Don't rush. There is still time.

gū 姑

♥ ***n.* father's sister:**

gū mā | dà gū
姑妈 | 大姑
father's sister | father's elder sister

biǎo gū
表姑
daughter of grandmother's brother

♥ ***n.* girl:**

gū niang | cūn gū
姑娘 | 村姑
girl | village girl

gǔ 古

♥ ***adj.* ancient; ancient times:**

gǔ lǎo | yuǎn gǔ
古老 | 远古
ancient; age-old | remote antiquity

zhè shì yī zuò yǒu míng de gǔ chéng
这是一座有名的古城。
This is a famous ancient city.

gǔ 股

♥ ***classifier.* component part of a string or thread:**

sān gǔ xiàn
三股线
three-strand yarn

yī gēn xiàn kě fēn chéng liǎng gǔr
一根线可分成两股儿。
One thread can be split into two.

♥ ***n.* share in a pool of capital:**

gǔ fèn | gǔ piào
股份 | 股票
share | share; stock

gù
故

♥ ***n.* accident:**

biàn gù | shì gù
变故 | 事故
unforeseen event | accident

♥ ***n.* cause; reason:**

wú gù chí dào
无故迟到
be late without reason

huì yì yīn gù gǎi qī
会议因故改期。
The time of the meeting was changed for a specific reason.

♥ ***adj.* old; original:**

gù jū
故居
past home of a notable person

gù rén | gù xiāng
故人 | 故乡
old friend | hometown

♥ ***v.* die; dead:**

bìng gù | shēn gù
病故 | 身故
die of illness | die

lǎo rén yǐ jing gù qù le
老人已经故去了。
The old man already passed away.

gù

顾

(顧)

♥ ***v*. turn around and look at:**

huí gù
回顾
review

huán gù sì zhōu
环顾四周
look around

♥ ***v*. attend to; take care of:**

bù gù yī qiè
不顾一切
at any cost; recklessly

gù quán dà jú
顾全大局
take the interests of the whole into account

zhào gù
照顾
take care of

♥ ***n*. customer:**

gù kè | guāng gù
顾客 | 光顾
customer | (customer) visit

guā

刮

♥ ***v*. shave:**

guā liǎn | guā hú zi
刮脸 | 刮胡子
shave one's face | shave one's beard

♥ *v.* **blow:**

guā fēng
刮 风
blow

xiǎo shù bèi guā dǎo le
小 树 被 刮 倒 了。
The little tree was blown over.

guà 挂

♥ *v.* **hang:**

guà zhōng
挂 钟
wall clock

bǎ mào zi guà zài yī jià shàng
把 帽 子 挂 在 衣 架 上。
Hang the hat on a hanger.

qiáng shàng guà zhe yī zhāng dì tú
墙 上 挂 着 一 张 地 图。
A map is hung on the wall.

guān 关 (關)

♥ *v.* **close; turn off:**

guān mén | guān dēng
关 门 | 关 灯
close the door | turn off the light

bǎ diàn shì guān le
把 电 视 关 了。
Turn off the TV.

♥ *v.* **shut in; lock up:**

bǎ xiǎo gǒu guān zài jiā lǐ
把 小 狗 关 在 家 里。
Lock the dog up at home

bǎ guān zhe de niǎor fàng le
把 关 着 的 鸟儿 放 了。
Release the caged bird.

♥ ***n.* pass; point of entrance or exit; port:**

guān kǒu | biān guān
关口 | 边关
strategic pass | frontier pass

hǎi guān
海关
customs house; customs

♥ ***n.* concern; relation:**

guān xi | xiāng guān
关系 | 相关
relationship; connection | be interrelated

zhè jiàn shì hé tā wú guān
这件事和他无关。
This has nothing to do with him.

guān

观

(觀)

♥ ***v.* see; look at; watch:**

guān chá | páng guān
观察 | 旁观
observe carefully | look on with folded arms

cān guān dòng wù yuán
参观动物园
visit the zoo

♥ ***n.* sight; view:**

jǐng guān | tiān xià qí guān
景观 | 天下奇观
view natural | wonders

♥ ***n.* outlook; concept:**

guān niàn | shì jiè guān
观念 | 世界观
ideology | world outlook

lè guān de tài dù
乐观的态度
optimistic attitude

See guàn on p.106

guǎn
馆
(館)

♥ ***n.* place of accommodation for guests:**

bīn guǎn
宾馆
hotel

fù jìn yǒu yī jiā lǚ guǎn
附近有一家旅馆。
There is a hotel nearby.

♥ ***n.* official residence or office for diplomatic envoys and officials:**

dà shǐ guǎn | lǐng shì guǎn
大使馆 | 领事馆
embassy | consulate

♥ ***n.* a service venue:**

chá guǎn | zhào xiàng guǎn
茶馆 | 照相馆
teahouse | photo studio

tǐ yù guǎn jīn wǎn yǒu zú qiú sài
体育馆今晚有足球赛。
There is a football match in the gymnasium tonight.

guǎn
管

♥ ***n.* pipe:**

guǎn dào | diàn zǐ guǎnr
管道 | 电子管儿
pipeline | electron tube

guǎn yuè
管乐
wind music

♥ ***v.* manage; care about:**

guǎn zhàng guǎn lǐ
管 账 | 管 理
keep accounts | manage

zhè jiàn shì nǐ yī dìng yào guǎn
这件事你一定要管。
You must take care of this.

guàn 观 (觀)

♥ ***n.* Taoist temple:**

dào guàn
道 观
Taoist temple

bái yún guàn
白 云 观
Baiyun Temple (in Beijing)

See guān on p.104

guǎng 广 (廣)

♥ ***adj.* wide:**

guǎng chǎng kuān guǎng
广 场 | 宽 广
square; plaza | broad

zhè zhǒng yī fu liú xíng miàn hěn guǎng
这种衣服流行面很广。
This kind of clothing is popular all over.

♥ ***adj.* numerous:**

bīng duō jiàng guǎng tuī guǎng
兵多将广 | 推 广
lots of soldiers and generals | popularize

guì
贵
(貴)

♥ ***adj*. expensive:**

bǎo guì
宝 贵
valuable

zhè lǐ de shāng pǐn tài guì
这 里 的 商 品 太 贵。
The commodities here are too expensive.

♥ ***adj*. high-ranking; highly valued:**

guì zú | guì rén
贵 族 | 贵 人
nobleman | person of eminence

rè qíng jiē dài guì bīn
热 情 接 待 贵 宾
warmly welcome honored guests

guó
国
(國)

♥ ***n*. country:**

zǔ guó | guó gē
祖 国 | 国 歌
mother land | national anthem

dà xióng māo shì zhōng guó de guó bǎo
大 熊 猫 是 中 国 的 国 宝。
The giant panda is a national treasure of China.

♥ ***adj*. of one's own country i.e. Chinese:**

guó chǎn | guó huà
国 产 | 国 画
domestically produced | traditional Chinese painting

wǒ xǐ huan yòng guó huò
我 喜 欢 用 国 货。
I like using domestic goods.

guǒ 果

♥ ***n.* fruit:**

guǒ shù | shuǐ guǒ
果树 | 水果
fruit tree | fruit

kāi huā jié guǒ
开花结果
yield blossoms and bear fruits

♥ ***n.* result; effect; outcome:**

chéng guǒ | jié guǒ
成果 | 结果
gain; achievement | result; consequence

♥ ***adv.* surely enough; really:**

guǒ rán
果然
really; sure enough

guǒ zhēn shì zhè yàng
果真是这样。
It really turned out that way.

guò 过 (過)

♥ ***v.* go through; pass:**

guò hé | guò qiáo
过河 | 过桥
cross a river | pass over a bridge

guò rì zi
过日子
lead a life

♥ ***v.* exceed; go beyond:**

guò qī | chāo guò
过期 | 超过
expire; be overdue | exceed

zhè hái zi yǐ jing guò 15 suì le
这孩子已经过15岁了。
The kid is already fifteen years old.

♥ ***n.* fault; error:**

guò cuò
过错
mistake

jì guò
记过
give a demerit to somebody

zhī guò bì gǎi
知过必改
change when you know you're wrong

H

hái 还 (還)

♥ ***adv.* still; yet:**

tā hái méi yǒu lái
他还没有来。
He hasn't come yet.

shí jiān hái zǎo
时间还早。
It's still early.

See huán on p.128

hái 孩

♥ ***n.* child:**

nán háir | nǚ háir
男孩儿 | 女孩儿
boy | girl

lǎo zhāng yǒu liǎng gè hái zi
老张有两个孩子。
Lao Zhang has two children.

hǎi 海

♥ ***n.* sea:**

wǒ jiā zhù zài hǎi biān
我家住在海边。
My family live near the sea.

♥ ***adj.* extra-large:**

hǎi wǎn | hǎi liàng
海碗 | 海量
extra-large bowl | magnanimity; enormous capacity for liquor

hǎn 喊

♥ ***v.* shout; cry out; yell:**

hǎn jiào | hǎn kǒu hào
喊叫 | 喊口号
shout; yell | shout slogans

♥ *v.* **call somebody:**

nǐ qù hǎn tā yī shēng
你去喊他一声。
Go and call him.

hàn
汉 (漢)

♥ *n.* **Han ethnic group:**

hàn zì | hàn yǔ
汉字 | 汉语
Chinese character | Chinese language

tā huì shuō hàn yǔ
他会说汉语。
He can speak Chinese.

♥ *n.* **man:**

dà hàn | lǎo hàn
大汉 | 老汉
hefty; towering man | old man

bù dào cháng chéng fēi hǎo hàn
不到长城非好汉。
One who fails to reach the Great Wall cannot be called a man.

háng
行

♥ *n.* **line; row:**

háng liè | zì lǐ háng jiān
行列 | 字里行间
rank | between the lines

♥ ***classifier.*** **for things in a line:**

liǎng háng shù | shí sì háng shī
两行树 | 十四行诗
two rows of trees | sonnet

♥ *v.* **list according to years or some other standard:**

pái háng
排行
seniority among brothers and sisters

wǒ háng lǎo dà
我 行 老 大。
I'm the first child in my family.

♥ ***n.* profession:**

tóng háng
同 行
people of the same trade or profession

gè háng gè yè
各 行 各 业
all walks of life; all trades and professions

háng háng chū zhuàng yuan
行 行 出 状 元。
Every profession has an outstanding individual.

♥ ***n.* business firm:**

shāng háng | yín háng
商 行 | 银 行
trading firm | bank

pāi mài háng
拍 卖 行
auction firm; auctioneer

See xíng on p.387

háng
航

♥ ***v.* navigate; sail; fly:**

háng xiàng | háng bān
航 向 | 航 班
course (of a ship or a plane) | scheduled flight

wǒ men de chuán zài dà hǎi shàng háng xíng le sān tiān
我 们 的 船 在 大 海 上 航 行 了 三 天。
Our boat has been on the sea for three days.

hǎo

好

♥ ***adj.* good; nice; fine:**

hǎo rén hǎo dōng xi
好 人 | 好 东 西
nice person | good thing

zhè jiàn yī fu mǎi de hǎo
这 件 衣服 买 得 好。
This is a nice garment.

♥ ***adj.* friendly; kind:**

wǒ gēn tā shì hǎo péng you
我 跟 他 是 好 朋 友。
He and I are good friends.

liǎng guó guān xi hěn hǎo
两 国 关 系 很 好。
The two countries are on friendly terms.

♥ ***adj.* be easy to:**

zhī yào huā shí jiān hàn yǔ yě hěn hǎo xué
只 要 花 时 间，汉 语 也 很 好 学。
As long as one spends the time, Chinese is easy to learn.

zhè jiàn shì hǎo bàn
这 件 事 好 办。
This is easy.

♥ ***adj.* OK; alright:**

hǎo jiù zhào nǐ shuō de bàn
好，就 照 你 说 的 办。
OK, do as what you said.

hǎo nǐ jiù zhè yàng gàn ba
好，你 就 这 样 干 吧。
OK, do it in that way, please.

hǎo jīn tiān jiù jiǎng dào zhè lǐ xià kè
好，今天就讲到这里，下课。
Alright, let's stop here. Class is over.

See hāo on p.144

hào 号 (號)

♥ ***n.* mark; sign:**

wèn hào | xìn hào | guà hào
问号 | 信号 | 挂号
question mark | signal | register

♥ ***n.* size; kind:**

dà hào pí xié
大号皮鞋
large-size leather shoes

xié hào
鞋号
shoe size

zhè zhǒng chèn yī yǒu xiǎo hào zhōng hào hé dà hào
这种衬衣有小号、中号和大号。
The shirt comes in small, medium, and large sizes.

hào 好

♥ ***v.* like to do something:**

xǐ hào | ài hào
喜好 | 爱好
be fond of | hobby

tā hào dǎ qiú
他好打球。
He likes playing ball games.

See hǎo on p.113

hē 喝

♥ ***v.* drink:**

hē chá | hē niú nǎi
喝茶 | 喝牛奶
drink tea | drink milk

nǐ xiǎng hē diǎnr shén me
你想喝点儿什么?
What do you want to drink?

tā hē le liǎng bēi shuǐ
他喝了两杯水。
He drank two glasses of water.

hé 合

♥ ***v.* close; shut:**

hé yǎn
合眼
close one's eyes; sleep

tā bǎ shū hé shàng le
他把书合上了。
He closed the book.

♥ ***v.* join; combine:**

hé bàn | hé chàng
合办 | 合唱
join forces; pool efforts | chorus

tā men hé chàng le yī shǒu gē
他们合唱了一首歌。
They sang a song together.

♥ ***v.* suit; fit:**

hé yì | hé shēn
合意 | 合身
suit; be to one's liking | fit; suitable

zhè shuāng xié hěn hé jiǎo
这双鞋很合脚。
This pair of shoes fits very well.

♥ *v.* **be equal to:**

jīn tiān 1 měi yuán hé 7.5 yuán rén mín bì
今天1美元合7.5元人民币。
Today one U.S. dollar is equal to seven point five *yuan*.

hé
何

♥ ***pron.* interrogative pronoun indicating question:**

hé nián hé yuè | hé rén
何年何月 | 何人
when | who; whom

♥ **used in rhetorical question; why:**

lù nà me yuǎn wèi hé bù zuò chē qù
路那么远，为何不坐车去？
It's so far away. Why don't you take a bus?

hé
和

♥ ***adj.* gentle; peace:**

hé qì
和气
gentle; polite; amiable

hé shàn
和善
kind and gentle; genial

xīn píng qì hé
心平气和
be in a calm mood; be even-tempered

tā xìng qíng wēn hé
她性情温和。
She has a warm personality.

♥ ***prep.* used to indicate relationship, comparison, etc.:**

wǒ hé tā yī qǐ qù
我 和 他一起去。
I'll go together with him.

wǒ yǐ jing hé tā shuō guo le
我已经 和他 说 过 了。
I have already told him about it.

wǒ hé zhè jiàn shì méi yǒu rèn hé guān
我 和 这 件 事 没 有 任 何 关
xi
系。
I have nothing to do with this affair.

♥ ***conj.* and:**

lǎo shī hé tóng xué dōu xǐ huan tā
老 师 和 同 学 都 喜 欢 他。
The teachers and students all like him.

wǒ xué de zuì hǎo de shì shù xué hé yǔ
我 学 得 最 好 的 是 数 学 和 语
wén
文。
My best subjects are maths and Chinese.

♥ ***n.* sum:**

yī jiā yī de hé shì èr
一加一的 和 是 二。
One plus one equals two.

hé
河

♥ ***n.* river:**

xiǎo hé
小 河
little river

hé lǐ yǒu hěn duō yú
河里有 很 多 鱼。
There are many fish in the river.

huáng hé shì zhōng guó de dì èr dà hé
黄 河是 中 国的第二大河。
The Yellow River is the second longest in China.

hēi

黑

♥ ***adj.* black:**

hēi bǎn　hēi yī fu
黑 板 | 黑衣服
blackboard | black clothes

tā shì hēi tóu fa
他是 黑 头 发。
He has black hair.

♥ ***adj.* dark:**

hēi yè
黑 夜
dark night

tiān hēi le
天 黑 了。
The day gets dark.

bǎ dēng dǎ kāi tiān yǒu diǎnr hēi le
把 灯 打开,天 有 点儿 黑 了。
Turn on the light. It's getting a little dark.

♥ ***adj.* illegal:**

hēi huò　hēi shì
黑 货 | 黑 市
contraband | black market

tā cóng bù zuò hēi chē
他 从 不 坐 黑 车。
He never takes unlicenced vehicles.

hěn

很

♥ *adv.* **very; very much; quite:**

hěn hǎo
很 好
very good; pretty good

jiē shàng rén hěn duō
街 上 人 很 多。
There are many people on the street.

tā zhǎng de hěn piào liang
她 长 得 很 漂 亮。
She is very beautiful.

hóng

红

(紅)

♥ *adj.* **red:**

hóng huā
红 花
red flower

hóng mào zi
红 帽 子
red hat

tā chuān zhe yī jiàn hóng máo yī
她 穿 着 一 件 红 毛 衣。
She wears a red sweater.

♥ *adj.* **successful:**

zǒu hóng
走 红
become famous

kāi mén hóng
开 门 红
make a good beginning

tā xiàn zài chàng gē chàng hóng le
他 现 在 唱 歌 唱 红 了。
He achieved stardom as a singer.

hòu 后 (後)

♥ ***n.* behind; back:**

fáng hòu
房 后
behind the house

hòu mén
后 门
back door

tā xiàng hòu kàn le yī yǎn
他 向 后 看 了一眼。
He looked back.

♥ ***adj.* after; later:**

hòu tiān | hòu lái
后 天 | 后 来
the day after tomorrow | later

wǎn fàn hòu tā qù sàn bù le
晚 饭 后，他 去 散 步 了。
He went out for a walk after dinner.

♥ ***adj.* last:**

hòu sān míng
后 三 名
the last three (in a ranking)

tā zuò zài hòu pái
他 坐 在 后 排。
He's sitting in the back row.

hòu 候

♥ ***v.* wait for; await:**

hòu chē | hòu jī
候 车 | 候 机
wait for the bus | wait for one's flight

tā zhèng zài hòu tái hòu chǎng
他 正 在 后 台 候 场。
He is waiting on the backstage.

♥ ***n.* time; season:**

qì hòu 气候 climate | hòu niǎo 候鸟 migratory bird

shí hou 时候 (duration of) time; moment

hú 胡

♥ ***adv.* recklessly; nonsense:**

hú shuō 胡说 talk nonsense

hú xiě 胡写 write nonsense

gōng zuò kě bù néng hú lái
工作可不能胡来。
You can't mess things up while working.

♥ ***n.* whiskers; beard:**

hú xū 胡须 beard

tā liú zhe bā zì hú
他留着八字胡。
He grows a droopy mustache.

hú 湖

♥ ***n.* lake:**

hú shuǐ 湖水 lake water | xī hú 西湖 the West Lake

tā jiā hòu miàn yǒu yī gè xiǎo hú
他家后面有一个小湖。
There is a small lake behind his house.

hù

互

♥ *adv.* **mutually:**

hù lì　hù tōng
互利 | 互通
mutually beneficial | mutually communicate

liǎng jiā jīng cháng hù xiāng bāng zhù
两家经常互相帮助。
The two families often help each other.

hù

户

♥ *n.* **person or household engaging in some kind of work:**

nóng hù　shāng hù
农户 | 商户
farm family | business person

zhè gè lóu lǐ zhù le liǎng hù rén jiā
这个楼里住了两户人家。
There are two families living in this building.

hù

护

(護)

♥ *v.* **protect:**

ài hù
爱护
take good care of

hù lù
护路
patrol and guard a road or railway

tā shì yī gè hù lín yuán
他是一个护林员。
He is a forest protector.

♥ *v.* **be partial to:**

hù duǎn
护短
shield a fault

tā zǒng shì hù zhe zì jǐ de hái zi
他总是护着自己的孩子。
He's always biased toward his own children.

huā
花

♥ *n.* **flower:**

huā cǎo
花草
flowers and grass

kāi huā
开花
bloom; blossom; come into bloom

yī duǒ huā
一朵花
a flower

nà biān yǒu yī gè huā diàn
那边有一个花店。
There is a flower shop over there.

huā
花
flower

♥ *n.* **anything that looks like a flower:**

xuě huā
雪花
snowflake

wǎn shang guǎng chǎng shàng fàng lǐ huā
晚上广场上放礼花。
Fireworks were set off on the square in the evening.

♥ *adj.* **colored:**

huā māo
花 猫
spotted kitty

huā yī fu
花 衣服
patterned clothing

tā de tóu fa dōu huā bái le
他的 头发 都 花 白了。
His hair is grizzled.

♥ *v.* **spend; cost; take:**

huā fèi　huā qián
花 费 | 花 钱
spend; expend | spend money

tā huā le sān gè yuè de shí jiān zhǔn bèi
他 花 了 三 个 月 的 时 间 准 备
qù zhōng guó lǚ yóu
去 中 国 旅 游。
He spent three months preparing for travelling to China.

huá
华
(華)

♥ *n.* **China:**

huá yǔ　huá rén
华 语 | 华 人
Chinese language | foreign citizen of Chinese descent

tā shàng de shì huá yǔ bān
他 上 的是 华 语 班。
He is taking a Chinese class.

huà
化

♥ *v.* **change; turn:**

biàn huà　gǎn huà
变 化 | 感 化
change; transform | convert; influence

♥ **used after a noun or adjective, to express a change in nature or status:**

xiàn dài huà | lǜ huà
现代化 | 绿化
modernization | reforestation

jìng huà kōng qì
净化空气
clean the air

♥ ***n.* chemistry:**

huà féi | huà gōng
化肥 | 化工
chemical fertilizer | chemical industry

huà
划
(劃)

♥ ***v.* delimit; differentiate:**

huà qīng jiè xiàn
划清界限
mark the boundaries

huà shí dài
划时代
epoch-making

tā bǎ wén zhāng huà wéi wǔ bù fen
他把文章划为五部分。
He split the article into five parts.

huà
画
(畫)

♥ ***v.* draw or paint with a brush:**

huà yī gè jì hao
画一个记号
draw a mark

huà yī tiáo zhí xiàn
画一条直线
draw a straight line

tā huà shān shuǐ huà de hěn hǎo。
他画山水画得很好。
His paintings of rivers and mountains are good.

huà

话

(話)

♥ ***n.* drawing; painting:**

guó huà
国 画
Chinese painting

tā xǐn huan yóu huà
她喜欢油画。
She likes oil painting.

zhè zhāng huà guà zài zhè lǐ hěn hé shì
这张画挂在这里很合适。
This painting looks nice here.

♥ ***n.* language; dialect:**

zhōng guó huà | wài guó huà
中国话 | 外国话
Chinese | foreign language

tā huì shuō guǎng dōng huà
他会说广东话。
He can speak Cantonese.

♥ ***n.* spoken words:**

huà yǔ
话语
words

tā de huà hěn duì
她的话很对。
What she said is correct.

tā yòu xiǎng qǐ mā ma duì zì jǐ shuō guo de huà
他又想起妈妈对自己说过的话。
He thought about what his mother had told him again.

huài

坏

(壞)

♥ ***adj.* bad; ruined:**

huài shì | huài chù
坏事 | 坏处
bad deed | harm; disadvantage

huài xí guàn
坏习惯
bad habbit

♥ ***v.* go bad; spoil:**

miàn bāo huài le bù yào chī le
面包坏了，不要吃了。
The bread is stale; don't eat it.

jī qì huài le bù néng yòng le
机器坏了，不能用了。
The machine broke down, and it's unusable.

huān

欢

(歡)

♥ ***adj.* joyous; merry:**

huān kuài
欢快
cheerful and lighthearted

huān jiào
欢叫
hail; cheer

hái zi men huān kuài de chàng zhe gē
孩子们欢快地唱着歌。
The children are singing happily.

♥ ***adj.* vigorously:**

tā men zhèng wán de huān zhe ne
他们正玩得欢着呢。
They are playing to their hearts' content.

huán

(還)

v. return:

wǒ bǎ shū huán gěi tā le
我把书还给他了。
I returned the book to him.

jiè de qián dōu huán qīng le
借的钱都还清了。
I have returned all the money I borrowed.

v. give back:

huán lǐ | huán shǒu
还礼 | 还手
return a salute | strike back; hit back

bié rén sòng le tā lǐ wù dàn tā mǎ shàng huán le lǐ
别人送了他礼物，但他马上还了礼。
Other people gave him some gifts, and he soon returned in kind.

See hái on p.110

huán

(環)

n. ring; hoop:

ěr huán | huán lù
耳环 | 环路
earring | ring road

huán
环
ring

v. encircle; surround:

huán qiú lǚ xíng
环球旅行
travel round the world

huán chéng tiě lù
环城铁路
a railway encircling the city

huán zhe cāo chǎng pǎo bù
环着操场跑步
run around the playground

huàn 换

♥ ***v.* exchange:**

huàn líng qián
换零钱
make change

jiāo huàn míng piàn
交换名片
exchange business cards

♥ ***v.* change:**

tā huàn le yī gè xīn shǒu jī
他换了一个新手机。
He got a new cell phone.

tā měi tiān huàn bù tóng yán sè de yī fu
她每天换不同颜色的衣服。
She wears a different colour every day.

zhè gè bù mén huàn lǐng dǎo le
这个部门换领导了。
Managers of this department changed.

huáng 皇

♥ ***n.* monarch; emperor:**

huáng dì | huáng gōng
皇帝 | 皇宫
emperor | imperial palace

huáng hòu
皇后
empress

huáng 黄	♥ ***adj.* yellow:**
	huáng huā huáng yè zi 黄 花 | 黄 叶子 yellow flower | yellow leaf
	zhè jiàn shàng yī shì huáng sè de 这 件 上 衣 是 黄 色 的。 This jacket is yellow.
	♥ ***v.* fail; fall through:**
	mǎi mai huáng le 买 卖 黄 了。 The deal fell through.
huí 回	♥ ***v.* return:**
	huí jiā huí guó 回家 | 回 国 return home; go back home | go back to one's mother country
	tā gāng cóng guó wài lǚ yóu huí lái 他 刚 从 国 外 旅游 回 来。 He has just returned from travelling abroad.
huì 会 (會)	♥ ***v.* can; be able to:**
	huì kāi chē 会 开 车 be able to drive a car
	huì yīng yǔ 会 英 语 be good at English
	tā de xiǎo háir gāng gāng xué huì zǒu lù 她的 小 孩儿 刚 刚 学 会 走 路。 Her little child has just learned to walk.

♥ ***v.* be likely to; will:**

wǒ xiǎng míng tiān huì xià yǔ
我 想 明 天 会 下 雨。
I think it is likely to rain tomorrow.

jīn tiān tā bù huì lái le
今 天 他 不 会 来 了。
He won't come today.

nǐ huì dé dào hǎo jié guǒ de
你 会 得 到 好 结 果 的。
You will get a good result.

♥ ***n.* gathering; meeting; congregation:**

kāi huì | wǎn huì
开 会 | 晚 会
hold a meeting | evening party

jīn tiān xià wǔ wǒ yǒu gè huì
今 天 下 午 我 有 个 会。
I have a meeting this afternoon.

hūn 婚

♥ ***v.* marry:**

yǐ hūn nǚ rén
已 婚 女 人
married woman

tā liǎ hūn hòu de gǎn qíng gèng hǎo le
他 俩 婚 后 的 感 情 更 好 了。
Their relationship became even better after they got married.

huó 活

♥ ***v.* live; survive:**

méi yǒu shuǐ huā cǎo bù néng huó
没 有 水，花 草 不 能 活。
Flowers and grass cannot survive without water.

♥ ***n.* work:**

nóng huór
农 活儿
farm work

zhè gè huór bù róng yì gàn
这个活儿不容易干。
It's a tough job.

♥ ***adj.* movable; flexible:**

huó shuǐ
活水
flowing water

huó yè
活页
loose-leaf; detachable page

zhè shì yī zuò huó huǒ shān
这是一座活火山。
This is an active volcano.

huǒ
火

♥ ***n.* fire:**

dà huǒ | xiǎo huǒ
大火 | 小火
big fire | small fire

bǎ huǒ diǎn shàng
把火点上。
Light the fire.

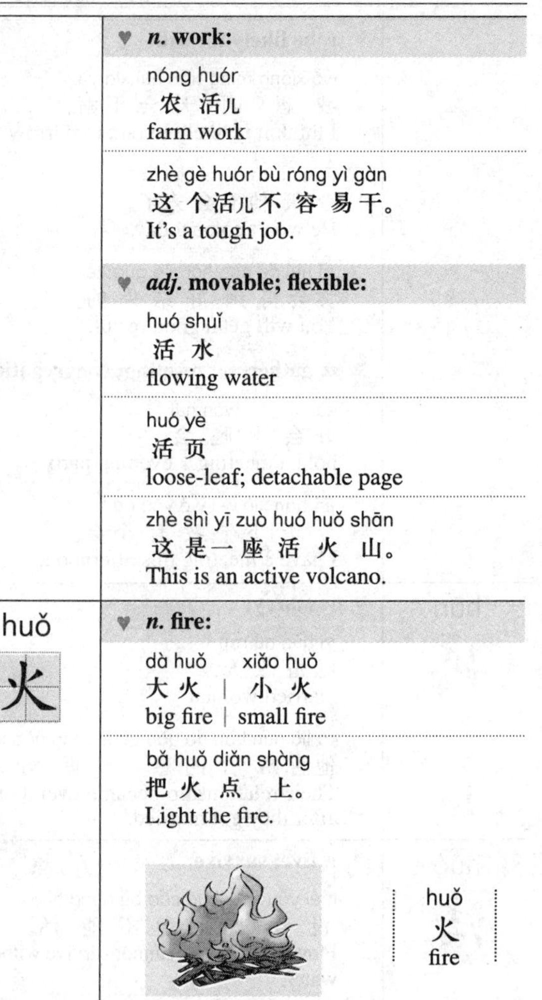

huǒ
火
fire

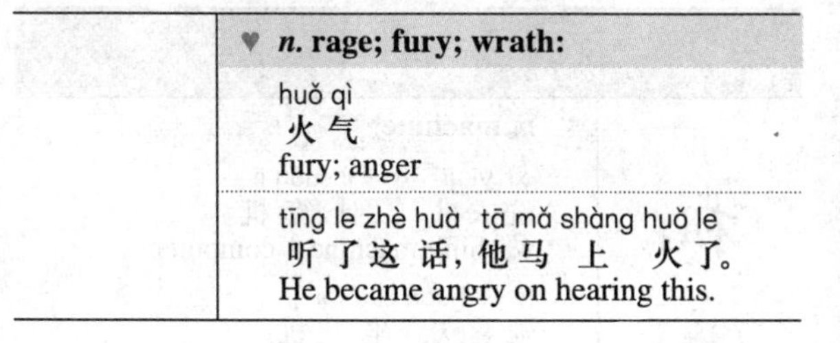

	♥ ***n.*** **rage; fury; wrath:**
	huǒ qì 火 气 fury; anger
	tīng le zhè huà tā mǎ shàng huǒ le 听 了 这 话，他 马 上 火 了。 He became angry on hearing this.

J

jī
机
(機)

♥ ***n.* machine:**

xǐ yī jī　jì suàn jī
洗衣机 | 计算机
washing machine | computer

tā xǐ huan zuò fēi jī
他喜欢坐飞机。
He likes to take planes.

♥ ***n.* opportunity; chance:**

jī huì
机会
chance; opportunity

jī bù kě shī　shí bù zài lái
机不可失，时不再来。
Opportunity knocks but once; the chance may never come again.

zhuā zhù yǒu lì shí jī
抓住有利时机。
Take advantage of this favourable opportunity.

jī
鸡
(鷄)

♥ ***n.* chicken:**

jī ròu　jī dàn
鸡肉 | 鸡蛋
chicken (meat) | chicken egg

yǎng jī chǎng
养鸡场
chicken farm

gōng jī
公鸡
rooster

jī 基	♥ ***n.* foundation:**
	dì jī lù jī 地基｜路基 foundation｜road bed
	♥ ***adj.* primary:**
	jī shù jī céng 基数｜基层 base number｜grassroots level
	jī běn 基本 fundamental; main; essential
jí 及	♥ ***v.* reach; amount to; be on time for:**
	jí gé 及格 pass an exam
	lái de jí 来得及 have enough time to do something
	♥ ***conj.* and; as well as:**
	yǐ jí 以及 and; as well as
	guó jiā jí tǐ jí gè rén 国家、集体及个人 the country, the collective and the individual
jí 吉	♥ ***adj.* auspicious; propitious:**
	dà jí dà lì 大吉大利 good luck and great prosperity
	kāi mén dà jí 开门大吉 prosperity upon opening

jiè nǐ jí yán dàn yuàn zhè shì néng chéng
借你吉言，但 愿 这 事 能 成。
I wish this would be successful with your auspicious words.

jí
级
(級)

♥ *n.* **level; rank:**

gāo jí
高 级
senior

shàng jí xià jí
上 级 | 下 级
higher up | lower level

♥ *n.* **grade:**

liú jí
留 级
fail to advance to the higher grade

tā men liǎng gè tóng jí bù tóng bān
他 们 两 个 同 级不 同 班。
They two are in the same grade but not in the same class.

jí
极
(極)

♥ *adj.* **extreme:**

jí diǎn jí dù
极 点 | 极 度
limit | extremely

jí duān
极 端
extreme

♥ *adv.* **extremely; to the highest extent:**

jí zhòng yào
极 重 要
of cardinal importance

tā gǎn dào lèi jí le
他 感 到 累极 了。
He felt exhausted.

	♥ ***n.* pole:**
	nán jí běi jí 南极 | 北极 South Pole | North Pole
jí 急	♥ ***adj.* rapid and violent:**
	jí xíng jūn 急行军 forced march
	shuǐ hěn jí 水很急。 The water is running rapidly.
	♥ ***adj.* urgent; emergent:**
	jí shì jí huór 急事 | 急活儿 emergency | urgent matter
	jí jiù 急救 first aid; emergency treatment
	♥ ***v.* impatient; anxious; hurry:**
	tā jí zhe gǎn huǒ chē 他急着赶火车。 He is in a hurry to catch the train.
	bié jí yǒu shì màn màn shuō 别急，有事慢慢说。 No hurry. Tell me slowly.
jí 集	♥ ***v.* collect; gather:**
	jí hé 集合 assemble; gather
	wǒ shì yī gè jí yóu ài hào zhě 我是一个集邮爱好者。 I like collecting stamps.

♥ ***n.* collection:**

lùn wén jí
论文集
collection of theses

shì jiè dì tú jí
世界地图集
world atlas

jǐ
几
(幾)

♥ ***num.* how many:**

nǐ qù guo zhōng guó jǐ cì
你去过中国几次?
How many times have you been to China?

xiàn zài jǐ diǎn le
现在几点了?
What is the time now?

♥ ***num.* a few; several:**

wǒ jīn tiān mǎi le jǐ běn shū
我今天买了几本书。
I bought a few books today.

shí jǐ suì de hái zi
十几岁的孩子
teenager

tā guò jǐ tiān jiù huí lai le
他过几天就回来了。
He will come back a few days later.

jǐ
己

♥ ***pron.* oneself:**

zì jǐ | jǐ fāng
自己 | 己方
oneself | one's own party

shě jǐ wèi rén
舍己为人
sacrifice one's own interest for the sake of others

jǐ 挤 (擠)	♥ *v.* **jam; squeeze:**
	rén tài duō jǐ bù guò qù 人太多，挤不过去。 There are too many people so I can't get through.
	fáng jiān lǐ jǐ mǎn le rén 房间里挤满了人。 The room is closely packed.
	jǐ jiàn shì qing dōu jǐ dào yī qǐ le 几件事情都挤到一起了。 Several matters need to be dealt with at the same time.
	♥ *v.* **exert pressure to get something out:**
	jǐ niú nǎi | jǐ yào shuǐ 挤牛奶 | 挤药水 milk a cow | squeeze fluid medicine out
jǐ 给 (給)	♥ *v.* **supply; provide:**
	gōng jǐ | jǐ yǎng 供给 | 给养 supply | army logistics
	zì jǐ zì zú 自给自足 self-sufficient
	See gěi on p.94
jì 计 (計)	♥ *n.* **idea; plan:**
	yī jì bù chéng yòu shēng yī jì 一计不成，又生一计。 Play another trick after the failure of the first one.
	sān shí liù jì 三十六计 the thirty-six stratagems

♥ ***v.* calculate:**

zǒng jì
总计
add up to; amount to

tǒng jì jié guǒ chū lai le
统计结果出来了。
The statistical results are released.

♥ ***n.* instrument for measuring temperature:**

wēn dù jì | tǐ wēn jì
温度计 | 体温计
thermometer | body thermometer

jì
记
(記)

♥ ***v.* remember:**

tā hái jì de tā
他还记得她。
He still remembers her.

tā bǎ dān cí dōu jì zhù le
他把单词都记住了。
He has memorized all of the words.

♥ ***v.* record; take note:**

jì lù
记录
record; take notes

jì shì běn
记事本
notebook

wǒ bǎ yào zuò de shì qing jì zài zhǐ shàng
我把要做的事情记在纸上。
I write down everything I need to do on paper.

jì

技

♥ *n.* **skill; ability:**

kǒu jì　jì shī
口技 | 技师
vocal mimicry | technician

yī jì zhī cháng
一技之长
proficiency in a particular field; professional skill

jì

系

(繫)

♥ *v.* **tie:**

jì lǐng dài
系领带
tie a tie

See xì on p.368

jì

际

(際)

♥ *n.* **border; boundary:**

biān jì
边际
limit; boundary

tiān jì
天际
horizon

♥ *n.* **between; among:**

guó jì jiāo wǎng
国际交往
international communication

xiào jì zú qiú bǐ sài
校际足球比赛
inter-school football match

jì
济
(濟)

♥ *v.* **relieve; help:**

jiù jì　wú jì yú shì
救济｜无济于事
relieve｜be of no help

fú wēi jì kùn
扶危济困
help those in distress and aid those in peril

jì
寄

♥ *v.* **mail; post; send by mail:**

jì xìn　jì qián
寄信｜寄钱
mail a letter｜remit money

tā gěi wǒ jì lái yī běn shū
他给我寄来一本书。
He mailed me a book.

jiā
加

♥ *v.* **put in; add:**

nǐ yīng gāi gěi zhè jù huà jiā zhù jiě
你应该给这句话加注解。
You should annotate this sentence.

gěi dān cí jiā yīn biāo
给单词加音标。
Mark a word with phonetic symbols.

♥ *v.* **increase:**

jiā hòu　jiā gōng qián
加厚｜加工钱
thicken｜increase salary

tài lěng zài jiā yī jiàn yī fu ba
太冷，再加一件衣服吧。
It's cold. Put on some more clothes.

♥ ***v.* add; plus:**

èr jiā sān děng yú wǔ
二加三等于五。
Two plus three equals five.

jiā qǐ lái yī gòng huā le yī bǎi duō yuán
加起来一共花了一百多元。
It cost over one hundred *yuan* all together.

jiā

家

♥ ***n.* family; household; home:**

wǒ de jiā zài běi jīng
我的家在北京。
My home is in Beijing.

tā yī huí jiā jiù kāi shǐ zuò wǎn fàn
她一回家就开始做晚饭。
She started cooking dinner as soon as she came back home.

♥ ***n.* specialist:**

kē xué jiā | gē chàng jiā
科学家 | 歌唱家
scientist | professional singer

tā shì gè huà jiā
她是个画家。
She is a painter.

♥ ***n.* person or family engaged in a certain trade:**

nóng jiā | shāng jiā
农家 | 商家
farmer | merchant; businessman

jiǎ 假

♥ ***adj.* false; fake; artificial:**

jiǎ yá | jiǎ fà
假牙 | 假发
artificial teeth | wig; hairpiece

jiǎ huā kàn qǐ lái xiàng zhēn huā yī yàng
假花看起来像真花一样。
These artificial flowers look like real ones.

See jià on p.145

jià 驾 (駕)

♥ ***v.* drive:**

jià chē
驾车
drive a car

jià fēi jī
驾飞机
pilot a plane

jià 架

♥ ***v.* prop up; support; put up:**

jià qiáo | jià tī zi
架桥 | 架梯子
build a bridge | put up a ladder

♥ ***n.* frame; rack; shelf:**

huā jià
花架
shelf for displaying potted flowers

yī jià
衣架
coat hanger

shū jià shàng yǒu hěn duō gōng jù shū
书架上有很多工具书。
There are many reference books on the bookshelf.

jià

假

♥ ***n.* holiday; vaction:**

shì jià
事 假
leave on private business

xué sheng fàng jià le
学 生 放 假了。
The students are on vacation.

tā xiàng lǐng dǎo qǐng le jià
他 向 领 导 请 了 假。
He asked the boss for a leave.

See jiǎ on p.144

jiān

间

(間)

♥ ***n.* between; among:**

kè jiān
课 间
class break

liǎng xiào zhī jiān yǒu yī tiáo mǎ lù
两 校 之 间 有 一 条 马 路。
There is a road between the two schools.

tóng xué jiān yào duō jiāo liú
同 学 间 要 多 交 流。
Students should often exchange ideas with each other.

♥ ***n.* room:**

wèi shēng jiān | dān jiān
卫 生 间 | 单 间
toilet; washroom | single room

xǐ yī jiān
洗 衣 间
laundry room

See jiàn on p.147

jiǎn
检
(檢)

♥ *v.* **checkup:**

ān jiǎn　　jiǎn zì biǎo
安 检 | 检 字 表
security check | radical guide

tā yǐ jing jiǎn guo piào le
他 已 经 检 过 票 了。
He had his ticket checked already.

jiǎn
简
(簡)

♥ ***adj.*** **simple; brief:**

jiǎn lì　　jiǎn biàn
简 历 | 简 便
résumé | simple and convenient

yī qiè cóng jiǎn
一 切 从 简
as simple as possible

♥ *v.* **simplify:**

jiǎn huà
简 化
simplify

jiàn
见
(見)

♥ *v.* **see:**

yǎn jiàn wéi shí
眼 见 为 实。
Seeing is believing.

zhè shì shì wǒ qīn yǎn jiàn dào de
这 事 是 我 亲 眼 见 到 的。
I saw it with my own eyes.

♥ *v.* **meet; call on:**

huì jiàn
会 见
meet

jīn tiān tā qù jiàn le yī gè péng you
今 天 他 去 见 了 一 个 朋 友。
He went to visit a friend today.

jiàn 件

♥ ***n.* item; piece; mail; document:**

wén jiàn　xìn jiàn
文件 | 信件
file; document | letter

diàn zǐ yóu jiàn
电子邮件
e-mail

♥ ***classifier.* piece:**

yī jiàn shàng yī
一件上衣
a jacket

yī jiàn shì
一件事
a matter

jiàn 间 (間)

♥ ***adj.* space in between; seperate:**

duō yún jiàn yīn
多云间阴
cloudy turning to overcast

hēi bái xiāng jiàn
黑白相间
a mixture of black with white

See jiān on p.145

jiàn 建

♥ ***v.* create; establish:**

jiàn guó　gǎi jiàn
建国 | 改建
found a new nation | rebuild; reconstruct

gōng rén men zhèng zài jiàn lóu fáng
工人们正在建楼房。
Workers are constructing a new building.

jiàn 健

♥ ***adj.* healthy; strong:**

jiàn kāng | jiàn quán
健康 | 健全
healthy; in good condition | sound; perfect; complete

♥ ***v.* strengthen:**

jiàn shēn | jiàn nǎo
健身 | 健脑
body building | strengthen the mind

jiāng 江

♥ ***n.* river:**

jiāng hé
江河
river

wǒ jiā zhù zài jiāng biān
我家住在江边。
My family lives near a river.

♥ ***n.* the Yangtze River:**

jiāng nán
江南
south of the Yangtze River

dà jiāng nán běi
大江南北
all over China

jiāng 将 (將)

♥ ***adv.* be going to; be about to:**

xīn nián jiāng dào
新年将到。
New Year is approaching.

huǒ chē jiāng dào dá běi jīng
火车将到达北京。
The train will arrive in Beijing.

♥ ***prep.* with; by:**

jiāng cuò jiù cuò
将错就错
make use of a mistake

jiāng xīn bǐ xīn
将心比心
put oneself in another's shoes

jiāng shǒu fàng zài tóu shàng
将手放在头上
put one's hands on one's head

See jiàng on p.149

jiǎng

讲

(講)

♥ ***v.* say; tell; relate:**

jiǎng xiào hua | jiǎng kè
讲笑话 | 讲课
tell a joke | teach a class

tā zài jiǎng huà
他在讲话。
He is speaking.

♥ ***v.* pay attention to; be particular about:**

jiǎng wèi shēng
讲卫生
be particular about hygiene

jiǎng lǐ jié
讲礼节
be particular about etiquette

jiàng

将

(將)

♥ ***n.* rank of general:**

dà jiàng | míng jiàng
大将 | 名将
admiral | famous general

jiàng shì
将士
officers and soldiers

See jiāng on p.148

jiāo

交

♥ *v.* **associate with; mix with:**

jiāo péng you　jiāo huǒ
交朋友 | 交火
make friends with | exchange fire; open fire; fight

liǎng tiáo lù zài zhè lǐ xiāng jiāo
两条路在这里相交。
Two roads are intersected here.

jiāo
交
intersect

♥ *v.* **give; hand over:**

jiāo qián　jiāo huò
交钱 | 交货
pay for sth. | deliver goods

zhè shì jiāo gěi tā bàn
这事交给他办。
Let him do this.

♥ *adv.* **mutual; each other:**

jiāo liú　jiāo huàn
交流 | 交换
exchange; communicate | exchange

jiāo tán
交谈
talk with each other

jiāo

教

♥ *v.* **teach; instruct; tutor:**

jiāo huà huàr　jiāo xué
教画画儿 | 教学
teach painting | teach

lǎo shī jiāo xué sheng rèn zì
老师教学生认字。
The teacher is teaching students how to read.

See jiào on p.154

jiǎo
角

♥ ***n.* corner; angle:**

yǎn jiǎo | zuǐ jiǎo
眼角 | 嘴角
corner of the eye | corner of the mouth

zhí jiǎo
直角
right angle

♥ ***n.* horn:**

niú jiǎo
牛角
ox horn

yáng de tóu shàng zhǎng zhe liǎng zhī jiǎo
羊的头上长着两只角。
Goat has two horns.

jiǎo
角
horn

♥ ***classifier*. fractional unit of currency in China, equal to one tenth of one *yuan*:**

sān yuán bā jiǎo èr fēn
三元八角二分
three *yuan* and eighty-two *fen*

wǔ jiǎo qián
五角钱
five *jiao*

jiǎo
饺
(餃)

♥ *n.* **dumpling:**

shuǐ jiǎo
水 饺
boiled dumplings

tā xué huì le bāo jiǎo zi
他学会了包饺子。
He has learned how to make dumplings.

jiǎo zi
饺子
dumpling

jiǎo
脚

♥ *n.* **foot:**

tā zài hǎi biān guāng zhe jiǎo zǒu
她在海边 光 着脚 走。
She walks barefoot on the beach.

tā de jiǎo bǐ wǒ de dà
他的脚比我的大。
His feet are bigger than mine.

jiào
叫

♥ *v.* **cry; shout; yell:**

tiān yī liàng jī jiù jiào le
天一亮鸡就叫了。
The rooster crows as soon as the day breaks.

♥ *v.* **call:**

zhè gè cūn zi jiào xiè jiā cūn
这个村子叫谢家村。
This village is called Xiejia Village.

nǐ jiào shén me míng zi
你叫什么名字?
What's your name?

jiào
觉
(覺)

♥ ***n.* sleep:**

shuì wǔ jiào
睡 午 觉
take an afternoon nap

yī jiào shuì dào tiān liàng
一 觉 睡 到 天 亮。
He did not wake until daybreak.

See jué on p.170

jiào
校

♥ ***v.* check; proof read:**

jiào běn | jiào duì
校 本 | 校 对
collated edition (of a book) | proof read

jiào yàng | jiào gǎi
校 样 | 校 改
proof sheet | read and correct proofs

See xiào on p.380

jiào
较
(較)

♥ ***v.* compare:**

bǐ jiào
比 较
compare

♥ ***prep.* than:**

tā gōng zuò jiào yǐ qián gèng wéi nǔ lì
他 工 作 较 以 前 更 为 努 力。
He works even harder than before.

jīn nián jiào qù nián yǒu jìn bù
今 年 较 去 年 有 进 步。
More progress was made this year than last year.

	♥ ***adv.*** **rather:**
	shuǐ píng jiào gāo 水 平 较 高 of a higher level
	jīn tiān tiān qì jiào hǎo 今天天气较好。 It is nice weather today.
jiào 教	♥ ***v.*** **teach:**
	jiào shī jiào yù 教师 | 教育 teacher | education
	yán chuán shēn jiào 言传身教 teach by personal example as well as verbal instruction
	♥ ***n.*** **religion:**
	rù jiào xìn jiào 入教 | 信教 convert | believe in a religion
	tā shì gè chuán jiào shì 他是个传教士。 He is a missionary.
	See **jiāo** on p.150
jiē 接	♥ ***v.*** **approach; connect:**
	yíng jiē jiē tóu 迎接 | 接头 meet; welcome | contact; get in touch with
	tā pǎo de shàng qì bù jiē xià qì 他跑得上气不接下气。 He ran out of breath.

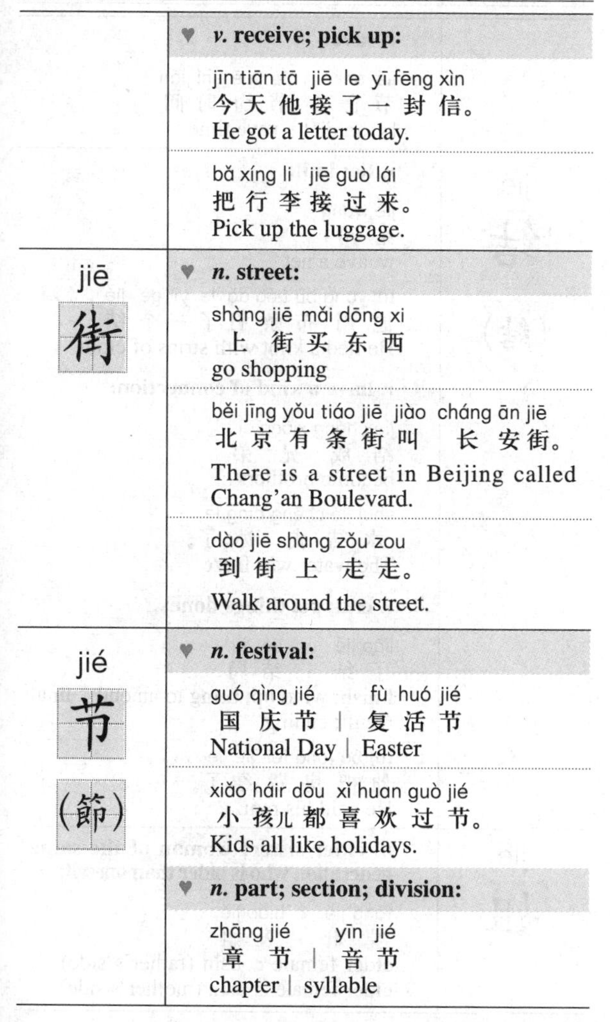

♥ ***v.* receive; pick up:**

jīn tiān tā jiē le yī fēng xìn
今天他接了一封信。
He got a letter today.

bǎ xíng li jiē guò lái
把行李接过来。
Pick up the luggage.

jiē
街

♥ ***n.* street:**

shàng jiē mǎi dōng xi
上街买东西
go shopping

běi jīng yǒu tiáo jiē jiào cháng ān jiē
北京有条街叫长安街。
There is a street in Beijing called Chang'an Boulevard.

dào jiē shàng zǒu zou
到街上走走。
Walk around the street.

jié
节
(節)

♥ ***n.* festival:**

guó qìng jié | fù huó jié
国庆节 | 复活节
National Day | Easter

xiǎo háir dōu xǐ huan guò jié
小孩儿都喜欢过节。
Kids all like holidays.

♥ ***n.* part; section; division:**

zhāng jié | yīn jié
章节 | 音节
chapter | syllable

♥ ***v.* save:**

jié shí　jié yuē shí jiān
节食 | 节约时间
be on diet | save time

jié
结
(結)

♥ ***v.* tie; knit:**

jié wǎng
结网
weave a net

tā yòng bù tiáo dǎ le yī gè jié
他用布条打了一个结。
He tied a knot with strips of cloth.

♥ ***v.* have a kind of connection:**

jié chéng xiōng dì
结成兄弟
become brothers

shuǐ jié chéng bīng le
水结成冰了。
The water was froze.

♥ ***v.* end; get things done:**

liǎo jié　jié jú
了结 | 结局
finish; wind up; bring to an end | final result; ending

tā bǎ fáng fèi jié le
他把房费结了。
He paid his rent.

jiě
姐

♥ ***n.* elder sister; woman of the same generation who is older than oneself:**

táng jiě　biǎo jiě
堂姐 | 表姐
elder female cousin (father's side) | elder female cousin (mother's side)

tā hé èr jiě yī qǐ zhào gù mā ma
她和二姐一起照顾妈妈。
She takes care of her mother with her second elder sister.

♥ ***n.* form of address for a young woman:**

lǐ jiě shì wǒ de hǎo péng you
李姐是我的好朋友。
Sister Li is my good friend.

jiě
解

♥ ***v.* separate; divide:**

jiě yī
解衣
take off the clothes

nán jiě nán fēn
难解难分
be locked together

tuō xié zhī qián xiān jiě xié dài
脱鞋之前先解鞋带。
Untie your shoes before taking them off.

♥ ***v.* remove; relieve:**

chá shuǐ zhēn jiě kě
茶水真解渴。
Tea really quenches thirst.

tā bāng wǒ jiě le wéi
他帮我解了围。
He helped me out of a predicament.

jiè
介

♥ ***n.* something in between:**

zhōng jiè
中介
intermediator

♥ *v.* **introduce:**

jiǎn jiè
简介
brief introduction

jīng guò jiè shào tā men liǎng gè rèn shi le
经过介绍，他们两个认识了。
The two got acquainted with each other by introduction.

jiè
界

♥ *n.* **scope; extent; boundary:**

guó jiè | zì rán jiè
国界 | 自然界
national boundary | natural world

shè huì gè jiè
社会各界
people from all walks of life

jiè
借

♥ *v.* **borrow:**

tā jiè qián mǎi fáng
他借钱买房。
He borrowed money to buy a house.

zhè běn shū shì wǒ xiàng tā jiè de
这本书是我向他借的。
This is the book I borrowed from him.

♥ *v.* **lend:**

wǒ jiè gěi tā 50 yuán qián
我借给他50元钱。
I lent him fifty *yuan*.

wǒ jiè fáng zi gěi péng you zhù
我借房子给朋友住。
I lent my house to a friend.

jīn

斤

♥ *classifier*. **unit of weight; one *jin* is five hundred *gramme*:**

jīn liǎng
斤两
weight

sān jīn píng guǒ
三斤苹果
thee *jin* of apples

dà bái cài yī jīn mài wǔ jiǎo qián
大白菜一斤卖五角钱。
Chinese cabbage is five *jiao* per *jin*.

jīn

今

♥ ***n.* present day; of today:**

gǔ wǎng jīn lái
古往今来
from ancient times until today; of all ages

jīn wǎn yǒu xiǎo yǔ
今晚有小雨。
There will be a drizzle tonight.

jīn tiān de shè huì fā zhǎn de hěn kuài
今天的社会发展得很快。
Today the society is marching forward quickly.

jīn

金

♥ ***n.* gold:**

jīn ěr huán | jīn zhǐ huán
金耳环 | 金指环
gold earrings | gold ring

♥ ***n.* money:**

xiàn jīn | lǐ jīn
现金 | 礼金
cash | gift of money

jǐn 紧 (緊)	♥ ***adj.* tight; narrow:**
	zhuā jǐn 抓 紧 hold tightly
	guān jǐn mén 关 紧 门 keep the door tightly closed
	♥ ***adj.* urgent; pressing:**
	shí jiān jǐn 时 间 紧。 Time is short.
	tā jǐn gēn zhe wǒ 他 紧 跟 着 我。 He's following me closely.
jìn 进 (進)	♥ ***v.* move forward; from outside to inside; go into:**
	jìn yī bù 进 一 步 further; go a step further
	jìn fáng jiān 进 房 间 enter the room
	tā zài tiān hēi yǐ qián zhù jìn le 他 在 天 黑 以 前 住 进 了 lǚ guǎn 旅 馆。 He registered at the hotel before nightfall.
jìn 近	♥ ***adj.* near; close:**
	yuǎn jìn 远 近 far or near

zhè lǐ lí shāng diàn hěn jìn
这里离商店很近。
We're very close to the store.

tā jìn jǐ nián cháng lái zhōng guó
他近几年常来中国。
He comes to China very often in recent years.

♥ ***v.* alike; close to:**

xiāng jìn
相近
similar; near

zhè liǎng gè cí de yì si hěn xiāng jìn
这两个词的意思很相近。
The two words have similar meaning.

jīng
京

♥ ***n.* capital of a country:**

jīng chéng | jīng dū
京城 | 京都
capital city | capital

♥ ***n.* Beijing; Peking:**

jīng jù
京剧
Peking Opera; Beijing Opera

jīng guǎng xiàn
京广线
the railway between Beijing and Guangzhou

jīng
经
(經)

♥ ***v.* pass through:**

jīng sī kǎo cái jué dìng
经思考才决定
decide after deliberation

lǎo rén yī shēng jīng de shì qíng hěn duō
老人一生经的事情很多。
Elder people have a lot of experiences.

♥ ***n.* longitude:**

jīng dù
经 度
longitude

dōng jīng 180°
东 经 180°
one hundred and eighty degrees east longitude

xī jīng 45°
西 经 45°
forty-five degrees west longitude

♥ ***n.* classics:**

niàn jīng
念 经
recite or chant Buddhist scripture

sì shū wǔ jīng
四 书 五 经
the Four Books and Five Classics

yuè dú jīng diǎn zuò pǐn
阅 读 经 典 作 品
read classic works

jīng
精

♥ ***adj.* meticulous; fine; precise:**

jīng dú | jīng xì
精 读 | 精 细
intensive reading | meticulous

jīng dǎ xì suàn
精 打 细 算
careful calculation and strict budgeting

♥ ***adj.* astute; smart:**

zhè ge rén hěn jīng
这 个 人 很 精。
He is a smart person.

jǐng 警

♥ ***n.* policeman:**

jǐng chá | jiāo jǐng
警察 | 交警
police | traffic police

jǐng fú
警服
police uniform

♥ ***n.* alarm; emergency:**

bào jǐng | huǒ jǐng
报警 | 火警
report a case to the police | fire alarm

♥ ***v.* warn; alarm:**

jǐng bèi | jǐng bào
警备 | 警报
be on guard | alarm

jǐng gào
警告
warn; caution

jìng 净

♥ ***adj.* clean; pure:**

gān jìng | chún jìng shuǐ
干净 | 纯净水
clean | purified water

♥ ***adj.* net:**

jìng zhòng 100 gōng jīn
净重100公斤。
Net weight is one hundred kg.

♥ ***v.* make something clean:**

jìng shǒu | jìng miàn
净手 | 净面
wash one's hands | wash one's face

	bǎ yī fu xǐ gān jìng 把衣服洗干净 wash the clothes clean
jìng 静	♥ ***adj.* quiet; silent:**
	jìng zuò bù dòng 静坐不动 sit quietly without moving
	fáng jiān lǐ hěn jìng méi yǒu rén shuō huà 房间里很静，没有人说话。 It is very quiet, and no one is speaking in the room.
	jìng xià xīn lái xiǎng yī xiǎng 静下心来想一想。 Calm down and think about it.
jiǔ 九	♥ ***num.* nine:**
	liù jiā sān děng yú jiǔ 六加三等于九。 Six plus three equals nine.
	♥ ***num.* many; numerous:**
	jiǔ sǐ yī shēng 九死一生 narrow escape from death
	jiǔ niú èr hǔ zhī lì 九牛二虎之力 tremendous effort
jiǔ 久	♥ ***adj.* a long time; of a specified duration:**
	cháng jiǔ 长久 permanent; everlasting
	tā hěn jiǔ méi huí jiā le 他很久没回家了。 He hasn't come home for a long time.

tā zǒu le duō jiǔ le
他走了多久了？
How long has he been away?

jiǔ
酒

♥ ***n.* alcoholic drink; wine:**

bái jiǔ | mǐ jiǔ
白酒 | 米酒
liquor | rice wine

hē jiǔ bù néng guò liàng
喝酒不能过量。
Drinking should not be excessive.

jiǔ
酒
wine

jiù
旧
(舊)

♥ ***adj.* used; old fashioned:**

jiù yī fu | jiù jiā jù
旧衣服 | 旧家具
used clothes | old furniture

jiù guān niàn
旧观念
outdated way of thinking; old concept

jiù
就

♥ ***adv.* used for emphasis:**

zhèr jiù shì wǒ de xué xiào
这儿就是我的学校。
This is my school.

jiā lǐ jiù wǒ yī gè rén
家里就我一个人。
I'm alone at home.

wǒ mǎ shàng jiù qù
我马上就去。
I'll go right away.

♥ ***v.* undertake:**

jiù zuò | jiù yè
就座 | 就业
be seated | get a job

jiù jìn shàng xué
就近上学
go to a local school

♥ ***v.* with:**

jiù zhe cài chī fàn
就着菜吃饭
eat rice with dishes

jiù zhe xià yǔ shàng huà féi
就着下雨上化肥
apply fertilizer while raining

jiù zhe shàng jiē bǎ cài mǎi huí lái
就着上街把菜买回来。
Buy some vegetables while you're out.

jū
居

♥ ***v.* reside; live:**

jū mín | jū zhù
居民 | 居住
resident; inhibitant | live; dwell; reside

♥ ***v.* be in a position; occupy a place:**

shuǐ píng jū zhōng
水平居中
at middle level

wǒ men bān nǚ shēng jū duō
我们班女生居多。
Most of our classmates are girls.

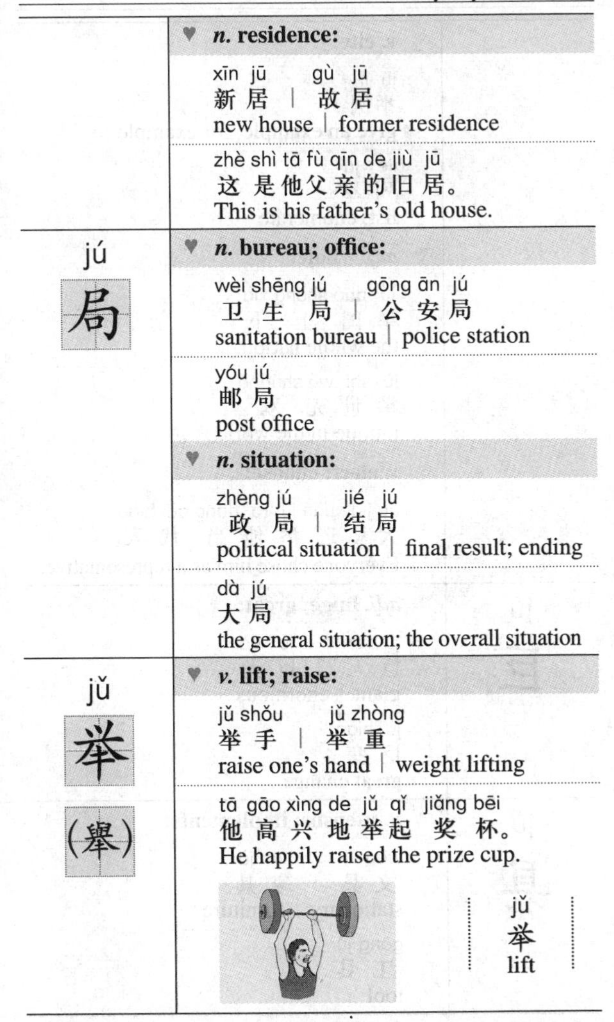

♥ ***n.* residence:**

xīn jū　gù jū
新居 | 故居
new house | former residence

zhè shì tā fù qīn de jiù jū
这是他父亲的旧居。
This is his father's old house.

jú 局

♥ ***n.* bureau; office:**

wèi shēng jú　gōng ān jú
卫生局 | 公安局
sanitation bureau | police station

yóu jú
邮局
post office

♥ ***n.* situation:**

zhèng jú　jié jú
政局 | 结局
political situation | final result; ending

dà jú
大局
the general situation; the overall situation

jǔ 举 (舉)

♥ ***v.* lift; raise:**

jǔ shǒu　jǔ zhòng
举手 | 举重
raise one's hand | weight lifting

tā gāo xìng de jǔ qǐ jiǎng bēi
他高兴地举起奖杯。
He happily raised the prize cup.

jǔ
举
lift

♥ ***v.* cite:**

jǔ lì
举例
give an example; for example

liè jǔ
列举
list; enumerate

♥ ***adj.* whole:**

jǔ guó shàng xià
举国上下
the whole nation

jǔ shì wú shuāng
举世无双
unique in the world

♥ ***v.* elect; choose:**

dà jiā xuǎn jǔ tā dāng dài biǎo
大家选举他当代表。
Everyone chose him as a representative.

jù
巨

♥ ***adj.* huge; great:**

jù rén | jù dà
巨人 | 巨大
giant | enormous

jù biàn
巨变
great change

jù
具

♥ ***n.* utensils; implements:**

wén jù | jiā jù
文具 | 家具
stationary | furniture

gōng jù
工具
tool

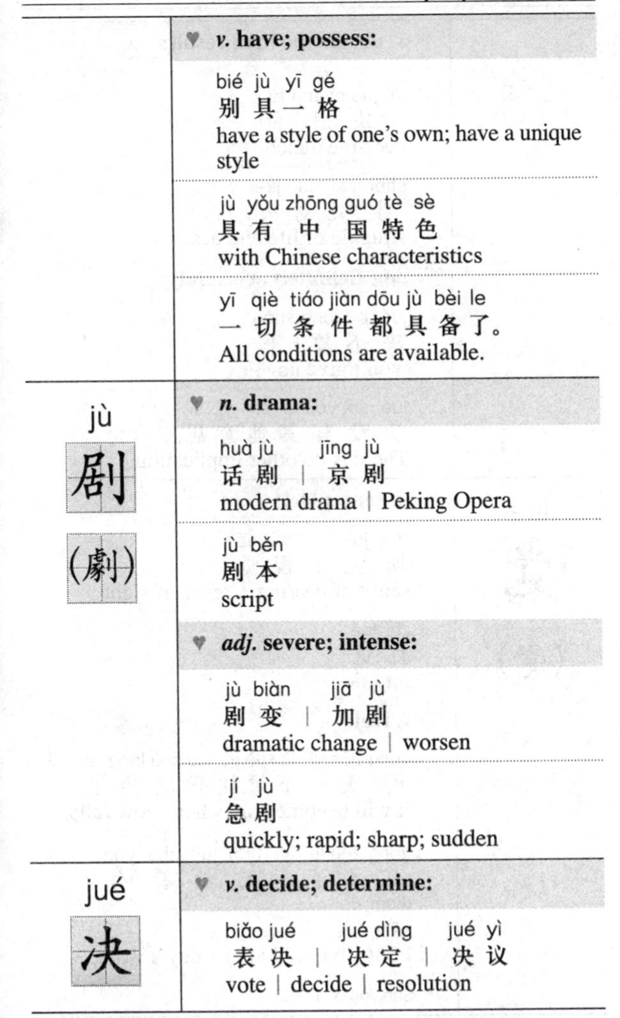

♥ ***v.* have; possess:**

bié jù yī gé
别具一格
have a style of one's own; have a unique style

jù yǒu zhōng guó tè sè
具有中国特色
with Chinese characteristics

yī qiè tiáo jiàn dōu jù bèi le
一切条件都具备了。
All conditions are available.

jù
剧
(劇)

♥ ***n.* drama:**

huà jù | jīng jù
话剧 | 京剧
modern drama | Peking Opera

jù běn
剧本
script

♥ ***adj.* severe; intense:**

jù biàn | jiā jù
剧变 | 加剧
dramatic change | worsen

jí jù
急剧
quickly; rapid; sharp; sudden

jué
决

♥ ***v.* decide; determine:**

biǎo jué | jué dìng | jué yì
表决 | 决定 | 决议
vote | decide | resolution

♥ ***v.* decide the final result:**

yī jué shèng fù
一决胜负
decisive match

shēng sǐ duì jué
生死对决
struggle of life and death

♥ ***adv.* definitely; certainly:**

jué bù fàng shǒu
决不放手
won't give up

jué méi yǒu qí tā yì si
决没有其他意思。
There is no other implication.

jué

觉

(覺)

♥ ***n.* sense; feel:**

tīng jué | shì jué
听觉 | 视觉
sense of hearing | sense of sight

zhí jué
直觉
intuition

♥ ***v.* feel:**

dōng tiān yī xià xuě jiù jué chū lěng le
冬天一下雪就觉出冷了。
It will become cold when snow falls.

gōng zuò le yī tiān jué zhe yǒu diǎnr lèi
工作了一天，觉着有点儿累。
I felt a bit tired after a day's work.

See jiào on p.153

K

kǎ 卡

♥ ***n.* card:**

mù lù kǎ | xìn yòng kǎ
目录卡 | 信用卡
catalogue card | credit card

gōng jiāo kǎ
公交卡
public transit card; smart card

kǎ
卡
card

♥ ***n.* lorry; truck:**

tā shì kāi dà kǎ chē de
他是开大卡车的。
He is a truck driver.

See qiǎ on p.254

kāi 开 (開)

♥ ***v.* open; turn on:**

kāi mén | kāi dēng
开门 | 开灯
open the door | turn on the light

kāi chuāng hu
开窗户
open the window

♥ ***v.* start; operate:**

kāi huǒ | kāi chē
开火 | 开车
fire; open fire | drive a car

kāi fēi jī
开飞机
pilot a plane

♥ *v.* **begin; start:**

kāi xué kāi gōng
开学 | 开工
school opening | put into operation; start

lùn wén kāi tí bào gào
论文开题报告
report the outline of a thesis

♥ *v.* **write out:**

kāi fā piào kāi chǔ fāng
开发票 | 开处方
make an invoice | write out a prescription

kān 看

♥ *v.* **look after; take care of; guard:**

kān mén kān hái zi
看门 | 看孩子
guard the entrance; serve as a doorkeeper | look after child

kān jiā
看家
look after the house; mind the house

See kàn on p.172

kàn 看

♥ *v.* **see; look at; watch:**

kàn diàn shì kàn bǐ sài
看电视 | 看比赛
watch TV | watch a match

tā zhèng zuò zài shā fā shàng kàn bào zhǐ
他正坐在沙发上看报纸。
He is reading a newspaper on the sofa.

♥ ***v.* visit:**

kàn péng you
看 朋 友
visit a friend

jīn tiān wǒ qù kàn le wǒ de lǎo shī
今 天 我 去 看 了 我 的 老 师。
Today I visited my teacher.

♥ ***v.* treat; attend to; give medical advice:**

kàn yá | kàn yǎn
看 牙 | 看 眼
to see a dentist | eye exam

yī shēng bǎ tā de bìng kàn hǎo le
医 生 把 他 的 病 看 好 了。
The doctor has cured his illness.

♥ **used after a verb to indicate a pending action, with the preceding verb often in reiterative locution:**

shì shì kàn | xiǎng xiǎng kàn
试 试 看 | 想 想 看
have a try | think it over

xiān zuò jǐ tiān kàn
先 做 几 天 看。
Let's do it for a few days and see what will happen.

See kān on p.172

kāng
康

♥ ***adj.* affluent; abundant:**

kāng jū
康 居
affluent

xiǎo kāng shēng huó
小 康 生 活
well-off life

♥ ***adj.* in good condition; healthy:**

jiàn kāng　kāng fù
健 康 | 康 复
healthy | restore to health; recover

kǎo
考

♥ ***v.* give a test or quiz:**

kǎo wèn　kǎo shì
考 问 | 考 试
oral test; oral examination | test; quiz; exam

ràng wǒ kǎo yī kǎo tā
让 我 考 一 考 他。
Let me give him a quiz.

tā kǎo shàng dà xué le
他 考 上 大 学 了。
He has passed the college entrance exams.

♥ ***n.* give an examination; take an examination:**

zhōng kǎo
中 考
entrance examinations for secondary school

gāo kǎo
高 考
university entrance examinations

kē
科

♥ ***n.* branch of academic or vocational study:**

wén kē　yá kē
文 科 | 牙 科
liberal arts | dentistry

nǐ xiǎng xué nǎ yī kē
你 想 学 哪 一 科?
What subject do you want to study?

♥ ***n.* department; section:**

kē zhǎng | kē yuán
科长 | 科员
section chief | staff member

cái wù kē
财务科
finance section

kě

可

♥ ***v.* approve:**

rèn kě
认可
approve

bù kě xiǎo kàn
不可小看
do not look down upon somebody

kě duō kě shǎo
可多可少
can be more or less; as one sees fit

♥ ***v.* be worth; should; ought to:**

kě guì | kě xiào
可贵 | 可笑
valuable | laughable; ridiculous

tā zhè rén zhēn kě ài
她这人真可爱。
She is so cute.

♥ ***conj.* but; yet; however:**

wǒ dā yìng le kě tā bù tóng yì
我答应了，可她不同意。
I promised, but she didn't agree.

tā rén xiǎo kě zhì qì dà
他人小，可志气大。
Although he is young, he has high aspirations.

♥ ***adv.* so; such (emphasis):**

tā kě hǎo le
她可好了。
She is pretty good.

kě bié wàng le zhè jiàn shì
可别忘了这件事。
Don't forget this.

wǒ kě xiǎng nǐ le
我可想你了。
I miss you so much.

kě
渴

♥ ***adj.* thirsty:**

kǒu kě | yòu kě yòu lèi
口渴 | 又渴又累
thirsty | thirsty and tired

bái kāi shuǐ zuì jiě kě
白开水最解渴。
Water is the best to quench thirst.

kè
克

♥ ***v.* overcome:**

kè fú kùn nan
克服困难
overcome difficulties

lì kè duì shǒu
力克对手
overpower the opponent

♥ ***classifier.* gramme; one gramme equals one thousandth of one kg:**

yī kè huáng jīn
一克黄金
one gramme of gold

kè 刻

♥ ***v.*** **carve; engrave; cut:**

kè míng zhāng
刻 名 章
engrave a seal

zài mù tou shàng kè zì
在 木 头 上 刻 字
carve characters on wood

zài shí tou shàng kè le yī dào
在 石 头 上 刻 了 一 道
cut a groove on the stone

♥ ***classifier.*** **unit of a time, fifteen minutes; quarter:**

hái yǒu yī kè bù dào shí èr diǎn
还 有 一 刻 不 到 十 二 点。
It is still a quarter to twelve o' clock.

bā diǎn yī kè kāi shǐ kāi huì
八 点 一 刻 开 始 开 会。
The meeting starts at a quarter past eight.

kè 客

♥ ***n.*** **guest; visitor:**

lái kè | qǐng kè
来 客 | 请 客
guest | play the host; stand treat

tā xiàn zài yǒu kè
他 现 在 有 客。
He has visitors now.

♥ ***n.*** **guest at a hotel; passenger of public transportation:**

gù kè | lǚ kè
顾 客 | 旅 客
customer | traveller; passenger

♥ ***n.* passenger:**

kè chē　kè jī
客车 | 客机
bus; passenger train | passenger plane

kè yùn
客运
passenger transport; passenger traffic

---

kè
课
(課)

♥ ***n.* subject; course:**

yǔ wén kè　tǐ yù kè
语文课 | 体育课
Chinese class | PE classes

kè chéng biǎo
课程表
class schedule

♥ ***n.* unit of time for teaching:**

kè shí
课时
class hour; period

jīn tiān tā shàng le sì jié kè
今天他上了四节课。
He had four classes today.

---

kōng
空

♥ ***n.* sky; heaven:**

gāo kōng　kōng zhōng
高空 | 空中
high in the sky; upper air | in the sky; in the air; aerial

♥ ***adj.* empty; hollow; void; unrealistic:**

kōng xiǎng
空想
day dream; impractical idea; Utopian

liǎng shǒu kōng kōng
两 手 空 空
be empty-handed; have nothing on one's hand

kōng tóu zhī piào
空 头 支 票
empty promise; lip service

♥ ***adv.* for nothing; in vain; without results:**

kōng huān xǐ
空 欢 喜
prematured joy

kōng pǎo
空 跑
fruitless journey

zhè cì yòu ràng nǐ kōng pǎo le yī tàng
这 次 又 让 你 空 跑 了 一 趟。
Sorry to have you make a wasted trip again.

See kòng on p.180

kǒng 孔

♥ ***n.* hole; opening; aperture:**

bí kǒng | máo kǒng
鼻 孔 | 毛 孔
nostril | pore

zhè zuò qiáo yǒu wǔ gè kǒng
这 座 桥 有 五 个 孔。
The bridge has five arches.

♥ ***n.* Confucius:**

kǒng zǐ xué yuàn
孔 子 学 院
Confucius Institute

kòng 空

♥ ***v.* vacate; leave empty:**

bǎ zuò wèi kòng chū lái
把 座 位 空 出 来
keep some vacant seats

kōng liǎng gè gé
空 两 个 格
leave two square blanks

♥ ***n.* free time; spare time; vacant space:**

kòng dì | tián kòng
空 地 | 填 空
vacant lot; open space | fill in a blank

tā jīn tiān yǒu kòngr
他 今 天 有 空儿。
He is free today.

chōu kòngr dào wǒ zhèr lái yī xià
抽 空儿 到 我 这儿 来 一 下。
Come over when you have time.

See kōng on p.178

kǒu 口

♥ ***n.* mouth:**

zhāng dà kǒu
张 大 口
open your mouth wide

kāi kǒu shuō huà
开 口 说 话
open your mouth and speak

♥ ***n.* opening; mouth:**

mén kǒu | píng kǒu
门 口 | 瓶 口
doorway | mouth of a bottle

rù kǒu | chū kǒu
入 口 | 出 口
entrance | exit

kū

哭

♥ ***v.* weep; cry; sob:**

xiào bǐ kū hǎo
笑 比 哭 好。
Laughing is better than crying.

zhè gè xiǎo hái bù ài kū
这 个 小 孩 不 爱 哭。
The child doesn't cry much.

tā gǎn dòng de kū le
他 感 动 得 哭 了。
He was moved to tears.

kū
哭
cry

kǔ

苦

♥ ***adj.* bitter:**

zhè zhǒng yào hěn kǔ
这 种 药 很 苦。
This medicine tastes very bitter.

liáng yào kǔ kǒu
良 药 苦 口。
Good medicine tastes bitter.

♥ ***v.* cause somebody so much pain:**

zhè shì kě kǔ le tā le
这 事 可 苦 了 他 了。
He suffered a lot from this.

♥ ***adv.* painstakingly; hard:**

kǔ liàn | kǔ gàn
苦 练 | 苦 干
practise hard | work hard

kǔ xué
苦 学
study hard

kù

裤

(褲)

♥ ***n.* trousers; pants:**

duǎn kù | cháng kù
短 裤 | 长 裤
shorts; short pants | pants; trousers

nèi kù
内 裤
underwear

kù
裤
pants

kuài

块

(塊)

♥ ***n.* piece; lump; chunk:**

shí kuài | tǔ kuài
石 块 | 土 块
lump of stone | lump of earth

kuài

快

♥ ***adj.* fast; quick; rapid; swift:**

kuài chē
快 车
express train or bus

tā pǎo de zhēn kuài
他 跑 得 真 快。
He runs really fast.

fǎn yìng kuài
反 应 快
react quickly

♥ ***adv.* hurry; make haste; as soon as possible:**

kuài lái bāng bāng wǒ
快 来 帮 帮 我!
Come over quickly and lend me a hand!

yào chí dào le kuài zǒu ba
要 迟 到 了, 快 走 吧。
Hurry up. We will be late.

♥ ***adv.* soon; be about to:**

kuài yào xià yǔ le
快 要 下 雨 了。
It will rain soon.

kuài kǎo shì le
快 考 试 了。
We will have an exam soon.

♥ ***adj.* happy; pleased; gratified:**

kuài gǎn | kuài lè
快 感 | 快 乐
pleasant sensation | happy; joyful; cheerful

dà kuài rén xīn
大 快 人 心
most gratifying to the public

kuài
筷

♥ ***n.* chopsticks:**

mù kuài
木 筷
wood chopsticks

fàn hòu tā bǎ wǎn kuài dōu xǐ le
饭 后 她 把 碗 筷 都 洗 了。
She washed bowls and chopsticks after meal.

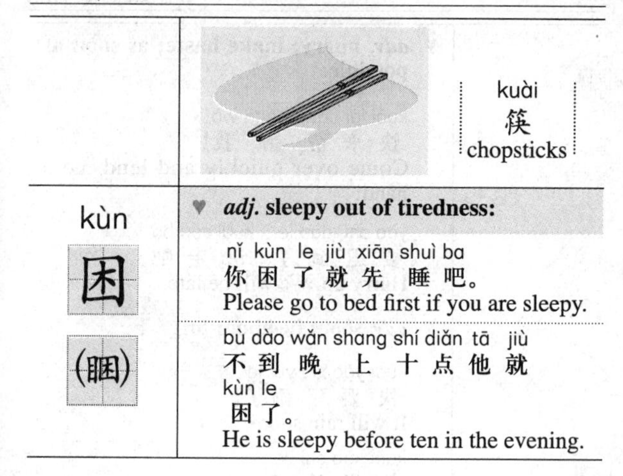

kùn
困
(睏)

♥ ***adj.* sleepy out of tiredness:**

nǐ kùn le jiù xiān shuì ba
你困了就先 睡吧。
Please go to bed first if you are sleepy.

bù dào wǎn shang shí diǎn tā jiù kùn le
不到晚 上 十点他就困了。
He is sleepy before ten in the evening.

L

lā

拉

♥ ***v.* pull; draw:**

lā chē
拉 车
pull a cart

bǎ yǐ zi lā guò lái
把 椅子拉 过 来
pull a chair over

tā lā zhe mǎ zǒu
他 拉 着 马 走。
He's leading a horse.

♥ ***v.* transport by vehicle:**

yòng kǎ chē lā dōng xi
用 卡 车 拉 东 西
carry goods with a truck

zhè chē néng lā huò yě néng lā rén
这 车 能 拉 货, 也 能 拉 人。
This car can be used to carry goods or people.

♥ ***v.* defecate:**

lā dù zi
拉 肚 子
come down with diarrhoea; have loose bowels

zhè hái zi yòu lā le
这 孩 子 又 拉 了。
The child defecated again.

là

落

♥ ***v.* fall behind; trail:**

tā bù xiǎng là zài dà jiā hòu miàn
他 不 想 落 在 大 家 后 面。
He doesn't want to lag behind.

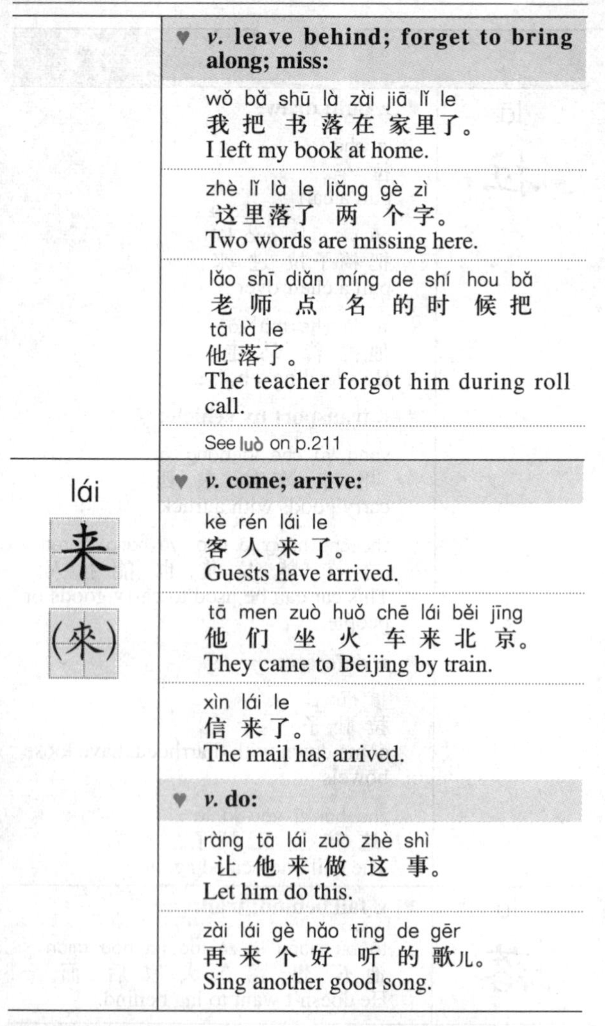

♥ ***v.* leave behind; forget to bring along; miss:**

wǒ bǎ shū là zài jiā lǐ le
我 把 书 落 在 家 里 了。
I left my book at home.

zhè lǐ là le liǎng gè zì
这 里 落 了 两 个 字。
Two words are missing here.

lǎo shī diǎn míng de shí hou bǎ tā là le
老 师 点 名 的 时 候 把 他 落 了。
The teacher forgot him during roll call.

See luò on p.211

lái
来 (來)

♥ ***v.* come; arrive:**

kè rén lái le
客 人 来 了。
Guests have arrived.

tā men zuò huǒ chē lái běi jīng
他 们 坐 火 车 来 北 京。
They came to Beijing by train.

xìn lái le
信 来 了。
The mail has arrived.

♥ ***v.* do:**

ràng tā lái zuò zhè shì
让 他 来 做 这 事。
Let him do this.

zài lái gè hǎo tīng de gēr
再 来 个 好 听 的 歌儿。
Sing another good song.

wǒ lái xiě ba
我 来 写 吧。
Let me write it.

♥ ***v.* indicating motion towards the speaker:**

ná lái jǐ běn shū
拿来几本 书
bring a few books

tā mǎi lái jǐ jīn shuǐ guǒ
他 买 来几斤 水 果。
He bought a few *jin* of fruit.

láo

劳（勞）

♥ ***adj.* tired:**

láo lèi
劳 累
tired; run-down

♥ ***v.* (polite term)put somebody to the trouble of:**

láo jià
劳 驾。
May I bother you?; Excuse me.

yǒu láo nín le
有 劳 您 了。
Sorry to bother you.

lǎo

老

♥ ***adj.* old:**

lǎo rén
老 人
old people

tā men shì lǎo péng you
他 们 是 老 朋 友。
They are old friends.

zhè gè fáng zi hěn lǎo le
这 个 房 子很 老 了。
This house is very old.

♥ ***adv.* often; regularly:**

tā lǎo wǎn dào
他 老 晚 到。
He's always late.

bié lǎo xué xí yào zhù yì xiū xi
别 老 学 习，要 注 意 休 息。
Don't study all the time. Have enough rest.

♥ **used as prefix of a person's name to indicate seniority:**

lǎo wáng | lǎo zhāng
老 王 | 老 张
Lao Wang | Lao Zhang

---

lè

乐

(樂)

♥ ***adj.* delightful; merry:**

huān lè
欢 乐
happiness; pleasure

kuài lè
快 乐
delight

xīn nián kuài lè
新 年 快 乐！
Happy new year!

♥ ***v.* laugh; amuse:**

tā lè de zuǐ dōu hé bù shàng le
她 乐 得 嘴 都 合 不 上 了。
She smiled broadly.

tā de huà bǎ dà jiā shuō lè le
他 的 话 把 大 家 说 乐 了。
His words amused everyone.

See yuè on p.440

le

了

♥ **used after a verb or an adjective to indicate the completion of an action or a change:**

huí le jiā
回了家
come back home

hóng le liǎn
红了脸
blush

gāo le liǎng mǐ
高了两米
two metres higher (than before)

♥ **used at the end of a sentence to indicate a change or a new situation:**

tā lái běi jīng le
他来北京了。
He came to Beijing.

tā chī le fàn le
他吃了饭了。
He has had his meal.

píng guǒ dōu shú le
苹果都熟了。
Apples are all ripe.

See liǎo on p.201

lěi

累

♥ ***v.* accumulate; pile up:**

lěi jìn | lěi jì
累进 | 累计
progression | add up

♥ ***adv.* time and again:**

lěi cì | lěi rì
累次 | 累日
time and again | day after day

lěi nián
累 年
year after year; for years in succession

See lèi on p.190

lèi 累

♥ ***adj.* tired:**

wǒ lèi le
我 累 了。
I'm tired.

zhè shì zhēn lèi rén
这 事 真 累 人。
This is very tiring.

♥ ***v.* work hard:**

lèi le yī tiān gāi xiū xi le
累 了 一 天，该 休 息 了。
After working hard all day, you need a rest.

See lěi on p.189

lěng 冷

♥ ***adj.* cold:**

lěng shuǐ
冷 水
cold water

nǐ lěng ma
你 冷 吗？
Do you feel cold?

tiān lěng le gāi duō chuān diǎnr
天 冷 了，该 多 穿 点儿。
It's getting cold. Put on more clothes.

♥ ***adj.* cold in manner; frosty:**

lěng liǎn | lěng huò
冷 脸 | 冷 货
severe expression | poor selling goods

tā xué de zhuān yè xiàn zài chéng
他学的专业现在成
lěng mén le
冷门了。
His major is not popular any more.

lí
离
(離)

♥ ***v.* leave; part from:**

tā lí jiā liǎng nián le
他离家两年了。
He's been away from home for two years.

hái zi lí bù liǎo mǔ qīn
孩子离不了母亲。
Children can't leave their mothers.

yú ér lí bù kāi shuǐ
鱼儿离不开水。
Fish can't leave water.

♥ ***v.* space distance; time interval:**

tā jiā lí xué xiào hěn jìn
他家离学校很近。
His home is very close to the school.

lí kāi xué hái yǒu yī zhōu
离开学还有一周。
There is still a week until school opening.

lǐ
礼
(禮)

♥ ***n.* propriety; rite:**

hūn lǐ | xíng lǐ
婚礼 | 行礼
wedding | salute

jìng lǐ
敬礼
salute

♥ ***n.* gift; present:**

sòng lǐ | lǐ pǐn
送 礼 | 礼 品
give a gift | gift; present

lǐ jīn
礼金
gift of money

lǐ

里

♥ ***n.* used after a noun to indicate something inside a place or time:**

fáng jiān lǐ
房 间 里
in a room

jià qī lǐ
假 期里
during vacation

wén zhāng lǐ
文 章 里
in the article

♥ ***n.* used after "这"(zhè)、"那"(nà)、"哪"(nǎ) to indicate a place:**

cóng nà lǐ dào zhè lǐ
从 那里 到 这 里
from there to here

tā zài nǎ lǐ
他 在 哪里?
Where is he?

♥ ***classifier.* traditional unit of length, one *li* equal to five hundred metres:**

tā jiā lí dān wèi yǒu shí lǐ dì
他家离单 位 有 十 里地。
His house is ten *li* away from where he works.

lǐ 理

♥ ***n.* reason; logic:**

qíng lǐ　hé lǐ
情理 | 合理
reason; sense | reasonable

tā shuō de huà yǒu dào lǐ
他说的话有道理。
What he said sounds reasonably.

♥ ***v.* manage; run:**

lǐ jiā　zì lǐ
理家 | 自理
manage family affairs | take care of oneself

hù lǐ
护理
take care of

♥ ***v.* put in order; tidy up:**

lǐ fà　qīng lǐ
理发 | 清理
have a haircut | clean up

bǎ shū jià lǐ yī lǐ
把书架理一理。
Tidy up the bookshelf.

♥ ***n.* natural science:**

lǐ kē　shù lǐ huà
理科 | 数理化
science | mathematics, physics and chemistry

lì 力

♥ ***n.* power; ability:**

shì lì　huó lì
视力 | 活力
eyesight | energy; vitality

tā de tīng lì hěn hǎo
他 的 听 力 很 好。
His hearing is good.

♥ ***n.* physical; do one's best:**

tǐ lì yǒu lì
体力 | 有 力
physical strength | powerful; strong; forceful

wǒ yī dìng jìn lì
我 一 定 尽力。
I'll do my best.

lì

历

(歷)

(曆)

♥ ***v.* go through:**

lì jiǔ
历久
for a long time

lì jìn xīn kǔ
历尽 辛 苦
experience hardships and sufferings

huì yì lì shí wǔ tiān
会 议历时 五 天。
The meeting lasted for five days.

♥ ***adj.* previous:**

lì nián lì dài
历 年 | 历 代
previous years | past dynasties

wǒ men de lì cì hé zuò dōu hěn hǎo
我 们 的历次合 作 都 很 好。
We cooperated well every time.

♥ ***n.* calendar:**

gōng lì nóng lì
公 历 | 农 历
solar calendar | lunar calendar

lì

立

♥ ***v.* stand; erect:**

lì zhèng
立正
stand at attention

zuò lì bù ān
坐立不安
be on pins and needles

mén kǒu lì le yī gè gào shi
门口立了一个告示。
There is an announcement posted on the door.

♥ ***v.* draw up:**

lì fǎ | lì hé tong
立法 | 立合同
formulate laws and regulations | sign a contract

lì hù
立户
open a bank account

lì

利

♥ ***adj.* favourable; smooth:**

jí lì
吉利
fortunate; lucky

yī qiè shùn lì
一切顺利。
Everything goes smoothly.

♥ ***n.* profit; interest:**

lì xī
利息
interest

yī běn wàn lì
一本万利
make big profits with a small capital

♥ ***n.*** **benefits; advantage:**

zhè yàng duì tā yǒu lì
这样对他有利。
This is advantageous to him.

lì

例

♥ ***n.*** **example; instance:**

jǔ lì | lì jù
举例 | 例句
give an example | example sentence

♥ ***n.*** **rule; regulation:**

tiáo lì | tǐ lì
条例 | 体例
regulations | stylistic rules and layout

lián

连

(連)

♥ ***v.*** **link; join; connect:**

lián rì
连日
day after day

yī gè lián yī gè
一个连一个
one after another

liǎng jù huà lián qǐ lái shuō
两句话连起来说。
Say the two phrases together.

♥ ***prep.*** **including:**

lián tā yī gòng wǔ gè rén
连他一共五个人。
There are five people including him.

lián bāo zhuāng yī gòng yǒu qī bā jīn zhòng
连包装一共有七八斤重。
It weighs seven or eight *jin*, including the packing.

	♥ ***n.* company (military unit):**
	lián duì 连队 | lián zhǎng 连长 company | company commander
lián 联 (聯)	♥ ***v.* unite:**
	lián xì 联系 | lián huān 联欢 contact | get-together; gathering
	lián míng 联名 jointly sign; jointly
	lián hé guó 联合国 United Nation; UN
	♥ ***n.* antithetical couplet:**
	chūn lián 春联 Spring Festival couplets or Spring Festival scrolls
	duì lián 对联 antithetical couplet (written on scrolls, etc)
liǎn 脸 (臉)	♥ ***n.* face; front part of sth.:**
	xǐ liǎn 洗脸 | mén liǎnr 门脸儿 wash one's face | facade
	liǎn shàng dài zhe xiào róng 脸上带着笑容 smiling face

♥ ***n.* facial expression:**

liǎn sè wēn hé
脸色温和
warm facial expression

tā yī xià zi jiù biàn le liǎn
他一下子就变了脸。
He pulled a long face all of a sudden.

liàn
练
(練)

♥ ***v.* practice:**

liàn bǐ
练笔
practise writing

liàn zì | liàn gōng fu
练字 | 练功夫
practise calligraphy | practise one's skill

♥ ***adj.* experienced; skilled:**

lǎo liàn | shú liàn
老练 | 熟练
experienced | skilled

gàn liàn
干练
capable and experienced

liáng
凉

♥ ***adj.* cool:**

liáng shuǐ | liáng fēng
凉水 | 凉风
cold water | cool breeze

tiān liáng le
天凉了。
It's getting cool.

See liàng on p.201

liáng

粮

(糧)

♥ *n.* **grain; food:**

gān liáng kǒu liáng
干粮 | 口粮
food | food ration

liáng shi
粮食
grain

liǎng

两

(兩)

♥ *num.* **two:**

liǎng tiáo lù liǎng zhī shǒu
两条路 | 两只手
two roads | two hands

liǎng wàn
两万
twenty thousand

♥ *num.* **a few; some:**

wǒ shuō liǎng jù huà
我说两句话。
Let me say a few words.

guò liǎng tiān zài shuō
过两天再说。
Leave it aside for a couple of days.

♥ *classifier.* **traditional unit of weight; equal to fifty grammes:**

yī liǎng huáng jīn
一两黄金
a *liang* of gold

liàng

亮

♥ *adj.* **bright:**

liàng dù
亮度
brightness

liàng guāng
亮 光
bright light

fáng jiān lǐ hěn liàng bù yòng kāi dēng
房间里很亮，不用开灯。
It's bright in the room, and there's no need to turn on the light.

jīn wǎn de yuè liang yòu dà yòu liàng
今晚的月亮又大又亮。
The moon is big and bright tonight.

♥ ***v.* shine:**

liàng dēng
亮 灯
turn on the light

tiān liàng le
天亮了。
The day is breaking.

♥ ***v.* reveal; show:**

liàng xiàng
亮 相
debut; perform in public

liàng zhèng jiàn
亮 证 件
show the card

tā xiàng mén wèi liàng le yī xià jìn mén kǎ
他向门卫亮了一下进门卡。
He showed his card to the guard at the entrance.

liàng 凉

♥ ***v.* cool:**

shuǐ tài rè yào liàng yī xiàr
水太热，要凉一下儿。
The water is too hot. Let it cool down.

wǒ liàng le yī bēi chá
我凉了一杯茶。
I cooled off a cup of tea.

See liáng on p.198

liǎo 了

♥ ***v.* finish; end:**

zhè shì yǐ jing liǎo le
这事已经了了。
This is already finished.

tā shuō qǐ huà lái méi wán méi liǎo
她说起话来没完没了。
She speaks endlessly.

♥ ***v.* used in conjunction with "得"(de) and "不"(bù) after a verb to express possibility:**

cài tài duō chī bù liǎo
菜太多，吃不了。
There are too many dishes to eat.

zhè cì tā lái bù liǎo
这次他来不了。
He will not be able to come this time.

zhè shì bàn de liǎo
这事办得了。
This can be done.

tā xīng fèn de chī bù liǎo fàn
他兴奋得吃不了饭。
He is too excited to eat.

See le on p.189

liào 料

♥ ***n.* material:**

mù liào　bù liào
木料 | 布料
timber; lumber | cotton fabric

tā mǎi le yī kuài yī fu liào zi
她买了一块衣服料子。
She bought a piece of cloth.

♥ ***n.* something with some kind of special use:**

féi liào　tiáo liào
肥料 | 调料
fertilizer | condiments

♥ ***v.* suppose; expect:**

liào xiǎng
料想
think; expect

bù chū suǒ liào
不出所料
as expected

liào bù dào huì fā shēng zhè zhǒng shì
料不到会发生这种事。
I didn't expect this to happen.

lín 林

♥ ***n.* wood; forest:**

shù lín　lín zi
树林 | 林子
forest | woods

fáng zi de hòu miàn shì yī piàn shù lín
房子的后面是一片树林。
There is a woods behind the house.

♥ ***n.* group of similar objects or people:**

shí lín　yì lín
石林 | 艺林
rock forest | art circles

líng
零

♥ ***adj.* fractional; fragmentary:**

líng jiàn　líng mài
零件 | 零卖
part; component | retail; sell by retail

líng qián
零钱
small change; loose change; odd change

♥ ***num.* odd lot; zero:**

liǎng nián líng shí tiān
两年零十天
two years and ten days

yī jiǎn yī děng yú líng
一减一等于零。
One minus one leaves zero.

♥ ***num.* zero on a thermometre:**

líng shàng yī dù
零上一度
one degree above zero

líng xià wǔ dù
零下五度
five degrees below zero

lǐng
领
(領)

♥ ***v.* lead; head; guide:**

lǐng lù
领路
lead the way

dǎo yóu lǐng zhe yóu kè qù zuò chē
导游领着游客去坐车。
The tour guide led the tourists to the bus.

lǐng hái zi qù gōng yuán
领孩子去公园。
Lead the children to the park.

♥ ***n.* collar:**

yī lǐng | lǐng kǒu | gāo lǐng
衣领 | 领口 | 高领
collar | collar band | turtle neck

♥ ***v.* possess; own:**

lǐng tǔ | lǐng kōng
领土 | 领空
territory | territorial air space

lǐng hǎi
领海
territorial sea

♥ ***v.* receive:**

lǐng gōng qián
领工钱
get one's salary

lǐng jié yè zhèng shū
领结业证书
receive a graduation certificate

fā xīn shū le kuài qù lǐng ba
发新书了，快去领吧。
The new textbooks are here; go and pick up yours, please.

lìng 另

♥ ***adv.* other; another:**

lìng yǒu dǎ suan
另有打算
have other considerations

lìng xiǎng bàn fǎ
另想办法
find out some other ways

bù shì tā shì lìng yī gè rén
不是他，是另一个人。
It's not him, but it's someone else.

liú
留

♥ ***v.* stay on in a place:**

xià kè hòu lǎo shī ràng tā liú yī xiàr
下课后，老师让他留一下儿。
After the class, the teacher wanted him to stay for a while.

bì yè hòu tā jiù liú xiào gōng zuò le
毕业后他就留校工作了。
He joined the faculty of his own university upon graduation.

♥ ***v.* keep; reserve:**

bǎo liú | liú cún
保留 | 留存
reserve | remain; keep; preserve

bǎ chē piào liú hǎo
把车票留好。
Keep the ticket.

♥ ***v.* concentrate on something:**

liú shén | liú xín
留神 | 留心
be careful | take care; be careful

liú yì
留意
keep one's eyes open; look out for

♥ ***v.* study abroad:**

liú xué
留学
study abroad

liú yīng xué sheng
留 英 学 生
student studying in Britain

tā shì yī míng liú xué shēng
他 是一 名 留 学 生。
He is an overseas student.

---

liù
六

♥ ***num.*** **six:**

liù gè shū bāo
六 个 书 包
six schoolbags

sān jiā sān děng yú liù
三 加 三 等 于 六。
Three plus three equals six.

---

liù
陆
(陸)

♥ ***num.*** **complicated written form of six for writing checks, receipts, etc. to prevent mistakes or alterations:**

See lù on p.207

---

lóng
龙
(龍)

♥ ***n.*** **dragon:**

lóng gōng | lōng wáng
龙 宫 | 龙 王
legendary palace of the dragon king | dragon king

♥ ***n.*** **something shaped like a dragon:**

lóng dēng | lóng chuán
龙 灯 | 龙 船
dragon lantern | dragon boat

huǒ lóng
火 龙
fire dragon

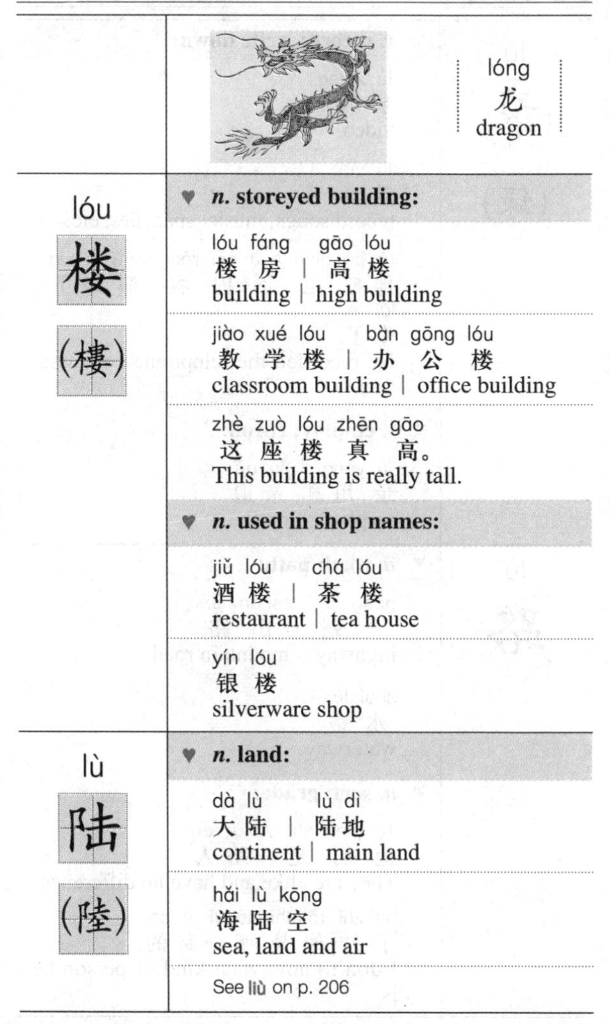

lóu
楼
(樓)

♥ ***n.* storeyed building:**

lóu fáng | gāo lóu
楼房 | 高楼
building | high building

jiào xué lóu | bàn gōng lóu
教学楼 | 办公楼
classroom building | office building

zhè zuò lóu zhēn gāo
这座楼真高。
This building is really tall.

♥ ***n.* used in shop names:**

jiǔ lóu | chá lóu
酒楼 | 茶楼
restaurant | tea house

yín lóu
银楼
silverware shop

lù
陆
(陸)

♥ ***n.* land:**

dà lù | lù dì
大陆 | 陆地
continent | main land

hǎi lù kōng
海陆空
sea, land and air

See liù on p. 206

lù

录

(録)

♥ *v.* **record; write down:**

lù xiàng
录 像
video

lù yīn
录 音
record songs, music, speeches, etc.

tā bǎ diàn huà nèi róng dōu lù xià lái le
他把电话内容都录下来了。
He recorded the telephone conversation.

♥ *v.* **employ; enroll:**

lù yòng 录用 employ	lù qǔ 录取 enroll

lù

路

♥ *n.* **road; path:**

gōng lù 公路 highway	shān lù 山路 mountain road

shuǐ lù
水路
waterway

♥ *n.* **sort; grade:**

tā men shì yī lù rén
他们是一路人。
They are alike and have no difference.

bù zhī tā shì nǎ yī lù de
不知他是哪一路的。
I don't know what kind of person he is.

♥ *n.* **route:**

116 lù qì chē
116 路汽车
bus No. one one six

fēn liǎng lù qián jìn
分两路前进
advance along two routes

lǚ
旅

♥ *v.* **stay away from home:**

lǚ kè
旅客
passenger; tourist; traveller

lǚ měi rén shì
旅美人士
Chinese residing in the U.S.

lǚ xíng | lǚ yóu
旅行 | 旅游
travel | travel; tour

♥ *n.* **brigade (military unit):**

lǚ zhǎng
旅长
brigade commander

tā shì sān lǚ de
他是三旅的。
He's from the third brigade.

lǜ
律

♥ *n.* **rule; law:**

guī lǜ | jì lǜ
规律 | 纪律
law | discipline

fǎ lǜ | lǜ shī
法律 | 律师
law | lawyer

♥ ***n.* ancient style of poetry:**

qí lǜ
七律
an eight-line poem with seven characters to each line

wǔ lǜ
五律
an eight-line poem with five characters to each line

lǜ
绿
(綠)

♥ ***adj.* green:**

lǜ dēng | lǜ cǎo
绿灯 | 绿草
green light | green grass

hóng huā lǜ shù
红花绿树
red flowers and green trees

luàn
乱
(亂)

♥ ***adj.* disorderly; sloppy:**

wén zhāng xiě de tài luàn
文章写得太乱。
This article is too sloppy.

♥ ***n.* war; turmoil:**

dòng luàn | zhàn luàn
动乱 | 战乱
turmoil | chaos caused by war

nèi luàn
内乱
internal disorder

♥ ***adv.* random; carelessly:**

bié luàn shuō
别乱说。
Don't speak carelessly.

	xiǎo hái zi zài dì shàng luàn pǎo 小 孩子 在 地 上 乱 跑。 The child is running around on the ground.
lùn 论 (論)	♥ ***v.* analyze and explain:**
	tán lùn tuī lùn 谈 论 ｜ 推 论 talk about ｜ inference; deduction
	yì lùn lùn wén 议 论 ｜ 论 文 comment; talk about ｜ thesis
	♥ ***n.* view; opinion; statement:**
	gāo lùn shè lùn 高 论 ｜ 社 论 enlightening remarks ｜ editorial
	♥ ***n.* theory; doctrine:**
	xiāng duì lùn jìn huà lùn 相 对 论 ｜ 进 化 论 theory of relativity ｜ evolutionism
luò 落	♥ ***v.* drop; fall:**
	luò lèi 落 泪 shed tears; weep
	shù yè dōu luò xià lái le 树 叶 都 落 下 来 了。 The leaves all fell off the tree.
	♥ ***v.* fall into; lag behind; fall out of:**
	luò shuǐ luò wǔ 落 水 ｜ 落 伍 fall into water ｜ lag behind the ranks
	luò hòu 落 后 lag behind

♥ ***n.* stay; settlement; whereabouts:**

xià luò | cūn luò
下落 | 村落
whereabouts | village

♥ ***v.* stop; finish:**

tā huà yīn méi luò tā jiù zǒu le
他话音没落，她就走了。
She left even before he had finished his words.

See là on p.186

M

mā

妈

(媽)

♥ ***n.* ma; mum; mummy; mother:**

tā mā yǐ jing bā shí duō suì le
他 妈 已 经 八 十 多 岁 了。
His mother is already more than eighty years old.

♥ ***n.* form of address for a married woman of an older generation:**

gū mā | dà mā
姑 妈 | 大 妈
aunt | elder aunt

má

麻

♥ ***n.* general name for hemp, flax, jute, etc.:**

má bù | má bāo
麻 布 | 麻 包
linen | gunny bag

♥ ***n.* rough; coarse:**

má zi | má shí
麻 子 | 麻 石
pockmark | chiseled stone block or slab

má liǎn
麻 脸
pockmarked face

♥ ***adj.* numb; tingling:**

má yào
麻 药
anesthetic

tā tuǐ dōu dòng má le
她 腿 都 冻 麻 了。
Her legs were numb with cold.

mǎ 马 (馬)	♥ ***n.* horse:** bān mǎ | sài mǎ 斑马 | 赛马 zebra | horse race tā huì qí mǎ 他会骑马。 He can ride a horse. mǎ 马 horse
ma 吗 (嗎)	♥ **used at the end of a question:** nǐ qù dǎ lán qiú ma 你去打篮球吗? Are you going to play basketball? tā kāi huì qù le ma 他开会去了吗? Did he go to the meeting? nǐ zhè yàng zuò duì ma 你这样做对吗? Do you think it is right to do this?
mǎi 买 (買)	♥ ***v.* buy; purchase:** mǎi zhǔ 买主 buyer; customer jīn nián tā mǎi le yī chù fáng zi 今年他买了一处房子。 He bought a house this year.

♥ *v.* **bribe; buy over:**

shōu mǎi rén xīn
收买人心
buy popular support

mǎi tōng guān xi
买通关系
bribe officials

mài

卖

(賣)

♥ *v.* **sell; fetch:**

jiào mài | mài dōng xi
叫卖 | 卖东西
hawk | sell goods

zhè gè shāng diàn de dōng xi mài de pián yi
这个商店的东西卖得便宜。
Commodities in this shop are very cheap.

mǎn

满

(滿)

♥ *adj.* **full; filled; packed:**

mǎn yuán | mǎn yuè
满员 | 满月
no vacancy | full moon

tā de bāo lǐ zhuāng mǎn le shū
他的包里装满了书。
His bag is full of books.

♥ *adv.* **completely; perfectly; entirely:**

mǎn miàn chūn fēng
满面春风
beam with joy; radiant with happiness

tā mǎn kǒu shuō hǎo
他满口说好。
He promised everything.

dà jiē shàng mǎn yǎn dōu shì rén
大 街 上 满 眼 都 是 人。
The street is full of people.

♥ ***n.* Manchu, a minority ethic people in China:**

mǎn yǔ | mǎn wén
满 语 | 满 文
Manchu language | Manchu character

mǎn zú rén
满 族 人
Manchus

màn 慢

♥ ***adj.* slow; time-consuming:**

tā zǒu de tài màn le
他 走 得 太 慢 了。
He walks too slowly.

zhè lù chē hěn màn
这 路 车 很 慢。
This bus is very slow.

máng 忙

♥ ***adj.* busy; occupied:**

tīng shuō tā máng de hěn
听 说 他 忙 得 很。
It was said that he was very busy.

♥ ***v.* be busy doing something; hasten; hurry:**

máng xué xí
忙 学 习
be busy studying

máng zhe shàng bān
忙 着 上 班
be busy working

māo
猫

♥ ***n.* cat:**

bái māo | huā māo
白猫 | 花猫
white cat | coloured cat; spotted cat

tā yǎng le liǎng zhī māo
她养了两只猫。
She keeps two cats.

māo
猫
cat

máo
毛

♥ ***n.* hair; feather; down:**

jī máo
鸡毛
chicken feather

zhū máo | yáng máo
猪毛 | 羊毛
pig bristles | wool

♥ ***n. mao*, a fractional unit of money in China:**

liǎng máo qián
两毛钱
two *mao*

tā huā wǔ máo qián mǎi le yī zhī bǐ
他花五毛钱买了一支笔。
He bought a pen with five *mao*.

mào
冒

♥ ***v.* emit; send out; give off:**

cóng dì xià wǎng shàng mào qì
从地下往上冒气。
Gas is gushing out from underground.

zhè gè guǎn zi wǎng wài mào shuǐ
这个管子往外冒水。
This pipe is leaking water.

♥ ***v.* falsify one's identity; pass for:**

mào lǐng
冒领
lay a false claim on something

jiǎ mào
假冒
fake; fake products; falsify one's identity

mào rèn
冒认
lay false claim on

mào
贸
(貿)

♥ ***n.* exchange; trade; transaction:**

shāng mào | cái mào
商贸 | 财贸
business and trade | finance and trade

wài mào
外贸
foreign trade

mào
帽

♥ ***n.* hat; cap:**

lǐ mào
礼帽
hat that goes with formal dress

pí mào | ān quán mào
皮帽 | 安全帽
fur cap | safety helmet

mào zi
帽子
hat

me

么

(麼)

♥ **used after some pronouns:**

zhè me　nà me
这 么 | 那 么
in this case | in that case

shén me　duō me
什 么 | 多 么
what | how

méi

没

♥ ***v.*** **no; do not have:**

tā méi qián le
他 没 钱 了。
He has no money.

bàn gōng shì méi rén
办 公 室 没 人。
There is nobody in the office.

♥ ***adv.*** **less than; on more than:**

tā lái le méi liǎng tiān
他 来 了 没 两 天。
He has been here for less than two days.

wǒ méi tā gāo
我 没 他 高。
I am not as tall as he.

zhè bù méi sān mǐ cháng
这 布 没 三 米 长。
This cloth is less than three metres long.

♥ ***v.*** **have not; not yet:**

shì hái méi bàn
事 还 没 办。
It has not been done yet.

tā méi qù guo běi jīng
他 没 去 过 北 京。
He has never been to Beijing.

See mò on p.226

měi 每

♥ ***pron.* every; each:**

měi gè rén dōu yào fā yán
每个人都要发言。
Everyone should speak.

měi běn shū dōu yào xiě shàng zì jǐ de míng zi
每本书都要写上自己的名字。
Write your name on every book.

♥ ***adv.* on each occasion; each time:**

měi dào jié rì jiē shàng rén dōu hěn duō
每到节日，街上人都很多。
There are many people in the streets during holidays.

wǒ měi zhōu xiū xi liǎng tiān
我每周休息两天。
I have two days off every week.

měi 美

♥ ***adj.* beautiful; pretty:**

tā de shǒu zhēn měi
她的手真美。
Her hands are so beautiful.

shān měi shuǐ měi rén yě měi
山美水美人也美
the picturesque mountains, serene water and beautiful people

♥ ***v.* beautify:**

měi huà | měi fà
美化 | 美发
beautify | have a hair dressing

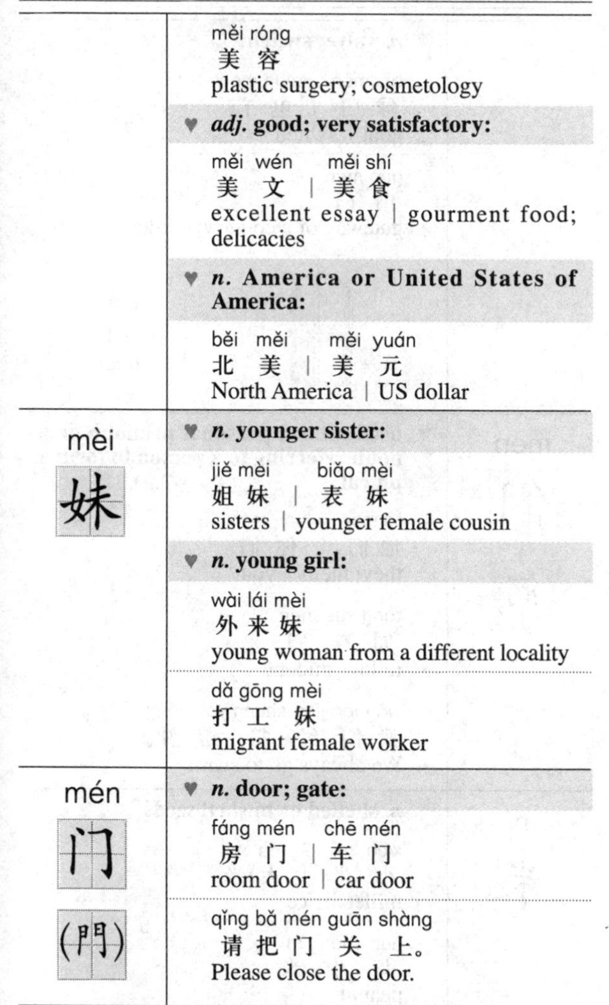

měi róng
美 容
plastic surgery; cosmetology

♥ ***adj.* good; very satisfactory:**

měi wén | měi shí
美 文 | 美 食
excellent essay | gourment food; delicacies

♥ ***n.* America or United States of America:**

běi měi | měi yuán
北 美 | 美 元
North America | US dollar

mèi 妹

♥ ***n.* younger sister:**

jiě mèi | biǎo mèi
姐 妹 | 表 妹
sisters | younger female cousin

♥ ***n.* young girl:**

wài lái mèi
外 来 妹
young woman from a different locality

dǎ gōng mèi
打 工 妹
migrant female worker

mén 门 (門)

♥ ***n.* door; gate:**

fáng mén | chē mén
房 门 | 车 门
room door | car door

qǐng bǎ mén guān shàng
请 把 门 关 上。
Please close the door.

♥ ***n.* valve; switch:**

qiú mén　diàn mén
球 门 | 电 门
goal | switch

guó mén
国 门
gateway of a country; border

mén
门
door

men
们
(們)

♥ **used after a personal pronoun or a noun referring to a person to form a plural:**

tā men　nǐ men
他 们 | 你 们
they; them | you

tóng xué men
同 学 们
fellow students

wǒ men jīng cháng yóu yǒng
我 们 经 常 游 泳。
We always go to swim.

mǐ
米

♥ ***n.* shelled or husked seeds**

xiǎo mǐ　dà mǐ
小 米 | 大 米
millet | rice

huā shēng mǐ
花 生 米
peanut

♥ ***n.*** **rice:**

bái mǐ　mǐ fàn
白米 | 米饭
refined rice | cooked rice

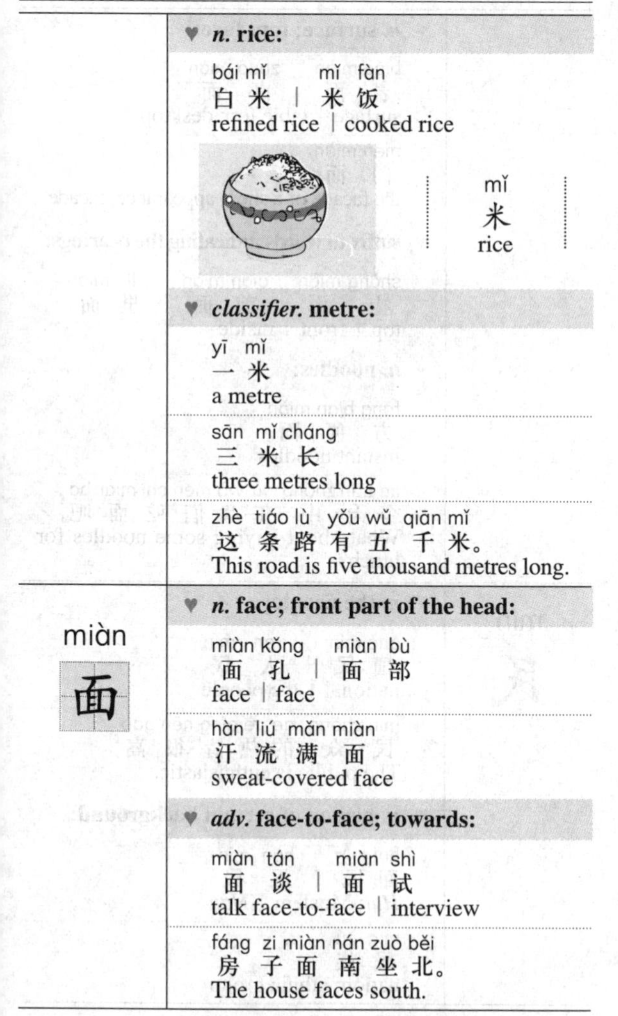

mǐ
米
rice

♥ ***classifier.*** **metre:**

yī mǐ
一米
a metre

sān mǐ cháng
三米长
three metres long

zhè tiáo lù yǒu wǔ qiān mǐ
这条路有五千米。
This road is five thousand metres long.

miàn 面

♥ ***n.*** **face; front part of the head:**

miàn kǒng　miàn bù
面孔 | 面部
face | face

hàn liú mǎn miàn
汗流满面
sweat-covered face

♥ ***adv.*** **face-to-face; towards:**

miàn tán　miàn shì
面谈 | 面试
talk face-to-face | interview

fáng zi miàn nán zuò běi
房子面南坐北。
The house faces south.

♥ ***n.* surface; top; face:**

biǎo miàn　zhuō miàn
表 面 | 桌 面
surface | table top; desktop

mén miàn
门 面
the facade of a shop; appearance; facade

♥ **suffix to words indicating the bearings:**

shàng miàn　qián miàn　lǐ miàn
上 面 | 前 面 | 里 面
top | front | inside

♥ ***n.* noodles:**

fāng biàn miàn
方 便 面
instant noodles

jīn tiān zhōng wǔ wǒ men chī miàn ba
今天中午我们吃面吧。
What about having some noodles for lunch?

mín
民

♥ ***n.* the people:**

guó mín　rén mín
国 民 | 人 民
national | the people

mín zhòng de rè qíng hěn gāo
民众的热情很高。
The public is enthusiastic.

♥ ***n.* person of certain background:**

huí mín　hàn mín
回 民 | 汉 民
Hui; Moslem | *Han*

mín zú
民 族
nation; ethnic group

♥ ***n.* some kind of people:**

nóng mín 农民 | nàn mín 难民
peasant | refugee

♥ ***n.* folk; of the people:**

mín jiān 民间 | mín gē 民歌
folk | folk song

mín qíng 民情
the feelings and aspirations of the people

míng 名

♥ ***n.* name:**

míng dān 名单
name list

xìng míng 姓名
family name and given name

zhōng guó rén tōng cháng xìng zài qián, míng zài hòu.
中国人通常姓在前，名在后。
In China, family name always comes before given name.

♥ ***adj.* well-known:**

míng rén 名人 | míng huà 名画
celebrity | masterpiece

tā shì yī wèi míng zuò jiā.
他是一位名作家。
He is a renowned writer.

♥ ***n.* fame; reputation:**

míng qì　míng shēng zài wài
名气｜名声在外
reputation; fame｜be well-known

míng

明

♥ ***adj.* bright; brilliant; light:**

míng liàng　míng yuè
明亮｜明月
well-lit; bright｜bright moon

jiē shàng dào chù dēng huǒ tōng míng
街上到处灯火通明。
Streets are brightly lit everywhere.

♥ ***adj.* clear; distinct; concise:**

shuō míng　jiǎn míng
说明｜简明
make one's point clear｜simple and clear; concise

zhè yàng shuō wǒ jiù míng bai le
这样说我就明白了。
I could understand if you say like that.

♥ ***adj.* immediately following this year or this day; next:**

míng chūn　míng nián
明春｜明年
next spring｜next year

míng tiān wǒ jiù qù shàng hǎi le
明天我就去上海了。
I will go to Shanghai tomorrow.

mò

没

♥ ***v.* sink; submerge:**

bǎ tóu mò rù shuǐ zhōng
把头没入水中。
Submerge one's head in the water.

♥ ***v.* overflow; rise beyond:**

shuǐ hěn shēn dōu mò le fáng le
水很深，都没了房了。
The water was so deep that the house was submerged.

hé biān de cǎo gāo de mò le rén
河边的草高得没了人。
The grass growing on the river bank is taller than people.

See **méi** on p.219

mǔ 母

♥ ***n.* mother:**

mǔ zǐ | mǔ ài
母子 | 母爱
mother and son | maternal love

tā mǔ qīn hé tā yī qǐ xué zhōng wén
他母亲和他一起学中文。
His mother learned Chinese with him.

♥ ***n.* one's female elders:**

zǔ mǔ | gū mǔ
祖母 | 姑母
grandmother | aunt; father's sister

zǔ mǔ yī zhí hěn téng ài wǒ
祖母一直很疼爱我。
My grandmother loves me all along.

♥ ***adj.* (of animals) female:**

mǔ niú
母牛
cow

mǔ jī xià dàn
母鸡下蛋。
Hens lay eggs.

mù

♥ ***n.* tree:**

shù mù　guǒ mù
树木 | 果木
tree | fruit tree

♥ ***n.* wood:**

mù cái　mù liào
木材 | 木料
wood | timber; lumber

zhè xiē zhuō zi shì yòng mù tou zuò de
这些桌子是用木头做的。
These tables are made of wood.

mù
木
wood

mù

♥ ***n.* eye:**

mù guāng　zhù mù
目光 | 注目
sight; vision; view | gaze at; fix one's eyes on

mù shì qián fāng
目视前方
gaze at the front

♥ ***n.* title; topic:**

tí mù　míng mù
题目 | 名目
topic; subject; title | items

zhè dào tí mù hěn jiǎn dān
这道题目很简单。
This question is very simple.

♥ ***n.* contents; catalogue; table of contents:**

diàn shì jié mù
电 视 节 目
TV program

shū mù
书 目
booklist; title catalogue

diàn shì jié mù hěn hǎo kàn
电 视 节 目 很 好 看。
The TV performance is very good.

ná 拿	♥ ***v.* take; hold; bring:** ná zǒu ná lái 拿走 | 拿来 take away | bring tā shǒu lǐ ná zhe yī běn shū 他手里拿着一本书。 He had a book in his hand.
nǎ 哪	♥ ***pron.* which; what:** nǎ wèi nǎ lǐ 哪位 | 哪里 who | where běi jīng nǎr zuì hǎo wánr 北京哪儿最好玩儿? Which is the most interesting place in Beijing?
nà 那	♥ ***pron.* that; those:** nà lǐ nà biān 那里 | 那边 there; that place | over there qǐng wèn nà gè rén shì shéi 请问那个人是谁? Can you tell me who that man is?
nǎi 奶	♥ ***n.* milk:** yáng nǎi chī nǎi 羊奶 | 吃奶 goat milk | suckle hē niú nǎi hǎo chù hěn duō 喝牛奶好处很多。 We can benefit a lot from drinking milk.

♥ ***n.* grandmother：**

nǎi nai
奶 奶
grandmother

jīn tiān tā qù nǎi nai jiā le
今 天 他去 奶 奶 家 了。
He went to visit grandmother today.

tā nǎi nai jīn nián 90 suì le
他 奶 奶 今年 90 岁了。
His grandmother is ninety years old this year.

nán
男

♥ ***adj.* male：**

nán rén | nán xìng
男 人 | 男 性
man | male

tā de nán péng you shì zhōng guó rén
她的 男 朋 友 是 中 国 人。
Her boyfriend is Chinese.

nán
男
male

nán
南

♥ ***n.* south：**

nán biān
南 边
the south

dōng nán xī běi
东 南 西 北
east, south, west, and north

guǎng zhōu zài zhōng guó de nán fāng
广 州 在 中 国 的 南 方。
Guangzhou is in southern China.

nán

难

(難)

♥ ***adj.* hard; difficult：**

nán bàn
难 办
difficult to manage or operate

nán zuò
难 做
hard to do; difficult to handle

zhè gè tí mù yǒu diǎnr nán
这 个 题目 有 点儿 难。
This question is a little difficult.

♥ ***adj.* displeasing; disagreeable：**

nán kàn | nán tīng
难 看 | 难 听
ugly | sound terrible

tā liǎn sè yǒu diǎnr nán kàn
他 脸 色 有 点儿 难 看。
He looks gloomy.

♥ ***v.* make things difficult for sb.：**

wéi nán
为 难
make things difficult for somebody; feel embarrassed

zhè gè tí mù bǎ wǒ nán zhù le
这 个 题 目 把 我 难 住 了。
This question really baffled me.

nǎo

脑

(腦)

♥ ***n.* brain：**

nǎo lì | nǎo zhī
脑 力 | 脑 汁
mental power; intelligence | brains

tā de nǎo zi fǎn yìng hěn kuài
他的 脑 子反 应 很 快。
He is quick and smart.

nǎo
脑
brain

ne 呢	♥ **used at the end of a special, alternative, or rhetorical question to indicate a question:**
	zěn me zhè me duō rén ne 怎么这么多人呢? Why are there so many people?
	tā zhèng zhǔn bèi kǎo shì ne 他正准备考试呢。 He is busy preparing for the examination.
nèi 内	♥ ***n.* in; inside:**
	guó nèi　nèi bù 国内 ｜ 内部 domestic ｜ within; internal
	shì nèi wēn dù zài 23 dù zuǒ yòu 室内温度在23度左右。 The indoor temperature is about twenty three degrees.
néng 能	♥ ***n.* capability; ability; talent; gift:**
	jì néng　běn néng 技能 ｜ 本能 skill ｜ instinct; appetency
	tā hěn néng gàn 他很能干。 He is very capable.
	tā biǎo xiàn cái néng de jī huì lái le 他表现才能的机会来了。 It is the chance for him to show his talent.

♥ *v.* **can; be able to**:

tā néng zuò zhè jiàn shì
他能做这件事。
He can do this.

xiǎo dì di néng zǒu lù le
小弟弟能走路了。
The little brother is able to walk now.

nǐ
你

♥ *pron.* **you**:

nǐ hǎo
你好!
How are you? ; Hello!

nǐ qù ba wǒ bù qù
你去吧,我不去。
You go please. I will not.

nián
年

♥ *n.* **year**:

yī nián | jīn nián
一年 | 今年
one year | this year

qù nián | míng nián
去年 | 明年
last year | next year

tā men sān nián méi jiàn miàn le
他们三年没见面了。
They have not seen each other for three years.

♥ *n.* **festival; New Year**:

bài nián
拜年
pay a New Year's call

guò nián
过年
celebrate the Spring Festival

zhù nǐ xīn nián kuài lè
祝你新 年 快乐!
Happy New Year!

niáng

娘

♥ ***n.* mother; mum; ma:**

niáng jia
娘 家
married woman's parents' home

diē niáng
爹 娘
father and mother

wǒ mā ma de niáng jia zài běi jīng
我 妈 妈 的 娘 家 在 北 京。
My mother's parental home is in Beijing.

♥ ***n.* form of address for a married woman who is elderly or of an old generation:**

dà niáng qǐng wèn nín qù nǎr
大 娘, 请 问 您 去哪儿?
Aunt, could you tell me where you are going?

♥ ***n.* young woman:**

gū niang | xīn niáng
姑 娘 | 新 娘
girl | bride

xīn niáng hěn piào liang
新 娘 很 漂 亮。
The bride is very beautiful.

xiǎo gū niang hěn kě ài
小 姑 娘 很 可爱。
The little girl is very lovely.

niǎo

鸟

(鳥)

♥ ***n.* bird:**

fēi niǎo
飞 鸟
flying bird

niǎo yǔ huā xiāng
鸟 语 花 香
singing birds and blooming fragrant flowers

wǒ jiā yǎng le 6 zhī xiǎo niǎo
我 家 养 了6 只 小 鸟。
We keep six little birds in my home.

niǎo
鸟
bird

nín

您

♥ ***pron.* (respectful form) you:**

nín hǎo
您 好!
How are you?

xiè xiè nín
谢 谢 您!
Thank you!

hěn gāo xìng zài zhè lǐ jiàn dào nín
很 高 兴 在 这里见 到 您。
I am very glad to meet you here.

niú

牛

♥ ***n.* cattle; ox; cow:**

fàng niú
放 牛
graze cattle

niú máo | niú ròu
牛 毛 | 牛 肉
ox hair | beef

tā jiā yǒu 30 tóu niú
他家 有 30 头 牛。
There are thirty cows in his family.

niú
牛
cow

nóng
农
(農)

♥ ***n.* agriculture：**

nóng cūn
农 村
rural area; countryside; country

nóng yào
农 药
pesticide

nóng zuò wù zhǎng de hěn hǎo
农 作 物 长 得 很 好。
Crops are growing very well.

♥ ***n.* peasant; farmer：**

lǎo nóng | nóng jiā
老 农 | 农 家
old peasant | a peasant family

wǒ bà ba shì gè nóng mín
我 爸 爸 是 个 农 民。
My father is a peasant.

nǚ
女

♥ ***adj.* female：**

nǚ rén
女 人
woman

nǚ xué sheng
女 学 生
female student; girl student

dà jiā dōu xǐ huan zhè wèi nǚ jiào shī
大家 都 喜欢 这 位 女 教 师。
All of us like this woman teacher.

♥ ***n.* daughter**:

ér nǚ
儿女
sons and daughters; children

zǐ nǚ
子女
sons and daughters; children

tā yǒu yī gè ér zi yī gè nǚ ér
他 有 一 个 儿子, 一 个 女儿。
He has a son and a daughter.

nuǎn
暖

♥ ***adj.* warm**:

nuǎn qì wēn nuǎn
暖 气 | 温 暖
warm air; heating | warm

tiān qì biàn nuǎn le
天 气 变 暖 了。
It is getting warm now.

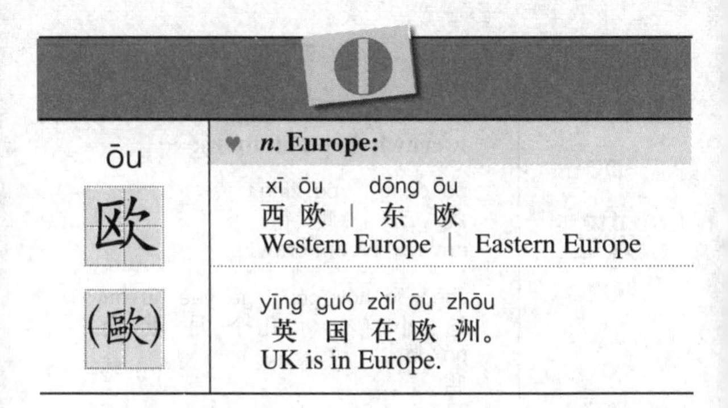

O

ōu

欧

(歐)

♥ *n.* **Europe:**

xī ōu　　dōng ōu

西 欧 ｜ 东 欧

Western Europe ｜ Eastern Europe

yīng guó zài ōu zhōu

英 国 在 欧 洲。

UK is in Europe.

P

pá

爬

♥ *v.* **crawl; go on all fours:**

pá dòng　pá xíng
爬 动 | 爬 行
crawl | creep; crawl

zhè xiǎo háir cái jǐ gè yuè jiù huì
这 小 孩儿 才 几 个 月 就 会
pá le
爬 了。
The baby has learned to crawl when he was only a few months old.

♥ *v.* **climb:**

pá shān　pá shù
爬 山 | 爬 树
climb a mountain | climb a tree

xīng qī liù wǒ men qù pá shān
星 期 六 我 们 去 爬 山。
We will go climbing on Saturday.

♥ *v.* **get up; stand up; sit up:**

tiān yī liàng tā jiù pá qǐ lái le
天 一 亮，他 就 爬 起 来 了。
He gets up as soon as the dawn breaks.

pà

怕

♥ *v.* **be afraid of; have a horror of:**

pà rén
怕 人
be afraid of people

pà shì
怕 事
be afraid of getting into trouble

tā yǒu diǎn pà shēng rén
她有点怕生人。
She is a little afraid of strangers.

♥ ***v.* anxious; apprehensive; be afraid of:**

wǒ pà tā wàng le
我怕他忘了。
I am afraid that he might forget it.

pái

排

♥ ***v.* line up; align:**

pái zuò wèi
排座位
arrange seats

dà jiā pái duì děng gōng gòng qì chē
大家排队等公共汽车。
All are queuing for the bus.

♥ ***n.* row; line:**

qián pái
前排
front row

dì wǔ pái
第五排
the fifth row

tā zuò zài hòu pái
他坐在后排。
He sat in the back row.

pán

盘

(盤)

♥ ***n.* plate:**

pán zi | chá pán
盘子 | 茶盘
plate | tea tray; teaboard

guǒ pán lǐ bǎi mǎn le shuǐ guǒ
果盘里摆满了水果。
Fruit tray is full of fruits.

páng
旁

♥ *n.* **side; edge:**

páng biān | lù páng
旁边 | 路旁
side; edge | roadside

zhuō zi páng yǒu gè xiǎo yǐ zi
桌子旁有个小椅子。
There is a little chair beside the table.

pàng
胖

♥ *adj.* **fat; fleshy:**

pàng zi
胖子
fatty; fat person

tā pàng le xǔ duō
他胖了许多。
He had filled out a lot.

zhè gè xiǎo háir zhǎng pàng le
这个小孩儿长胖了。
The child has gained some weight.

pàng
胖
fat

pǎo
跑

♥ *v.* **run; gallop:**

cháng pǎo | pǎo bù
长跑 | 跑步
long-distance running | run; jog

tā pǎo de hěn kuài
他跑得很快。
He runs very fast.

♥ ***v.* run away; escape:**

táo pǎo
逃 跑
run away

bié ràng tā pǎo le
别 让 他 跑 了。
Don't let him run away.

♥ ***v.* leak:**

pǎo diàn
跑 电
electricity leakage

pǎo yóu
跑 油
oil leakage

zì xíng chē yǒu diǎnr pǎo qì
自 行 车 有 点儿 跑 气。
The bicycle tyre is leaking air.

péng 朋

♥ ***n.* pal; buddy; chum:**

péng you
朋 友
friend

xiǎo wáng shì wǒ de hǎo péng you
小 王 是 我 的 好 朋 友。
Xiao Wang is my good friend.

pèng 碰

♥ ***v.* touch; bump:**

pèng bēi
碰 杯
clink glasses for a toast

māo bǎ huā píng pèng dǎo le
猫 把 花 瓶 碰 倒 了。
The cat overturned the vase.

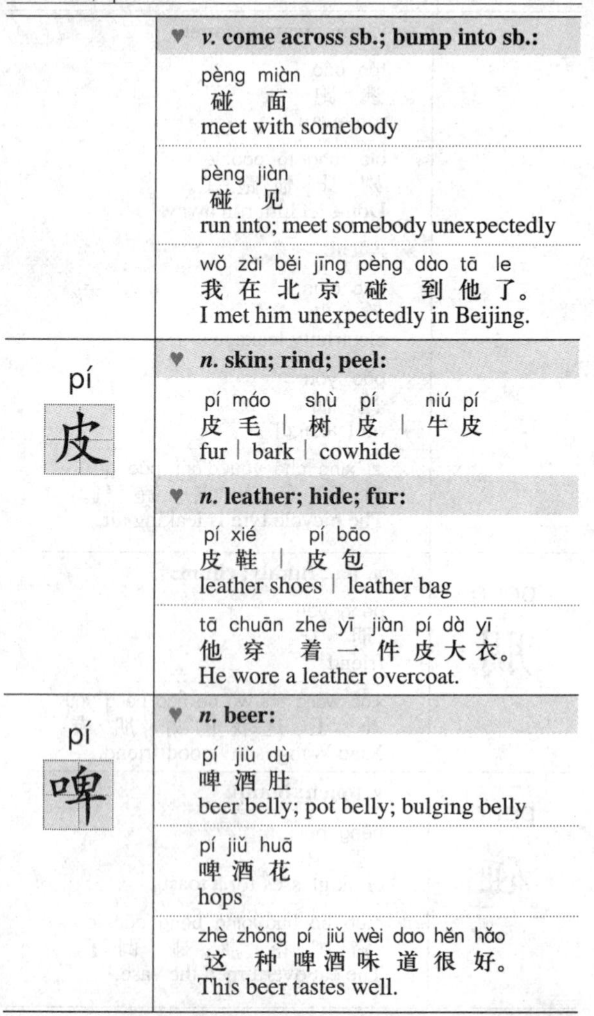

♥ ***v.* come across sb.; bump into sb.:**

pèng miàn
碰面
meet with somebody

pèng jiàn
碰见
run into; meet somebody unexpectedly

wǒ zài běi jīng pèng dào tā le
我在北京碰到他了。
I met him unexpectedly in Beijing.

pí
皮

♥ ***n.* skin; rind; peel:**

pí máo | shù pí | niú pí
皮毛 | 树皮 | 牛皮
fur | bark | cowhide

♥ ***n.* leather; hide; fur:**

pí xié | pí bāo
皮鞋 | 皮包
leather shoes | leather bag

tā chuān zhe yī jiàn pí dà yī
他穿着一件皮大衣。
He wore a leather overcoat.

pí
啤

♥ ***n.* beer:**

pí jiǔ dù
啤酒肚
beer belly; pot belly; bulging belly

pí jiǔ huā
啤酒花
hops

zhè zhǒng pí jiǔ wèi dao hěn hǎo
这种啤酒味道很好。
This beer tastes well.

pián 便

♥ ***adj.* cheap:**

pián yi huò
便 宜 货
cheap commodities

zhè gè chāo shì de dōng xi zhēn pián yi
这 个 超 市 的 东 西 真 便 宜。
Commodities in this supermarket are really cheap.

See biàn on p.17

piàn 片

♥ ***n.* slice; flake:**

chàng piàn | míng xìn piàn
唱 片 | 明 信 片
disc; record | post card

zhè shì nǐ de zhào piàn
这 是 你 的 照 片。
This is your photo.

♥ ***adj.* incomplete; brief; partial:**

piàn kè | piàn miàn
片 刻 | 片 面
a short while | one-sided

zhī yán piàn yǔ
只 言 片 语
a word or two; a few isolated words and phrases

piāo 漂

♥ ***v.* float; drift:**

piāo liú | piāo yí
漂 流 | 漂 移
drift about; be carried along on the water | drift

yī fu piāo zài shuǐ miàn shàng
衣服漂在水面上。
Clothes floated on the water.

See piào on p.246

piào 票

♥ ***adj.* ticket; stamp:**

chē piào yóu piào
车票 | 邮票
ticket | stamp

wǒ yào mǎi gōng jiāo yuè piào
我要买公交月票。
I want to buy a monthly ticket for public transit.

piào 漂

♥ ***adj.* nice-looking; pretty; beautiful:**

piào liang
漂亮
beautiful; pretty

tā zhǎng de hěn piào liang
她长得很漂亮。
She is pretty.

nǐ de zì xiě de zhēn piào liang
你的字写得真漂亮。
Your handwriting is really beautiful.

See piāo on p.245

pǐn 品

♥ ***n.* article; commodity; product:**

shāng pǐn yàng pǐn
商品 | 样品
commodity | specimen; sample

zhōng guó zhòng shì shí pǐn ān quán gōng zuò
中国重视食品安全工作。
China attaches importance to food safety.

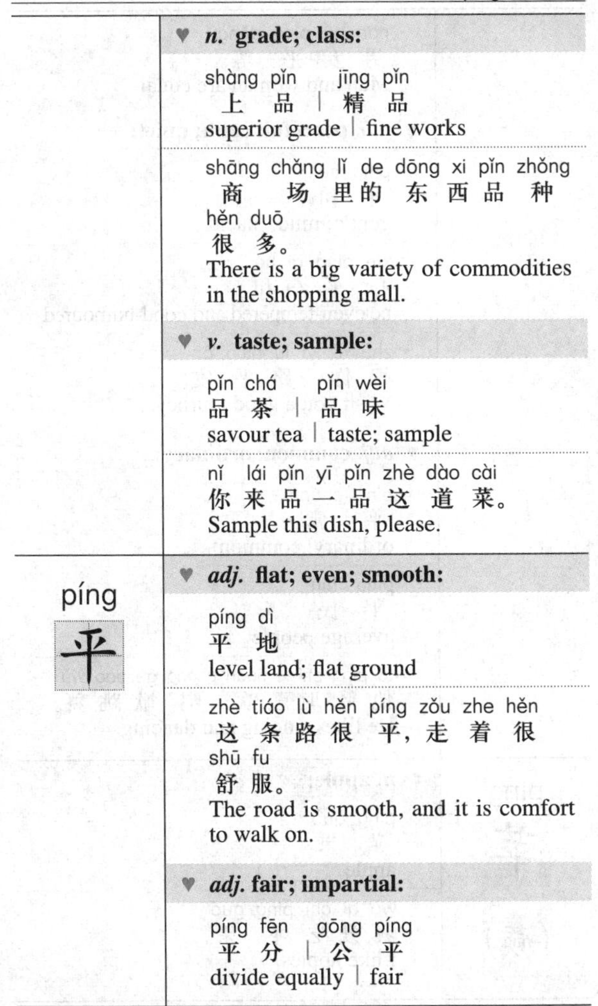

♥ ***n.* grade; class:**

shàng pǐn　jīng pǐn
上品 | 精品
superior grade | fine works

shāng chǎng lǐ de dōng xi pǐn zhǒng hěn duō
商场里的东西品种很多。
There is a big variety of commodities in the shopping mall.

♥ ***v.* taste; sample:**

pǐn chá　pǐn wèi
品茶 | 品味
savour tea | taste; sample

nǐ lái pǐn yī pǐn zhè dào cài
你来品一品这道菜。
Sample this dish, please.

píng 平

♥ ***adj.* flat; even; smooth:**

píng dì
平地
level land; flat ground

zhè tiáo lù hěn píng, zǒu zhe hěn shū fu
这条路很平，走着很舒服。
The road is smooth, and it is comfort to walk on.

♥ ***adj.* fair; impartial:**

píng fēn　gōng píng
平分 | 公平
divide equally | fair

nán nǚ píng děng
男 女 平 等。
Man and woman are equal.

♥ ***adj.* peaceful; calm; quiet:**

píng hé
平 和
gentle; mild; placid

xīn píng qì hé
心 平 气 和
be even-tempered and good-humoured

zhù nǐ yī lù píng ān
祝 你 一 路 平 安。
Wish you a good journey.

♥ ***adj.* common; ordinary:**

píng cháng
平 常
ordinary; common

píng mín
平 民
average people

tā píng shí xǐ huan chàng gē tiào wǔ
他 平 时 喜 欢 唱 歌 跳 舞。
He likes singing and dancing.

píng
苹
(蘋)

♥ ***n.* apple:**

píng guǒ
苹 果
apple

wǒ ài chī píng guǒ
我 爱 吃 苹 果。
I like apples.

píng 瓶

♥ ***n.* bottle; vase; jar:**

pí jiǔ píng | kāi shuǐ píng
啤酒瓶 | 开水瓶
beer bottle | thermos flask

huā píng lǐ yǒu xǔ duō huā
花瓶里有许多花。
There are many flowers in the vase.

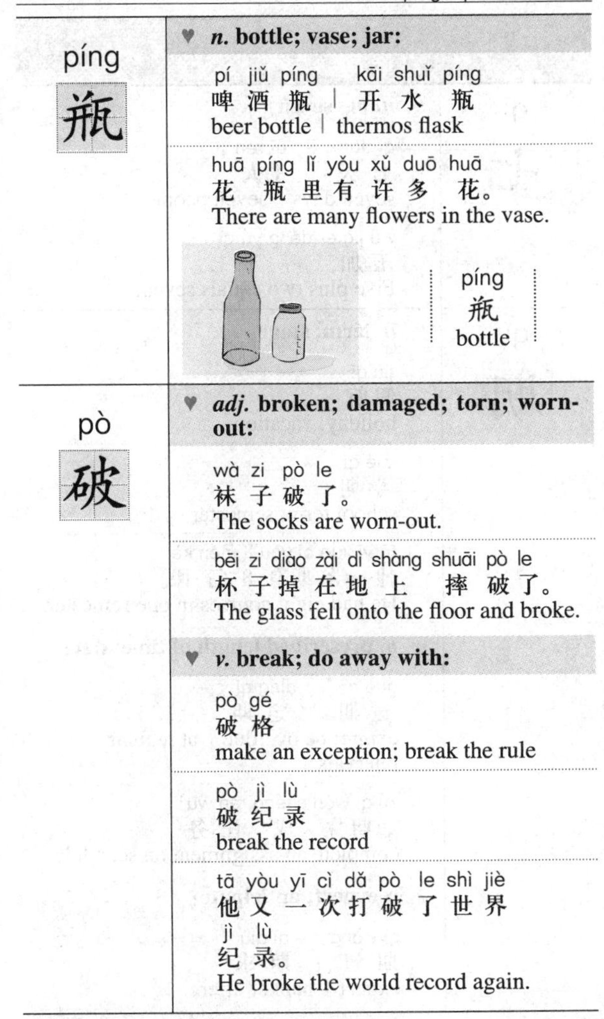

pò 破

♥ ***adj.* broken; damaged; torn; worn-out:**

wà zi pò le
袜子破了。
The socks are worn-out.

bēi zi diào zài dì shàng shuāi pò le
杯子掉在地上摔破了。
The glass fell onto the floor and broke.

♥ ***v.* break; do away with:**

pò gé
破格
make an exception; break the rule

pò jì lù
破纪录
break the record

tā yòu yī cì dǎ pò le shì jiè jì lù
他又一次打破了世界纪录。
He broke the world record again.

Q

qī

七

♥ *num.* **seven**：

qī tiān　qī rén
七天 | 七人
seven days | seven people

wǔ jiā èr děng yú qī
五加二等于七。
Five plus two equals seven.

qī

期

♥ *n.* **term; stage**：

jià qī
假期
holiday; vacation

xué qī
学期
school term; semester

tā yī xué qī yǒu 8 mén kè
他一学期有8门课。
He had eight courses in one semester.

♥ *n.* **prescribed length of time; date**：

guò qī　dìng qī
过期 | 定期
expire; be overdue | at regular intervals

rú qī wán chéng rèn wù
如期完成任务
complete an assignment on schedule

♥ *v.* **expect; anticipate**：

qī wàng　qī qiú
期望 | 期求
expect | hanker after

wǒ men qī dài zhe nǐ de zǎo rì huí lái
我们期待着你的早日回来。
We expect your early return.

qí
齐
(齊)

♥ ***adj.* neat; even**:

zhěng qí
整齐
in good order; neat; tidy

xué sheng men zhàn de hěn zhěng qí
学生们站得很整齐。
The students stood in neat rows.

♥ ***adj.* ready; in order**:

qí quán | qí bèi
齐全 | 齐备
well-stocked | complete; all ready

tóng xué men dōu lái qí le
同学们都来齐了。
All the students have shown up.

qí
奇

♥ ***adj.* rare; very special**:

qí wén | qí shì
奇闻 | 奇事
something unheard-of | rare phenomenon

tā jué de zhè jiàn shì hěn qí guài
他觉得这件事很奇怪。
He found this very strange.

qí
骑
(騎)

♥ ***v.* ride**:

qí chē | qí mǎ
骑车 | 骑马
ride a bicycle | ride a horse

tā měi tiān qí zì xíng chē shàng bān
他每天骑自行车上班。
He goes to work by bicycle every day.

qǐ 起

♥ ***v.* stand up; get up; rise**:

qǐ chuáng　qǐ lì
起床 | 起立
get up | stand up

tā měi tiān 6 diǎn qǐ chuáng
他每天6点起床。
He gets up at six o' clock every day.

♥ ***v.* rise; take place**:

qǐ huǒ
起火
catch fire

qǐ fēng le
起风了。
The wind is rising.

tā de qián qī yán jiū kāi shǐ qǐ zuò yòng le
他的前期研究开始起作用了。
His pre-research has taken effect.

♥ ***v.* start**:

qǐ fēi
起飞
take off

qǐ pǎo
起跑
get ready to start

cóng jīn tiān qǐ　nǐ zuì hǎo měi tiān hē yī bēi niú nǎi
从今天起，你最好每天喝一杯牛奶。
You'd better drink a cup of milk every day starting from today.

qì 气 (氣)

♥ ***n.* gas; air:**

kōng qì　tiān rán qì
空气 | 天然气
air | natural gas

♥ ***n.* weather; climate:**

tiān qì　qì xiàng
天气 | 气象
weather | meteorology

jīn tiān tiān qì hěn hǎo
今天天气很好。
Today is a sunny day.

♥ ***n.* smell; odor; flavour:**

xiāng qì
香气
fragrance

xiāng shuǐ de qì wèi hěn hǎo wén
香水的气味很好闻。
Perfume smells good.

♥ ***v.* angry; enraged:**

qì rén
气人
irritating

tā bèi qì kū le
她被气哭了。
She cried with anger.

qì 汽

♥ ***n.* vapour; steam; gas:**

qì shuǐ　qì yóu
汽水 | 汽油
soft drink | gasoline; gas

tā kāi qì chē qù lā huò
他开汽车去拉货。
He drove a bus to pick up goods.

qiǎ 卡

♥ ***v.* get stuck; wedge; be jammed:**

dǎ yìn jī qiǎ zhǐ le
打印机卡纸了。
A sheet of paper got stuck in the printer.

♥ ***n.* clip; fastener:**

fà qiǎ | pí dài qiǎ zi
发卡 | 皮带卡子
hairpin | strap fastener

♥ ***n.* check post; check point:**

guān qiǎ
关卡
customs office; customs

See kǎ on p.171

qiān 千

♥ ***num.* thousand or ten hundred:**

qiān kè | qiān mǐ
千克 | 千米
kilogramme | kilometre

zhè kuài shí tou yǒu yī qiān duō jīn
这块石头有一千多斤。
The stone weighed over a thousand *jin*.

qián 前

♥ ***n.* front:**

qián tou | qián pái
前头 | 前排
in front | front row

tā zuò zài qián pái
他坐在前排。
He sits in the front row.

qián biān yǒu yī tiáo hé
前边有一条河。
There is a river ahead.

♥ ***adj.* past; former-times**

cóng qián　yǐ qián
从前 | 以前
in the past | before; formerly

qián jǐ nián tā hái shì yī gè xiǎo háir
前几年他还是一个小孩儿。
He was still a child a few years ago.

♥ ***n.* future; prospect：**

qián jǐng　qián chéng
前景 | 前程
prospect; vista; future | future

yào cháo qián kàn bù yào guāng kàn xiàn zài
要朝前看，不要光看现在。
Look forward to the future. Don't pay attention to the present only.

qián
钱
(錢)

♥ ***n.* money：**

qián bāo　qián cái
钱包 | 钱财
wallet | money

tā hěn yǒu qián
他很有钱。
He is very rich.

qiǎn
浅
(淺)

♥ ***adj.* shallow：**

qiǎn shuǐ
浅水
shallow water

shēn qiǎn
深浅
shade of colour; hue

zhè tiáo hé hěn qiǎn
这 条 河 很 浅。
This river is very shallow.

♥ ***adj.*** **simple; easy; not difficult**:

zhè běn zì diǎn hěn qiǎn shì hé gāng
这 本 字 典 很 浅，适 合 刚
xué xí hàn yǔ de rén
学 习 汉 语 的 人。
This dictionary is very simple and is suitable to beginners of Chinese.

qiáo
桥
(橋)

♥ ***n.*** **bridge**:

dà qiáo tiān qiáo
大 桥 | 天 桥
large bridge | crossover; overbridge

lì jiāo qiáo shàng zhàn zhe yī gè rén
立交 桥 上 站 着一个人。
There is a man standing on the cloverleaf.

qiáo
桥
bridge

qiē
切

♥ ***v.*** **cut; devide; slice**:

qiē chú qiē ròu
切 除 | 切 肉
remove; cut off | cut meat

nǐ lái qiē cài
你来 切 菜。
Please cut the vegetable.

See qiè on p.257

qiè
切

♥ *v.* **accord with; conform to or with**:

qiè hé
切 合
suit; fit in with

nǐ de xiǎng fǎ yǒu diǎn bù qiè shí jì
你的 想 法有点 不 切实际。
Your idea was a bit unrealistic.

♥ *adj.* **close to; warm**:

mì qiè | qīn qiè
密 切 | 亲 切
intimacy; intimate | warm; kind; affectionate

tā kàn qǐ lái hěn qīn qiè
他看起来 很 亲 切。
He looks very warm.

♥ *adj.* **eager; compelling**:

jí qiè | pò qiè
急切 | 迫 切
eager; anxious | urgent; imperative; pressing

tā huí jiā xīn qiè
他回 家 心 切。
He was eager to go home.

♥ *adv.* **must; have to**:

qiè jì
切记
keep in mind; be sure to remember

qiè bù kě dà yì
切不可大意。
One mustn't be careless.

See **qiē** on p.256

qīn

♥ ***n.* parents**：

fù qīn　mǔ qīn
父亲 | 母亲
father | mother

wǒ de fù mǔ qīn dōu shì nóng mín
我的父母亲都是农民。
My parents are both peasants.

♥ ***adj.* intimate; close; dear**：

qīn rè　qīn ài
亲热 | 亲爱
loving; intimate; affectionate | beloved; dear; cherished

qīn jìn dà zì rán
亲近大自然
be close to nature

♥ ***adv.* in person; personally**：

qīn shēn
亲身
personal; firsthand; done or made by oneself

zhè shì tā de qīn shēn jīng lì
这是他的亲身经历。
This was his personal experience.

♥ ***n.* relative; relation**：

tā men liǎng jiā shì qīn qi
他们两家是亲戚。
The two families are relatives.

qīng

青

♥ ***adj.* blue or green**：

qīng cǎo　qīng cài
青草 | 青菜
green grass | green vegetables

qīng shān lǜ shuǐ
青 山 绿 水
green hills and blue waters

♥ ***adj.* young; energetic**:

qīng nián　qīng nián gōng rén
青 年 | 青 年 工 人
youth; young person | young worker

qīng
轻
(輕)

♥ ***adj.* light; of little weight**:

qīng biàn
轻 便
light; portable; handy

shū bāo hěn qīng
书 包 很 轻。
The schoolbag is very light.

♥ ***adj.* small in number, degree, etc.**:

nián jì qīng　rèn wù qīng
年 纪 轻 | 任 务 轻
be young | light assignment

♥ ***adj.* relaxed; carefree; light-hearted**:

qīng sōng
轻 松
easy; relaxed; carefree

dǎ wán qiú tā jué de yī shēn qīng
打 完 球,他 觉 得 一 身 轻。
He felt relaxed after playing a ball game.

♥ ***v.* belittle; make light of**:

qīng shì
轻 视
take things lightly; belittle

tǐ yù bǐ sài zhōng bù yào qīng shì
体育比赛 中，不要轻视
rèn hé duì shǒu
任何对手。
Take the opponents seriously in sports match.

♥ ***adj.* gentle; soft：**

shēng yīn qīng yī diǎn
声音轻一点！
Be quiet!

qīng

清

♥ ***adj.* pure; clear; unmixed：**

qīng shuǐ
清水
pure water; clear water

hé lǐ de shuǐ hěn qīng
河里的水很清。
Water in the river is very clean.

♥ ***adj.* clear; lucid：**

fēn qīng
分清
distinguish

yú tài duō le gēn běn jiù shǔ bù qīng
鱼太多了，根本就数不清。
There are too many fish to count.

♥ ***v.* be settled：**

jié qīng　qīng zhàng
结清 | 清账
be settled | pay off debts

zhàng jié qīng cái kě lí kāi fàn diàn
账结清才可离开饭店。
No departure from the hotel before check-out.

♥ ***v.* check; count:**

qīng diǎn
清 点
check; count

qīng diǎn xíng li hé rén shù
清 点 行 李和人 数。
Check the number of luggage and people.

qíng
情

♥ ***n.* feeling; emotion; affection; sensation:**

rè qíng　ài qíng
热 情 | 爱 情
enthusiasm; warm | love

wǒ wú fǎ yòng yǔ yán biǎo dá wǒ
我 无 法 用 语 言 表 达 我
cǐ kè de xīn qíng
此刻的 心 情。
I couldn't express my present feelings with language.

♥ ***n.* situation; state; condition:**

shí qíng　qíng jǐng
实 情 | 情 景
actual situation; truth | scene

nà biān de qíng kuàng zěn me yàng
那 边 的 情 况 怎 么 样?
What about the situation over there?

♥ ***n.* reason; sense:**

cháng qíng　qíng lǐ
常 情 | 情 理
general reason; common sense | reason; sense

tā de huà hé qíng hé lǐ
他的 话 合 情 合理。
What he said was fair and reasonable.

qǐng
请
(請)

♥ ***v.* request; ask; beg; pray**：

qǐng jià
请 假
ask for leave

qǐng jiào
请 教
consult; seek advice

qǐng kè
请 客
play the host; stand treat

wǒ xiǎng qǐng nǐ bāng gè máng
我 想 请 你 帮 个 忙。
Give me a hand, please.

♥ ***v.* please; if you please**：

qǐng zuò
请 坐。
Sit down, please.

qǐng liú bù
请 留步。
Don't bother to see me out, please.

qiū
秋

♥ ***n.* autumn; fall**：

qiū jì
秋季
autumn

chūn xià qiū dōng
春 夏 秋 冬
spring, summer, autumn, and winter

qiū tiān lái le
秋 天 来了。
Autumn has come.

qiú

求

♥ ***v.* ask; beg; request; solicit:**

qiú jiào
求 教
consult sb.; seek advice from sb.

qiú zhù
求 助
ask for help

qiú nín bāng wǒ zuò yī jiàn shì
求 您 帮 我 做一 件 事。
Could you do me a favour?

♥ ***v.* aim at; make efforts for; strive for:**

yāo qiú | lì qiú
要 求 | 力求
demand | strive to do sth.

yāo qiú dà jiā wǔ diǎn qián dào nà lǐ
要 求 大家 五 点 前 到 那里。
Everyone is supposed to be there before five o' clock.

♥ ***n.* demand; need:**

xū qiú
需 求
need; demand; requirement

zhè zhǒng chǎn pǐn xū qiú hěn dà
这 种 产 品 需 求 很 大。
This product is in great need.

♥ ***v.* seek; pursue; look for:**

xún qiú
寻 求
look for; quest; seek

zhuī qiú
追 求
pursue; seek

qiú
球

♥ ***n.* sphere; ball：**

yǎn qiú 眼球 eyeball | xuě qiú 雪球 snowball | qì qiú 气球 balloon

♥ ***n.* ball used in sports：**

pái qiú 排球 volleyball | zú qiú 足球 football

lán qiú
篮球
basketball

tā xǐ huan dǎ wǎng qiú
他喜欢打网球。
He likes playing tennis.

qiú
球
ball

♥ ***n.* globe; earth; world：**

quán qiú
全球
entire world; whole world

dōng bàn qiú
东半球
the Eastern Hemisphere

♥ ***n.* ball game：**

wǒ zuó wǎn kàn le yī chǎng zú qiú sài
我昨晚看了一场足球赛。
I watched a football match last night.

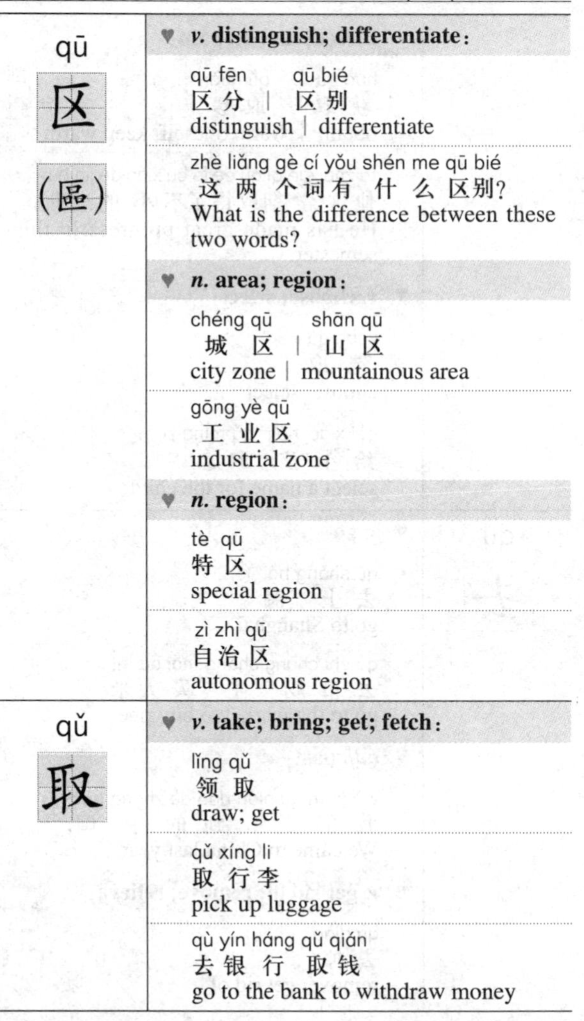

qū

区

(區)

♥ ***v.* distinguish; differentiate**：

qū fēn　qū bié
区分 | 区别
distinguish | differentiate

zhè liǎng gè cí yǒu shén me qū bié
这两个词有什么区别？
What is the difference between these two words?

♥ ***n.* area; region**：

chéng qū　shān qū
城区 | 山区
city zone | mountainous area

gōng yè qū
工业区
industrial zone

♥ ***n.* region**：

tè qū
特区
special region

zì zhì qū
自治区
autonomous region

qǔ

取

♥ ***v.* take; bring; get; fetch**：

lǐng qǔ
领取
draw; get

qǔ xíng li
取行李
pick up luggage

qù yín háng qǔ qián
去银行取钱
go to the bank to withdraw money

♥ ***v.* seek; aim at; gain**：

huò qǔ | qǔ nuǎn
获取 | 取暖
obtain | warm oneself; keep warm

tā zhè xué qī qǔ dé le bù xiǎo de jìn bù
他这学期取得了不小的进步。
He has made great progress in this semester.

♥ ***v.* choose; select**：

xuǎn qǔ
选取
choose; select

gěi xiǎo háir qǔ míng zi
给小孩儿取名字
select a name for the child

qù

去

♥ ***v.* go**：

qù shàng hǎi
去上海
go to Shanghai

qù shì chǎng shàng mǎi dà mǐ
去市场上买大米
go to the market to buy rice

♥ ***adj.* past**：

wǒ men qù nián dào de zhōng guó
我们去年到的中国。
We came to China last year.

♥ ***v.* get rid of; remove; relieve**：

qù diào
去掉
remove; get rid of

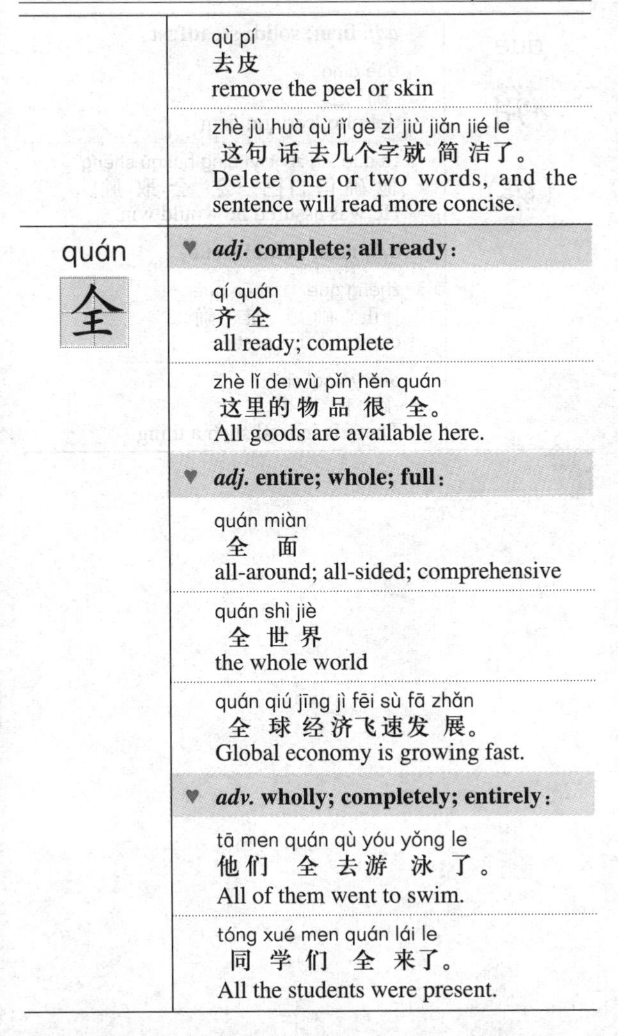

qù pí
去皮
remove the peel or skin

zhè jù huà qù jǐ gè zì jiù jiǎn jié le
这句话去几个字就简洁了。
Delete one or two words, and the sentence will read more concise.

quán 全

♥ ***adj.* complete; all ready:**

qí quán
齐全
all ready; complete

zhè lǐ de wù pǐn hěn quán
这里的物品很全。
All goods are available here.

♥ ***adj.* entire; whole; full:**

quán miàn
全面
all-around; all-sided; comprehensive

quán shì jiè
全世界
the whole world

quán qiú jīng jì fēi sù fā zhǎn
全球经济飞速发展。
Global economy is growing fast.

♥ ***adv.* wholly; completely; entirely:**

tā men quán qù yóu yǒng le
他们全去游泳了。
All of them went to swim.

tóng xué men quán lái le
同学们全来了。
All the students were present.

què

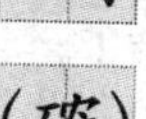

♥ ***adj.* firm; solid; steadfast:**

què dìng
确 定
definite; certain; firm

tā què xìn zì jǐ yī dìng huì qǔ shèng
他 确 信 自 己 一 定 会 取 胜。
He was assured he would win.

♥ ***adj.* real; actual; true:**

zhèng què | zhǔn què
正 确 | 准 确
correct | accurate

què yǒu qí shì
确 有 其 事。
There is indeed such a thing.

R

rán

然

♥ ***adj.* true; right; correct:**

tā duì cǐ shì bù yǐ wéi rán
他对此事不以为 然。
He did not care much about this.

♥ ***n.* like that; so:**

bù jìn rán
不尽然
not like that

zhī qí rán bù zhī qí suǒ yǐ rán
知其然，不知其所以然
know about the hows but not the whys; do not know the root cause of a matter

♥ **adjective or adverb suffix:**

xiǎn rán
显 然
obviously

tā tū rán xiào le qǐ lái
他突然 笑 了起来。
Suddenly he started laughing.

ràng

让

(讓)

♥ ***v.* give up sth. for the benefit of sb. else:**

lǐ ràng tuī ràng
礼让 | 推 让
practise comity | decline

tā zhǔ dòng gěi lǎo rén ràng zuò
他主动 给老人 让 座。
He offered his seat to the old man.

♥ ***v.* make way; make room:**

tuì ràng　ràng lù
退 让 | 让 路
step back; step aside | make way

qǐng ràng kāi diǎn
请 让 开 点。
Stay out of the way, please.

♥ ***v.* trade in; sell:**

chū ràng　zhuǎn ràng
出 让 | 转 让
sell | transfer the possession of sth.

tā bǎ fáng zi zhuǎn ràng gěi dì di le
他把房子转让给弟弟了。
He transferred the house to his younger brother.

♥ ***v.* let; make:**

ràng nín jiǔ děng le
让您久等了。
Sorry to keep you waiting so long.

ràng wǒ hǎo hǎo xiǎng xiǎng
让我好好想想。
Let me think it over.

♥ ***prep.* same as "被"(bèi):**

gǎo zi ràng xiǎo gǒu gǎo luàn le
稿子让小狗搞乱了。
The manuscript was messed up by the dog.

xíng li ràng yǔ lín le
行李让雨淋了。
The luggage got wet in the rain.

rè

热

(熱)

♥ *adj.* **warm; high temperature**:

rè shuǐ
热 水
hot water

jīn tiān tiān qì hěn rè
今 天 天 气 很 热。
It is very hot today.

♥ *adj.* **heat; warm**:

rè yī rè cài
热一热菜
heat the dish

qǐng bǎ fàn rè yī xià
请 把 饭 热一下。
Heat the food, please.

♥ *adj.* **endearing; chummy**:

qīn rè
亲 热
lovingly; intimate; affectionate

rè ài zǔ guó
热爱祖 国
love one's motherland

rè qíng
热 情
enthusiast; warm

♥ *adj.* **lively**:

rè nao
热 闹
lively; buzzing with excitement

jiào shì lǐ lì kè rè nao le qǐ lái
教 室里立刻热 闹 了起来。
The classroom became lively immediately.

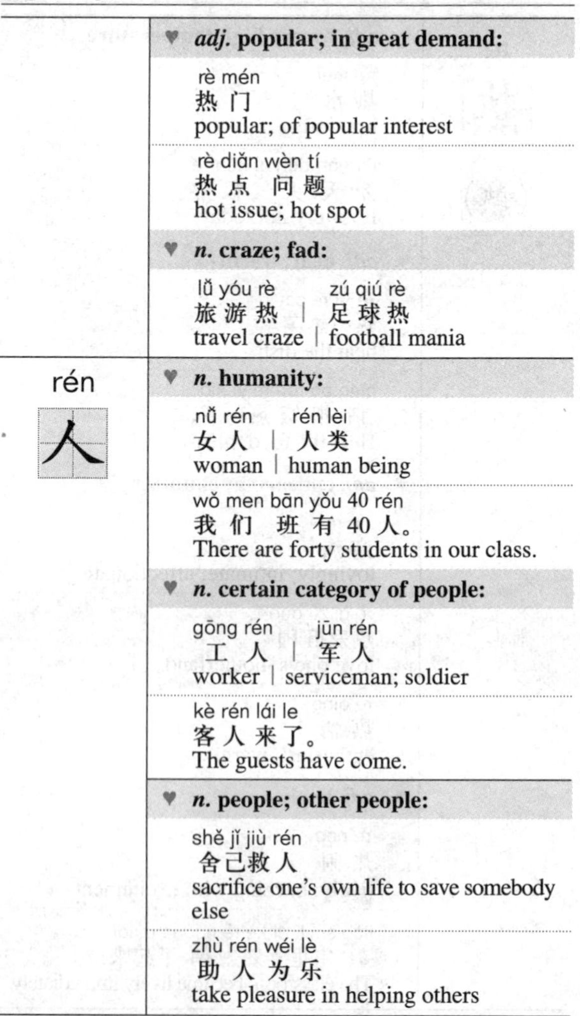

♥ ***adj.* popular; in great demand:**

rè mén
热 门
popular; of popular interest

rè diǎn wèn tí
热点 问题
hot issue; hot spot

♥ ***n.* craze; fad:**

lǚ yóu rè | zú qiú rè
旅游热 | 足球热
travel craze | football mania

rén

人

♥ ***n.* humanity:**

nǚ rén | rén lèi
女人 | 人类
woman | human being

wǒ men bān yǒu 40 rén
我们 班 有 40 人。
There are forty students in our class.

♥ ***n.* certain category of people:**

gōng rén | jūn rén
工人 | 军人
worker | serviceman; soldier

kè rén lái le
客人来了。
The guests have come.

♥ ***n.* people; other people:**

shě jǐ jiù rén
舍己救人
sacrifice one's own life to save somebody else

zhù rén wéi lè
助人为乐
take pleasure in helping others

♥ ***n.* everyone:**

rén shǒu yī běn
人手一本
a copy for everyone

rén suǒ gòng zhī
人所共知
be known to all

rèn

认

(認)

♥ ***v.* recognize; identify:**

rèn de | rèn lǐng
认得 | 认领
recognize | claim

wǒ men rèn shi duō nián le
我们认识多年了。
We have known each other for many years.

♥ ***v.* admit; approve:**

fǒu rèn | rèn kě
否认 | 认可
deny | accept; approve of

rèn cuò
认错
admit a mistake; apologize

♥ ***v.* accept a loss, or the consequence of sth.:**

zhè jiàn shì wǒ rèn le
这件事我认了。
I have to accept the consequence.

rèn

任

♥ ***v.* appoint; assign to a post:**

rèn zhí | rèn jiào
任职 | 任教
hold a post | teach; be a teacher

tā gāng bèi rèn mìng wéi xiào zhǎng
他 刚 被 任 命 为 校 长。
He was just appointed as principal of the school.

♥ ***v.* trust; believe:**

xìn rèn
信 任
trust

wǒ men dōu hěn xìn rèn tā
我 们 都 很 信 任 他。
We all trust him.

♥ ***v.* let; allow; permit:**

rèn xìng | fàng rèn
任 性 | 放 任
wayward; have no self-restraint | indulge

tā zài fā rèn yì qiú
他 在 发 任 意 球。
He is serving a random ball.

rì
日

♥ ***n.* sun:**

rì shí | rì guāng
日食 | 日 光
solar eclipse | sunlight

rì chū rì luò
日 出 日 落。
The sun rises and sets.

♥ ***n.* day; daytime:**

rì lì
日历
calendar

yī nián yǒu 365 rì
一 年 有 365日。
There are three hundred and sixty-five days in one year.

♥ ***n.* particular day:**

jié rì
节日
festival; holiday

míng tiān shì tā de shēng rì
明 天 是他的 生 日。
Tomorrow is his birthday.

róng
容

♥ ***n.* facial expression; looks; appearance:**

měi róng
美 容
plastic surgery; cosmetology

xiào róng
笑 容
smiling face

zhěng róng
整 容
plastic surgery

♥ ***v.* contain:**

róng liàng róng qì
容 量 | 容 器
capacity | container

zhè gè lǐ táng néng róng yī wàn rén
这 个礼 堂 能 容 一 万 人。
The seating capacity of this auditorium is ten thousand people.

ròu

肉

♥ ***n.* flesh; meat:**

ròu tǐ | yáng ròu
肉体 | 羊肉
human body; flesh | mutton

tā xǐ huan chī niú ròu
他喜欢吃牛肉。
He likes beef.

♥ ***n.* fruit pulp; fruit flesh:**

guǒ ròu hěn xīn xiān
果肉很新鲜。
The fruit pulp is very fresh.

rú

如

♥ ***conj.* if; supposed:**

rú guǒ nǐ bù qù wǒ yě bù qù
如果你不去,我也不去。
I won't go if you don't.

♥ ***v.* in keeping with; in accordance with:**

rú yì | rú yuàn
如意 | 如愿
to one's liking | have one's wish fulfilled

tā rú qī wán chéng le zhè xiàng rèn wù
他如期完成了这项任务。
He completed the assignment on schedule.

♥ ***v.* for example; such as:**

shān shàng yǒu hěn duō dòng wù rú niú yáng mǎ děng
山上有很多动物,如牛、羊、马等。
There are many animals on the hill, such as cows, sheep, and horses, etc.

rù

入

♥ ***v.* come into; enter**:

jìn rù　　rù kǒu
进入 | 入口
enter | entrance

tā yǐ jing rù mén le
他已经入门了。
He has already learnt the basis of this.

♥ ***v.* enroll; take part in**:

rù huì
入会
enrollment; join an association

tā míng tiān cān jiā rù xué kǎo shì
他明天参加入学考试。
He will take part in the entrance examination tomorrow.

S

sài

赛

(賽)

♥ *v.* **compete:**

bǐ sài | sài pǎo
比赛 | 赛跑
compete; match | race

sài mǎ
赛马
horse race

♥ *n.* **match; competition:**

zú qiú sài
足球赛
football match

wǒ zuó tiān kàn le yī chǎng wǎng qiú sài
我昨天看了一场网球赛。
I watched a tennis match yesterday.

sān

三

♥ ***num.*** **three:**

sān tiān
三天
three days

wǔ jiǎn èr děng yú sān
五减二等于三。
Five minus two equals three.

♥ ***num.*** **several times:**

zài sān
再三
over and over

yī ér zài zài ér sān
一而再，再而三。
Over and over again; time and again.

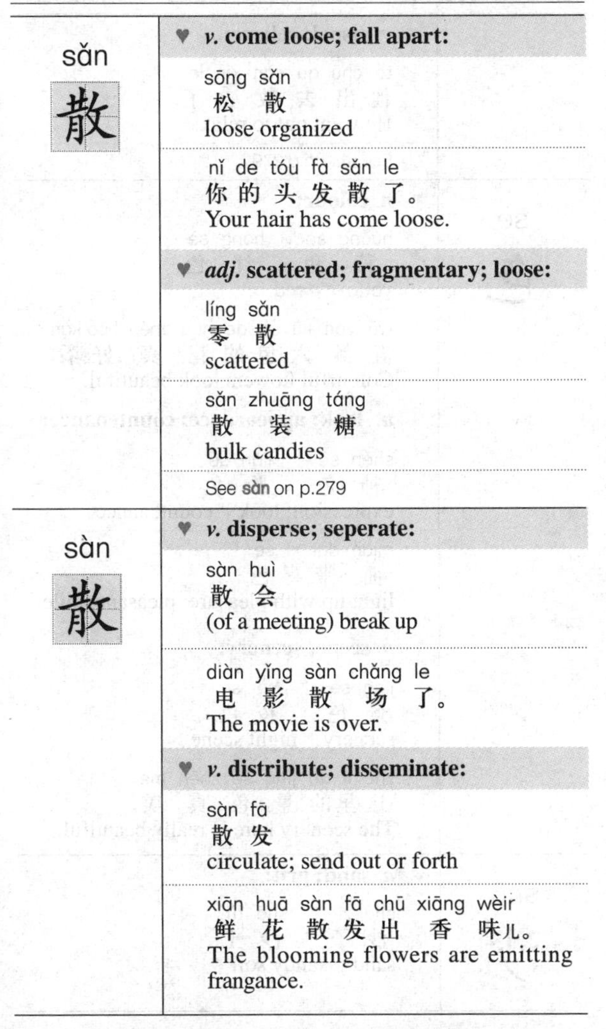

sǎn 散

♥ ***v.*** **come loose; fall apart:**

sōng sǎn
松 散
loose organized

nǐ de tóu fà sǎn le
你 的 头 发 散 了。
Your hair has come loose.

♥ ***adj.*** **scattered; fragmentary; loose:**

líng sǎn
零 散
scattered

sǎn zhuāng táng
散 装 糖
bulk candies

See **sàn** on p.279

sàn 散

♥ ***v.*** **disperse; seperate:**

sàn huì
散 会
(of a meeting) break up

diàn yǐng sàn chǎng le
电 影 散 场 了。
The movie is over.

♥ ***v.*** **distribute; disseminate:**

sàn fā
散 发
circulate; send out or forth

xiān huā sàn fā chū xiāng wèir
鲜 花 散 发 出 香 味儿。
The blooming flowers are emitting frangance.

♥ *v.* **dispel; relieve:**

tā chū qu sàn xīn le
他出去散心了。
He went out to relax.

See sǎn on p.279

sè
色

♥ *n.* **colour:**

huáng sè | hóng sè
黄色 | 红色
yellow | red

wǔ yán liù sè de huā zhēn hǎo kàn
五颜六色的花真好看。
Colourful flowers look beautiful.

♥ *n.* **look; appearance; countenance:**

shén sè | liǎn sè
神色 | 脸色
expression; look | countenance

miàn dài xǐ sè
面带喜色
light up with pleasure; pleasant smile

♥ *n.* **scene; scenery:**

jǐng sè | yè sè
景色 | 夜色
scenery | night scene

zhè lǐ de jǐng sè zhēn měi
这里的景色真美。
The scenery here is really beautiful.

shā
沙

♥ *n.* **sand; grit:**

shā zi | shā tǔ
沙子 | 沙土
sand | sandy soil

♥ ***adj.* (of voice) raucous; hoarse:**

shā yǎ
沙 哑
hoarse

tā de shēng yīn shā le
他 的 声 音 沙 了。
His voice was hoarse.

shà
厦

♥ ***n.* tall building:**

gāo lóu dà shà
高 楼 大 厦
high buildings and large mansions; high-rises

shān
山

♥ ***n.* mountain; hill:**

gāo shān | shān qū
高 山 | 山 区
high mountain | mountainous area

yī zuò dà shān
一 座 大 山
a large mountain

shān
山
hill

shàn
扇

♥ ***n.* fan:**

shàn zi | diàn shàn
扇 子 | 电 扇
fan | electric fan

qǐng bǎ fēng shàn dǎ kāi
请 把 风 扇 打 开。
Please turn on the fan.

shàn
扇
fan

shāng
伤
(傷)

♥ ***v.* injure; hurt:**

shāng gǎn qíng
伤 感 情
hurt one's feelings

shāng hài
伤 害
injure; harm; hurt

shāng nǎo zi
伤 脑 子
knotty; bothersome; troublesome

♥ ***n.* wound; injury:**

shāng kǒu
伤 口
wound

tā shēn shàng yǒu shāng
他 身 上 有 伤。
He was wounded.

tā de shāng hǎo le
他 的 伤 好 了。
His wound was healed.

♥ ***adj.* distressed; grieved:**

shāng gǎn
伤 感
sentimental; sick at heart

shāng xīn
伤 心
sad; grieved; heart-broken

shāng 商

♥ ***v.* talk about; discuss; consult:**

shāng tán　shāng yì
商谈 | 商议
exchange views; discuss | confer; discuss

wǒ yǒu shì yào hé nǐ shāng liang yī xià
我有事要和你商量一下。
I have something to discuss with you.

♥ ***n.* business; commerce:**

jīng shāng
经商
go into business; engage in business

shāng rén
商人
businessman; merchant

tā kāi le sān jiā shāng diàn
他开了三家商店。
He runs three shops.

♥ ***n.* quotient:**

shí chú yǐ wǔ de shāng wéi èr
十除以五的商为二。
Two is the quotient when ten is divided by two.

shǎng 上

♥ ***n.* variant pronounciation of "上" (shàng):**

shǎng shēng
上声
rising tone or falling-rising tone

nǐ shì yī gè shǎng shēng zì
"你"是一个上声字。
"Ni" is a Chinese character with rising tone.

See shàng on p.284

shàng
上

♥ ***n.* up; upper; above:**

shàng miàn | wǎng shàng
上面 | 往上
upper part | upward

qǐng wǎng shàng kàn
请往上看。
Please look up.

♥ ***v.* come or go up:**

shàng lóu
上楼
go upstairs; ascend the stairs

shàng tái jiē
上台阶
climb up the staircase

shàng shān
上山
climb up a mountain

♥ ***v.* go to; leave for:**

shàng jiē
上街
go shopping

nǐ shàng nǎr
你上哪儿?
Where are you going?

♥ ***n.* preceding in time or order:**

shàng cì | shàng bàn nián
上次 | 上半年
last time | the first half of a year

wèi yú cháng jiāng shàng yóu
位于长江上游
be located on the upper reaches of the Yangtzi River

♥ ***v.* start work or study at a fixed time:**

shàng bān
上 班
begin work; go to work

shàng kè
上 课
begin a lesson; have a class

wǒ shàng xué qù le
我 上 学 去 了。
I am going to school now.

♥ ***n.* used after a noun to indicate the surface of sth.:**

lù shàng | xīn shàng
路 上 | 心 上
on the way | in the heart

chē shàng yǒu sān gè rén
车 上 有 三 个 人。
There are three people in the car.

See shǎng on p.283

shāo 烧 (燒)

♥ ***v.* cook; heat up:**

shāo shuǐ
烧 水
boil water

wǒ lái shāo kāi shuǐ
我 来 烧 开 水。
Let me boil some water.

♥ ***n.* fever:**

gāo shāo
高 烧
high fever

tā yǐ jing tuì shāo le
他 已 经 退 烧 了。
His fever has already come down.

shǎo

少

♥ *adj.* **few; little; less:**

wǒ men bān nán shēng bǐ nǚ
我 们 班 男 生 比 女
shēng shǎo
生 少。
There are fewer boys than girls in our class.

ài zǎo shang yùn dòng de rén zhēn
爱 早 上 运 动 的 人 真
bù shǎo
不 少。
There are so many people who like doing morning exercises.

♥ *adj.* **no; less; without:**

wǒ men bān shǎo le tā jiù bù
我 们 班 少 了 他 就 不
rè nao le
热 闹 了。
Our class will not be so lively without him.

See **shào** on p.286

shào

少

♥ *adj.* **young:**

shào nǚ | shào nián
少 女 | 少 年
teenage girl | juvenile

nán nǚ lǎo shào
男 女 老 少
men and women, the old and the young

tā bǐ wǒ nián shào
他 比 我 年 少。
He is my junior.

See **shǎo** on p.286

shào 绍 (紹)

♥ ***v.* introduce:**

jiè shào
介绍
introduce

wǒ gěi nǐ jiè shào yī gè péng you
我给你介绍一个朋友。
Let me introduce a friend to you.

shě 舍 (捨)

♥ ***v.* give up; abandon:**

shě de
舍得
be willing to part with; not grudge

shě jǐ wèi rén
舍己为人
sacrifice one's own interest for the sake of somebody else

tā cóng lái shě bu de luàn huā yī fēn qián
他从来舍不得乱花一分钱。
He hates to waste a single cent.

See **shè** on p.288

shè 社

♥ ***n.* organized body; agency; society:**

bào shè
报社
newspaper office

lǚ xíng shè
旅行社
travel service

tā zài bào shè shàng bān
他在报社上班。
He works for a newspaper publisher.

shè

舍

♥ *n.* **house; hut:**

xiào shè
校舍
school building

wǒ de sù shè lí zhèr hěn jìn
我的宿舍离这儿很近。
My dormitory is close to here.

See shě on p.287

shéi

谁

(誰)

♥ *pron.* **who; which:**

shéi lái le
谁来了？
Who came here?

tā shì shéi ya
他是谁呀？
Who is he?

♥ *pron.* **anyone:**

shéi lái le dōu yào rè qíng jiē dài
谁来了，都要热情接待。
Give a warm reception to those who come here.

shéi xiān zuò wán shéi jiù zǒu
谁先做完谁就走。
Those who have finished can go first.

See shuí on p.315

shēn

申

♥ *v.* **state; express; explain:**

shēn qǐng chóng shēn
申请 | 重申
apply for | reiterate

shēn bàn yùn dòng huì
申办运动会
bid for a sports meeting

shēn 身

♥ ***n.* body:**

shēn cái　shēn zi
身材 | 身子
stature; figure | body

tā shēn gāo 1.80 mǐ
他身高1.80米。
His height is one point eight metres.

♥ ***n.* main part of a structure; body:**

chuán shēn　chē shēn
船身 | 车身
hull of a ship | body of a vehicle

jī shēn
机身
fuselage

shēn 参 (參)

♥ ***n.* ginseng:**

rén shēn
人参
ginseng

See cān on p.24

shēn 深

♥ ***adj.* deep:**

shēn qiǎn
深浅
shade of colour; hue

zhè tiáo hé hěn shēn
这条河很深。
This river is very deep.

♥ ***adj.* difficult:**

yóu qiǎn rù shēn
由浅入深
from the easy to the difficult

	zhè běn shū hěn shēn wǒ kàn 这 本 书 很 深，我 看 bù dǒng 不 懂。 This book is too difficult for me.
	♥ ***adj.*** **close relation; profound feeling; intimate:**
	tā men shì lǎo péng you guān xi 他 们 是 老 朋 友，关 系 hěn shēn 很 深。 They are old friends, and have close relations.
shén 什	♥ ***pron.*** **what:**
	zhè shì shén me 这 是 什 么？ What is this?
	nǐ yǒu shén me shì 你 有 什 么 事？ What can I do for you?
	nín yào diǎnr shén me 您 要 点儿 什 么？ What do you need?
shén 神	♥ ***n.*** **god; diety; divine being:**
	shén huà 神 话 mythology; myth
	shén yī 神 医 highly skilled doctor
	wú shén lùn 无 神 论 atheism

♥ ***n.* spirit; mind:**

jīng shen　shén jīng
精 神 | 神 经
spirit | nerve

tā shàng kè lǎo shì zǒu shénr
他上课老是走神儿。
He is always absent-minded in class.

shēng 升

♥ ***v.* rise; ascend; go up; hoist:**

shēng qí
升 旗
raise the flag

tài yáng shēng qǐ lái le
太阳升起来了。
The sun is rising.

shēng 生

♥ ***v.* give birth to; bear:**

shēng hái zi
生 孩 子
give birth to a baby; in labour

tā shēng yú běi jīng
他生于北京。
He was born in Beijing.

♥ ***v.* cause; give rise to:**

shēng bìng
生 病
get ill; be sick

shēng huǒ zuò fàn
生火做饭。
Make a fire to do cooking.

♥ ***adj.* strange; unfamiliar:**

shēng rén　shēng cí
生 人 | 生 词
stranger | new word

rén shēng dì bù shú
人生地不熟
not familiar with either the people or the place

♥ ***n.* life:**

shēng wù | shēng mìng
生物 | 生命
living thing | life; being

♥ ***adj.* unripe or green; raw:**

shēng ròu | shēng jī dàn
生肉 | 生鸡蛋
raw meat; uncooked meat | raw egg

zhè fàn hái shì shēng de
这饭还是生的。
The food was half cooked.

♥ ***n.* student:**

xué sheng | nán xué sheng
学生 | 男学生
student | schoolboy

tā shì yī míng liú xué shēng
他是一名留学生。
He is an overseas student.

shēng 声 (聲)

♥ ***n.* sound; voice:**

gē shēng | shēng diào
歌声 | 声调
singing | tone

xiǎo shēng shuō huà
小声说话。
Speak in a low voice.

♥ ***n.* tone:**

qù shēng
去　声
falling tone

shǎng shēng
上　声
rising tone or falling-rising tone

shěng
省

♥ ***v.* economize; save; be frugal:**

shěng qián
省　钱
save money

shěng shì
省　事
make things easy; save trouble

zhè yàng zuò kě yǐ shěng diǎn
这　样　做　可　以　省　点
shí jiān
时　间。
Doing it this way can save time.

♥ ***v.* omit; delete; leave out:**

shěng xiě
省　写
leave out; omit

zhè jù huà kě yǐ shěng diào
这　句　话　可　以　省　掉。
This sentence can be deleted.

♥ ***n.* province:**

shěng huì | shěng chéng
省　会 | 省　城
provincal capital | provincal capital

tā shì guǎng dōng shěng rén
他是广东省人。
He is a Cantonese.

See xǐng on p.388

shèng
剩

♥ *v.* **leftover; surplus; remnant:**

shèng cài　shèng fàn
剩菜 | 剩饭
leftovers | leftovers

wǒ men bǎ qián huā de yī fēn méi shèng
我们把钱花得一分没剩。
We have spent all the money.

jiào shì lǐ zhǐ shèng tā yī gè rén le
教室里只剩他一个人了。
He was left alone in the classroom.

shī
师
(師)

♥ *n.* **teacher; master:**

lǎo shī　shī fu
老师 | 师傅
teacher | master

tā shì wǒ men de hàn yǔ lǎo shī
她是我们的汉语老师。
She is our Chinese language teacher.

♥ *n.* **person skilled in a certain profession or trade:**

gōng chéng shī　yuán yì shī
工程师 | 园艺师
engineer | landscaper

tā shì yī gè lǐ fà shī
他是一个理发师。
He is a barber.

♥ ***n.* of one's master's or teacher's:**

shī mèi　shī jiě
师 妹 | 师 姐
junior sister apprentice | senior sister apprentice

tā shì wǒ de shī dì
他 是 我 的 师 弟。
He is my junior fellow apprentice.

shí
十

♥ ***num.* ten:**

shí gè rén　shí tiān
十 个 人 | 十 天
ten people | ten days

qī jiā sān děng yú shí
七 加 三 等 于 十。
Seven plus three equals ten.

♥ ***adj.* topmost; highest:**

shí zú
十 足
full; complete; pure

shí quán shí měi
十 全 十 美
be perfect in every way; flawless and perfect

tā zuò rèn hé shì dōu shí fēn rèn zhēn
他 做 任 何 事 都 十 分 认 真。
He does everything meticulously.

shí
石

♥ ***n.* stone:**

shí yóu　shí lín
石 油 | 石 林
oil; petroleum | stone forest

tā zuò zài yī kuài shí tou shàng
他 坐 在 一 块 石 头 上。
He sat on a stone.

shí
石
stone

shí
时
(時)

♥ ***n.* time:**

shí chā | shí zhōng
时差 | 时钟
time difference; jet lag | clock

shí dài
时代
times; age

♥ ***n.* unit of time:**

shàng wǔ bā shí
上午八时
eight o'clock in the morning

yī tiān yǒu 24 gè xiǎo shí
一天有24个小时。
There are twenty-four hours in a day.

♥ ***n.* fixed time:**

àn shí
按时
on time; on schedule

tā měi tiān zhǔn shí shàng bān
他每天准时上班。
He goes to work on time every day.

♥ ***adj.* current; oresent:**

shí xià | shí zhèng
时下 | 时政
at present; currerntly | current affairs; current events

shí shì xīn wén
时事新闻
news about current affairs

shí

识

(識)

♥ ***v.* know:**

shí zì
识 字
learn to read; become literate

shí huò
识 货
know the goods; have knowledge on goods

tā men yǐ xiāng shí bā nián le
他 们 已 相 识 八 年 了。
They have known each other for eight years.

♥ ***n.* knowledge; learning; insight:**

xué shí
学 识
learning; knowledge

wǒ men dōu yīng gāi liǎo jiě yī xiē cháng shí
我 们 都 应 该 了 解 一 些 常 识。
We should all learn some general knowledge.

shí

实

(實)

♥ ***adj.* solid; full:**

nà gè qiú shì shí xīn de
那 个 球 是 实 心 的。
That ball is solid.

♥ ***n.* real; actual; true:**

shì shí
事 实
truth; reality; fact

shí huà shí shuō
实 话 实 说
speak the plain truth; tell the truth

tā shì yī gè lǎo shi rén
他是一个老实人。
He is an honest man.

♥ ***n.* seed; fruit:**

zhè kē shù jié le hěn duō guǒ shí
这棵树结了很多果实。
This tree is bearing a lot of fruit.

shí
食

♥ ***n.* food:**

zhǔ shí | líng shí
主食 | 零食
staple food | snack

tā xǐ huan chī miàn shí
他喜欢吃面食。
He likes wheaten food.

♥ ***n.* dining:**

tā zài shí táng chī fàn
他在食堂吃饭。
He is having meal in the dining hall.

♥ ***adj.* edible; seasoning:**

shí wù
食物
food; edibles

shí yòng yóu
食用油
edible oil; cooking oil

zhè lǐ de shí pǐn hěn duō
这里的食品很多。
There is a big variety of food here.

shǐ
史

♥ ***n.* histroy:**

shǐ liào
史料
historical data; historical materials

shì jiè shǐ
世界史
world history

tā xǐ huan kàn lì shǐ shū
他喜欢看历史书。
He likes reading history books.

shǐ 使

♥ ***v.* use; employ; apply; exert:**

shǐ yòng
使用
use; employ; apply; make use of

shǐ lì qi
使力气
make an effort

tā bù tài huì shǐ yòng kuài zi
他不太会使用筷子。
He could not use chopsticks properly.

♥ ***v.* let; make; cause:**

zhè yàng zuò shǐ tā yǒu xiē wéi nán
这样做使他有些为难。
This made him a little embarassed.

♥ ***n.* envoy; emissary; messenger:**

dà shǐ | tè shǐ
大使 | 特使
ambassador | special envoy

gōng shǐ
公使
minister

shǐ 始

♥ ***v.* begin; start:**

qiān lǐ zhī xíng shǐ yú zú xià
千里之行，始于足下。
A thousand-*li* journey begins with the first step.

tā cái gāng kāi shǐ xué hàn yǔ
他才刚开始学汉语。
He has just started learning Chinese.

shì

士

♥ ***n.* person trained in a special field:**

yuàn shì
院士
academician

tā shì yī míng hù shi
她是一名护士。
She is a nurse.

♥ ***n.* person:**

nán shì
男士
man; gentleman

nǚ shì yōu xiān
女士优先。
Lady first.

♥ ***n.* person with an academic degree:**

xué shì
学士
bachelor

tā shì gè bó shì
他是个博士。
He is a doctor.

shì

示

♥ ***v.* show; produce; instruct:**

biǎo shì | tí shì
表示 | 提示
express; show | clue; hint

qǐng chū shì yī xià nín de zhèng jiàn
请出示一下您的证件。
Your ID, please.

shì 世

♥ ***n.* society; world:**

shì shàng | shì jiè hé píng
世上 | 世界和平
in the world | world peace

tā jiàn guo shì miàn
他见过世面。
He is well experienced.

♥ ***n.* lifetime; life:**

jīn shì | lái shì
今世 | 来世
this life; this age | after life; life after death

jīn shēng jīn shì
今生今世
this life; as long as one lives

♥ ***n.* age; time; era:**

shì dài
世代
long period of time; many years

yíng jiē xīn shì jì
迎接新世纪
usher in the new century

shì 市

♥ ***n.* city; municipality:**

shì mín | chéng shì
市民 | 城市
citizen | city

běi jīng shì gè dà dū shì
北京是个大都市。
Beijing is a metropolitan.

♥ ***n.* market:**

chāo shì
超市
supermarket

wǒ qù shì chǎng mǎi diǎnr ròu
我去市场买点儿肉。
I will go to the market to buy some meat.

♥ ***n.* municipality:**

běi jīng shì | shàng hǎi shì
北京市 | 上海市
Beijing Municipality | Shanghai Municipality

---

shì
事

♥ ***n.* matter; affair; thing; business:**

hǎo shì | huài shì
好事 | 坏事
good deed | bad deed

nǐ lái de zhèng hǎo wǒ zhǎo nǐ yǒu diǎn shìr
你来得正好，我找你有点事儿。
There you are! I am looking for you.

♥ ***n.* trouble; accident:**

chū shì le
出事了
have an accident

píng ān wú shì
平安无事。
All is well.

---

shì
试
(試)

♥ ***v.* try; test:**

shì yòng
试用
on probation; try out

shì háng
试航
trial voyage; test flight

wǒ shì guo hěn duō fāng fǎ
我试过很多方法。
I had tried many ways.

♥ *n.* **exam; test:**

bǐ shì | kǒu shì
笔试 | 口试、
written examination | oral examination

zhè dào shì tí hěn jiǎn dān
这道试题很简单。
This question is very simple.

shì
视
(視)

♥ *v.* **see; look; watch:**

zhù shì | shì lì
注视 | 视力
watch; stare at | eyesight

shì ér bù jiàn
视而不见
look but not see; turn a blind eye to

♥ *v.* **regard; look upon:**

qīng shì
轻视
despise; look down upon

tā hěn zhòng shì zhè gè wèn tí
他很重视这个问题。
He attached great importance to this matter.

shì
适
(適)

♥ *v.* **fit; suitable; proper:**

shì dàng | shì hé
适当 | 适合
suitable | proper

tā shì yìng le zhè lǐ de shēng huó
他适应了这里的生活。
He has got used to the life here.

♥ *adj.* **just; right:**

shì zhōng
适中
proper; appropriate

♥ ***adj.* just; right:**

zuò cài de shí hou fàng yán yào
做菜的时候，放盐要
shì liàng
适量。
Use salt sparingly when you cook.

shì
是

♥ ***v.* used like "be" before nouns or pronouns to identify, describe or amplify the subject:**

tā shì yī míng liú xué shēng
他是一名留学生。
He is an overseas student.

♥ ***v.* used after a noun to indicate position or existence:**

nà gè lóu jiù shì wǒ men de tú
那个楼就是我们的图
shū guǎn
书馆。
That building is our library.

♥ ***v.* indicate a concession:**

zhè gè yì jiàn hǎo shì hǎo jiù pà
这个意见好是好，就怕
xǔ duō rén bù tóng yì
许多人不同意。
This is a good idea, but I am afraid many people may not accept it.

♥ ***v.* indicate a choice:**

qù zhōng guó nǐ shì zuò fēi jī
去中国，你是坐飞机
hái shì zuò huǒ chē
还是坐火车？
How will you go to China, by plane or by train?

♥ *v.* **used to indicate certainty; usually stressed:**

zhè zhǒng xué xí fāng fǎ shì
这 种 学 习 方 法 是
bù cuò
不 错。
This way of learning is quite good.

♥ *v.* **used to indicate promise:**

shì wǒ mǎ shàng qù bàn
是，我 马 上 去 办！
Yes, I will do it immediately!

♥ *adj.* **correct judgement; truth:**

zì yǐ wéi shì
自 以 为 是
consider oneself always in the right

wǒ jué de tā shuō de shì
我 觉 得 她 说 的 是。
I think what she said is right.

shì
室

♥ *n.* **house; room:**

jiào shì | xiū xi shì
教 室 | 休 息 室
classroom | lounge

shì wài wēn dù zài 20 dù yǐ shàng
室 外 温 度 在 20 度 以 上。
Temperature outside is over twenty degrees.

♥ *n.* **room as an administrative or working unit:**

shōu fā shì
收 发 室
mail office

wǒ de bàn gōng shì zài nà biān
我的办公室在那边。
My office is over there.

shōu
收

♥ ***v.* receive; accept:**

shōu liú
收留
take sb. in; have sb. in one's care

shōu dào péng you jì lái de lǐ wù
收到朋友寄来的礼物
receive presents mailed by friends

♥ ***v.* collect; gather:**

shōu jí
收集
collect

tiān yào xià yǔ le, nǐ bǎ yī fu shōu huí lái
天要下雨了，你把衣服收回来。
It is going to rain. Bring in your clothes.

♥ ***v.* charge; retrieve:**

shōu shuì | shōu diàn fèi
收税｜收电费
levy a tax | charge electricity bills

shōu xué fèi
收学费
charge tuitions

shóu
熟

♥ ***adj.* same as "熟" (shú), often used in spoken Chinese or monosyllabic words.**

See **shú** on p.311

shǒu
手

♥ ***n.* hand:**

shǒu zhǐ　shǒu zhǎng
手指 | 手掌
finger | palm

qǐng bǎ shǒu tái gāo diǎnr
请把手抬高点儿。
Please raise your hand a little higher.

♥ ***adj.* handy; convenient:**

shǒu cè
手册
handbook; manual

tā gāng mǎi le yī gè xīn shǒu jī
他刚买了一个新手机。
He has just bought a new cell phone.

♥ ***n.* expert at some occupation or job:**

gē shǒu　néng shǒu
歌手 | 能手
singer | master-hand; trouble-shooter

tā shì yī gè duō miàn shǒu
他是一个多面手。
He is a person with multiple skills.

♥ ***classifier.* skill or dexterity:**

liàng yī shǒu
亮一手
show off

tā néng shāo yī shǒu hǎo cài
他能烧一手好菜。
He is good at cooking.

shǒu

♥ ***n.* head; leader; chief:**

shǒu nǎo | shǒu zhǎng
首脑 | 首长
head | senior officer

♥ ***num.* first:**

shǒu wèi | shǒu cì
首位 | 首次
first one | first time

♥ ***adv.* first of all:**

shǒu chuàng
首创
originate; initiate; pioneer

shǒu fā
首发
publish for the first time

shòu

受

♥ ***v.* receive:**

jiē shòu | shòu chǒng
接受 | 受宠
receive; accept | enjoy somebody's favour

shòu jiào yù | jiē shòu bāng zhù
受教育 | 接受帮助
reveive an education | receive or accept help

tā shòu dào lǎo shī de biǎo yáng
他受到老师的表扬。
He was praised by the teacher.

♥ ***v.* stand; endure; bear:**

rěn shòu | shòu bù zhù
忍受 | 受不住
withstand; bear | can not stand

tiān tài rè le wǒ yǒu xiē shòu
天太热了，我有些受
bù liǎo
不了。
It is too hot, and I can't bear it any more.

shòu
售

♥ *v.* **sell:**

chū shòu | líng shòu
出售 | 零售
sell; vend | retail

tā shì yī míng shòu piào yuán
他是一名售票员。
He is a bus conductor.

shū
书
(書)

♥ *n.* **book:**

shū běn | shū diàn
书本 | 书店
book | bookstore

yī běn xīn shū
一本新书
a new book

tā mǎi le yī gè xīn shū bāo
他买了一个新书包。
He bought a new schoolbag.

♥ *n.* **letter:**

jiā shū | shū xìn
家书 | 书信
family letter | letter

♥ *n.* **document:**

zhèng shū | shēn qǐng shū
证书 | 申请书
certificate | application

shuō míng shū
说明书
guidebook; instructions

♥ *v.* **write:**

shū xiě
书 写
write

wǒ xǐ huan zhōng guó shū fǎ
我 喜 欢 中 国 书 法。
I love Chinese calligraphy.

shū
舒

♥ ***adj.*** **easy; leisurely; comfortable:**

shū shì | shū fu
舒 适 | 舒 服
comfortable; cosy | comfortable

gēn tā shuō huà ràng rén gǎn jué hěn shū fu
跟 他 说 话 让 人 感 觉 很 舒 服。
Talking to him is really enjoyable.

♥ *v.* **spread; smooth out; stretch:**

shū xīn
舒 心
comfortable; happy; relax

tā cháng shū le yī kǒu qì
他 长 舒 了 一 口 气。
He heaved a sigh of relief.

shū
输 (輸)

♥ *v.* **lose or be beaten:**

fú shū | rèn shū
服 输 | 认 输
admit defeat | throw up one's hands

shū le liǎng gè qiú
输 了 两 个 球
lose two points in a ball game

a shū gěi le b
A 输 给 了 B。
A lost to B.

♥ ***v.*** **transport; convey:**

shū chū shū rù
输出 | 输入
export | import; introduce

huò chē shì yī zhǒng yùn shū gōng jù
货车是一种运输工具。
Lorry is a tool of transportation.

shú 熟

♥ ***adj.*** **ripe:**

chéng shú
成熟
ripe

píng guǒ shú le
苹果熟了。
The apple is ripe.

♥ ***adj.*** **cooked; done:**

shú de màn
熟得慢
cook slowly

shú shí
熟食
cooked food

fàn zuò shú le
饭做熟了。
The rice is done.

♥ ***adj.*** **familiar; well acquainted:**

shú rén
熟人
acquaintance

wǒ gēn tā hěn shú
我跟他很熟。
I am familiar with him.

♥ ***adj.* skilled; experienced:**

shú liàn
熟 练
skilled; experienced

shú néng shēng qiǎo
熟 能 生 巧。
Practice makes perfect.

♥ ***adj.* deep; thorough:**

shú shuì
熟 睡
sleep soundly; a sound sleep

bié jiào tā tā shuì de hěn shú
别 叫 她，她 睡 得 很 熟。
Don't wake her up. She is sleeping soundly.

See **shóu** on p.306

shǔ
数 (數)

♥ ***v.* count:**

shǔ shù
数 数
count

nǐ shǔ yī shǔ yǐ jing dào le duō shǎo rén
你 数 一 数 已 经 到 了 多 少 人。
Please count how many people have already arrived.

♥ ***v.* be reckoned as exceptionally:**

shǔ yī shǔ èr
数 一 数 二
be reckoned as one of the best

wǒ men bān jiù shǔ tā hàn yǔ hǎo
我们 班就数他汉语好。
He is the best in our class in terms of Chinese.

See shù on p.314

shù
术
(術)

♥ ***n.* skill; art:**

jì shù | yì shù
技术 | 艺术
skill | art

wǒ xǐ huan měi shù
我喜欢 美术。
I like fine arts.

shù
树
(樹)

♥ ***n.* tree:**

píng guǒ shù | shù mù
苹果树 | 树木
apple tree | tree

shù lín
树林
forest

shù
树
tree

♥ ***v.* set up; establish:**

jiàn shù
建树
contribution; accomplishment

wǒ men yǒu yuǎn dà lǐ xiǎng
我们 有 远 大理想。
We have long-term aspirations.

shù

数

(數)

♥ ***n.* number; figure:**

rén shù　suì shu
人 数 | 岁 数
the number of people | age

♥ ***num.* several; a few:**

shù cì
数 次
several times; multiple

shù nián
数 年
several years

tā shù shí nián lái yī zhí zài xué xí hàn yǔ
他 数 十 年 来 一 直 在 学 习 汉 语。
He has been learning Chinese for several decades.

♥ ***n.* number, a bacic concept in maths:**

fēn shù　zhěng shù
分 数 | 整 数
fraction | whole number

zì rán shù
自 然 数
natural number

See shǔ on p.312

shuāng

双

(雙)

♥ ***num.* two; both; dual:**

shuāng shǒu　shuāng fāng
双 手 | 双 方
both hands | both sides

shuāng biān　shuāng qīn
双 边 | 双 亲
bilateral | parents

♥ ***classifier.* pair:**

yī shuāng xié
一 双 鞋
a pair of shoes

liǎng shuāng kuài zi
两 双 筷子
two pairs of chopsticks

♥ ***adj.* even:**

shuāng hào | shuāng zhōu
双 号 | 双 周
even numbers | even weeks

tā shuāng rì xiū xi dān rì shàng bān
他 双 日休息，单 日 上 班。
He rests on even-numbered days and works on odd-numbered days.

shuí 谁 (誰)

♥ ***pron.* same as "谁" (shéi), often uesd in spoken Chinese.**

See **shéi** on p.288

shuǐ 水

♥ ***n.* water:**

yī bēi shuǐ
一杯 水
a cup of water

wǒ zhǐ hē shuǐ
我 只 喝 水
Water is the only drink for me.

♥ ***n.* liquid:**

xiāng shuǐ　yào shuǐ
香水｜药水
perfume | liquid medicine

---

shuì
睡

♥ ***v.* sleep:**

shuì jiào　shuì mián
睡觉｜睡眠
sleep; sleeping | dormancy; sleep

zǎo shuì zǎo qǐ
早睡早起
go to bed early and get up early

tā yǐ jing shuì zháo le
他已经睡着了。
He has fallen asleep.

shuì
睡
sleep

---

shuō
说
(説)

♥ ***v.* speak; say; express oneself by words:**

shuō huà　shuō hàn yǔ
说话｜说汉语
speak; talk | speak Chinese

tán tiān shuō dì
谈天说地
chat idly

shuō shí huà
说实话
tell the truth; speak truthfully

wǒ bù zhī dào gāi zěn me shuō
我不知道该怎么说。
I don't know how to put it.

♥ ***n.* theory; doctrine:**

xué shuō
学说
doctrine; theory

zì yuán qí shuō
自圆其说
make one's statement valid; justify oneself

zhè gè shuō fǎ hěn kě xìn
这个说法很可信。
This statement is credible.

---

sī
思

♥ ***v.* think; consider; deliberate:**

sī kǎo | shēn sī
思考 | 深思
think; consider | think deeply

qián sī hòu xiǎng
前思后想
ponder over; think over and over again

♥ ***v.* miss; long for:**

sī niàn | sī xiāng | xiāng sī
思念 | 思乡 | 相思
miss | homesick | lovesickness

---

sǐ
死

♥ ***v.* die; be dead:**

sǐ rén
死人
the deceased; the dead

zhè kē shù sǐ le
这棵树死了。
The tree is dead.

rén sǐ bù néng fù shēng
人死不能复生。
A dead person can not come back to life agian.

♥ *adj.* **inflexible; fixed; rigid:**

sǐ bǎn
死板
inflexible; rigid

sǐ nǎo zi
死脑子
one-track mind

sǐ xīn yǎn
死心眼
as obstinate as a mule; person with a one-track mind

♥ *adj.* **extreme:**

tīng dào zhè gè hǎo xiāo xi tā
听到这个好消息，他
dōu kuài gāo xìng sǐ le
都快高兴死了。
He was overjoyed to hear the good news.

♥ *adj.* **inaccessible:**

sǐ hú tong
死胡同
blind alley; dead end

sǐ lù yī tiáo
死路一条
a road to ruin

sì
四

♥ *num.* **four:**

sì zhāng zhǐ
四张纸
four pieces of paper

èr jiā èr děng yú sì
二加二等于四。
Two plus two equals four.

sì

寺

♥ ***n.* temple:**

sì miào
寺庙
temple; monastery

shào lín sì | qīng zhēn sì
少林寺 | 清真寺
Shaolin Temple | mosque

sòng

送

♥ ***v.* deliver; carry:**

sòng huò | sòng fàn
送货 | 送饭
deliver goods | deliver meals

nǐ bǎ zhè fēng xìn gěi tā sòng qù
你把这封信给她送去。
Please take this letter to her.

♥ ***v.* see somebody off or out:**

huān sòng | sòng bié
欢送 | 送别
bid farewell | see sb. off

wǒ bǎ tā sòng dào chē zhàn jiù huí lái
我把他送到车站就回来。
I will be back after seeing him off at the station.

♥ ***v.* give as a present; give:**

lǎo shī sòng wǒ liǎng běn hàn yǔ shū
老师送我两本汉语书。
My teacher gave me two Chinese books.

sù 诉 (訴)

♥ ***v.* tell; relate; inform:**

sù qiú
诉 求
recount and request

sù shuō
诉 说
relate; recount; pour out

gào su nǐ yī gè hǎo xiāo xi
告 诉 你 一个 好 消 息。
Tell you a piece of good news.

sù 宿

♥ ***v.* lodge for the night; stay overnight:**

zhù sù
住 宿
put up; get accommodation

jiè sù yī wǎn
借 宿 一 晚
ask for a night's lodging

zhè lǐ jiù shì wǒ men de sù shè
这 里 就 是 我 们 的 宿 舍。
Here is our dormitory.

suān 酸

♥ ***adj.* acid; sour:**

suān cài yú
酸 菜 鱼
fish cooked with pickles

zhè gè píng guǒ yǒu diǎnr suān
这 个 苹 果 有 点儿 酸。
This apple tastes a bit sour.

♥ ***adj.* tingle; ache:**

tā jué de tuǐ yǒu diǎnr suān
他 觉 得 腿 有 点儿 酸。
His legs are a little sour.

suàn
算

♥ ***v.* caculate; reckon; compute; figure:**

suàn zhàng | jì suàn
算账 | 计算
keep or work out accounts | count; caculate

♥ ***v.* plan; intend:**

pán suan
盘算
figure out

dǎ suan
打算
plan; considerations

tā dǎ suan qù guó wài dú shū
他打算去国外读书。
He intended to study abroad.

♥ ***v.* count; carry weight:**

suàn shù
算数
keep one's word

nǐ shuō de bù suàn hái děi tā dā yìng cái xíng
你说的不算，还得他答应才行。
You don't have the final say. What he says counts.

♥ ***v.* let it be; let it pass:**

suàn le suàn le zhè shì yǐ hòu jiù bié tí le
算了，算了，这事以后就别提了。
Forget it! Never mention it again.

suí

(隨)

♥ *v.* **follow; accompany:**

suí cóng　suí hòu
随从 | 随后
accompany; attend; retinue | soon afterwards

wǒ suí tā yī dào qù shàng hǎi
我随他一道去上海。
I went to Shanghai with him.

♥ *v.* **let somebody do as he likes:**

suí yì　suí xīn
随意 | 随心
at will | to one's liking

tīng bù tīng suí nǐ
听不听随你。
Believe it or not.

♥ *v.* **no matter:**

suí dì　suí chù
随地 | 随处
anywhere; everywhere | anywhere; everywhere

nǐ suí shí lái dōu kě yǐ
你随时来都可以。
You are welcome any time.

suì

岁

♥ *n.* **year:**

suì yuè　suì mò
岁月 | 岁末
years | the end of a year

wǒ hé xiǎo wáng tóng suì
我和小王同岁。
Xiao Wang and I have the same age.

suǒ

所

♥ ***n.* place; location:**

chù suǒ　chǎng suǒ
处所 | 场所
place; location | place

cè suǒ
厕所
toilet; lavatory; restroom

♥ **used together with "被" (bèi) or "为" (wéi) in the passive voice:**

wéi rén suǒ xiào
为人所笑
be laughed by others; laughable

bèi shì shí suǒ zhèng míng
被事实所证明
have been proven by facts

T

tā
他

♥ *pron.* **he; him：**

tā shì wǒ de hǎo péng you
他是我的好朋友。
He is my good friend.

wǒ hé tā shì tóng xué
我和他是同学。
He and I are classmates.

♥ *pron.* **another; other：**

qí tā
其他
else; other

tā rén
他人
other people

tā xiāng
他乡
place away from hometown

méi yǒu qí tā bàn fǎ
没有其他办法。
There are no alternatives.

tā
它

♥ *pron.* **it：**

kàn nà zhī gǒu tā hǎo kě ài a
看那只狗，它好可爱啊！
Look at that dog. How cute it is!

tā
她

♥ *pron.* **she; her：**

tā shì wǒ men de tīng lì lǎo shī
她是我们的听力老师。
She teaches us aural comprehension.

tái

台

(臺)

(檯)

♥ ***n.* deck; terrace:**

chuāng tái jiǎng tái
窗 台 | 讲 台
windowsill; window-ledge | platform; rostrum

zhàn tái
站 台
platform

♥ ***n.* broadcasting station:**

diàn shì tái
电 视 台
TV station

yǒu xiàn diàn tái
有 线 电 台
cable TV station

tài

太

♥ ***adv.* too; over; excessively:**

tài hǎo le
太 好 了!
Wonderful!

zhè lǐ de rén tài duō le
这里的人太多了。
There are too many people here.

♥ ***adv.* very (in the negative):**

bù tài hǎo
不 太 好
not very good

tā kàn shàng qù hǎo xiàng bù tài gāo xìng
他看上去好像不太高兴。
He looked not very happy.

tán 谈 (談)	♥ *v.* **talk; discuss:** tán pàn 谈判 negotiate | tán lùn 谈论 talk about tā men liǎ hěn tán de lái 他们俩很谈得来。 They two get along well with each other.
tāng 汤 (湯)	♥ *n.* **soup; broth:** mǐ tāng 米汤 rice soup | miàn tāng 面汤 noodle soup jī tāng de wèi dào hěn xīn xiān 鸡汤的味道很新鲜。 Chicken soup tastes fresh.
táng 堂	♥ *n.* **building for a special purpose:** kè táng 课堂 classroom | lǐ táng 礼堂 auditorium tā zài shí táng chī fàn 他在食堂吃饭。 He is eating in the canteen.
táng 糖	♥ *n.* **general term for sugar:** hóng táng 红糖 brown sugar | bái táng 白糖 white sugar tā bù xǐ huan chī táng 他不喜欢吃糖。 He does not like sweets.

♥ *n.* **confection**:

nǎi táng | shuǐ guǒ táng
奶糖 | 水果糖
toffee | fruit drop

xǐ táng
喜糖
wedding sweets

zhè táng guǒ tài tián le
这糖果太甜了。
This candy tastes too sweet.

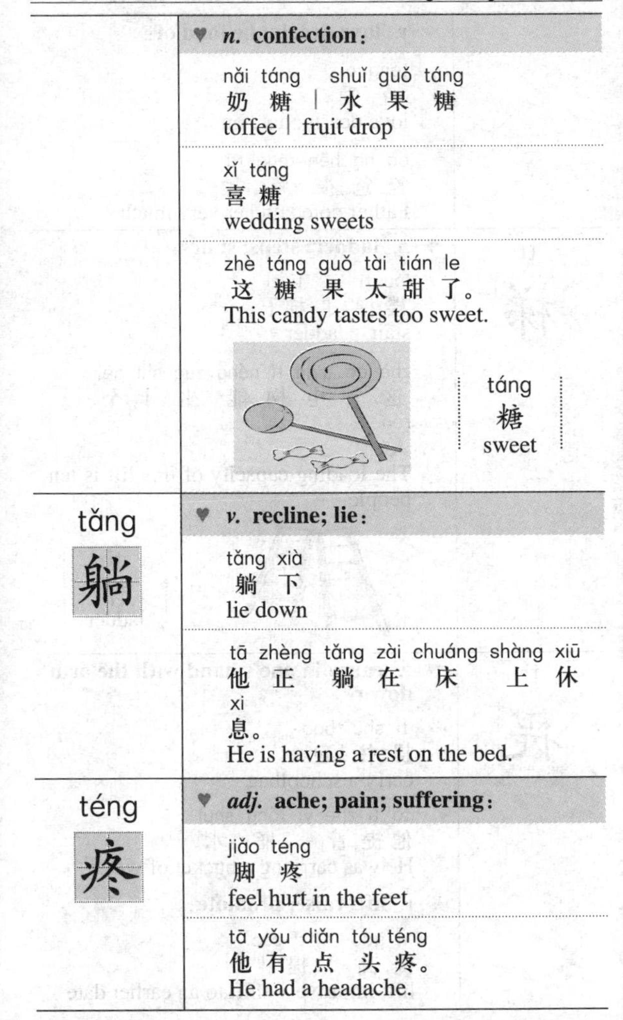

táng
糖
sweet

tǎng 躺

♥ *v.* **recline; lie**:

tǎng xià
躺下
lie down

tā zhèng tǎng zài chuáng shàng xiū xi
他正躺在床上休息。
He is having a rest on the bed.

téng 疼

♥ *adj.* **ache; pain; suffering**:

jiǎo téng
脚疼
feel hurt in the feet

tā yǒu diǎn tóu téng
他有点头疼。
He had a headache.

♥ ***v.* love dearly; be fond of：**

téng ài
疼 爱
love dearly; dote on

bà ba hěn téng tā
爸 爸 很 疼 她。
Father doted on her very much.

tī
梯

♥ ***n.* ladder; steps; stairs：**

lóu tī | tī zi
楼 梯 | 梯子
stair | ladder

zhè gè diàn tī néng zuò shí gè rén
这 个 电 梯 能 坐 十 个 人。
The loading capacity of this lift is ten people.

tī
梯
ladder

tí
提

♥ ***v.* carry in one's hand with the arm down：**

tí shū bāo
提 书 包
carry a schoolbag

tā tí zhe yī tǒng shuǐ
他 提 着 一 桶 水。
He was carrying a bucket of water.

♥ ***v.* lift; raise; promote：**

tí gāo | tí zǎo
提 高 | 提 早
lift; improve | shift to an earlier date

tā tí qián wán chéng le xué yè
他提前完成了学业。
He fulfilled the schooling ahead of schedule.

♥ *v.* **mention; refer to; bring up**:

bié tí le
别提了。
Don't mention it.

zhè shì yǐ hòu bù zhǔn zài tí
这事以后不准再提。
Don't mention this again.

♥ *v.* **put forward; raise; bring up**:

tí míng | tí wèn tí
提名 | 提问题
nominate | raise a question

qǐng duō tí bǎo guì yì jiàn
请多提宝贵意见。
Please offer your precious comments.

tí
题
(題)

♥ *n.* **topic; subject; title**:

tí mù | mìng tí
题目 | 命题
title | give a topic; assign a topic

wén bù duì tí
文不对题
not to the point; irrelevant to the topic

♥ *n.* **problem; question**:

xí tí | kǎo tí
习题 | 考题
exerecise | examination questions; test topics

♥ ***v.* inscribe; write：**

tí míng
题 名
give a name; autograph

tí cí
题词
write a few words of encouragement, etc.

qǐng rén tí zì
请 人 题字
ask somebody to write a few words for a special occasion

tǐ
体
(體)

♥ ***n.* body or part of a body：**

tǐ zhòng tǐ xíng
体 重 | 体 形
weight | body shape; figure

shǒu hé jiǎo dōu shì rén tǐ de yī bù fen
手 和 脚 都 是 人 体 的 一 部 分。
Hands and feet are parts of the human body.

♥ ***n.* figure; shape:**

gù tǐ qì tǐ
固体 | 气体
solid | gas

zhèng fāng tǐ
正 方 体
cube

♥ ***n.* body; mass (considered as a totality):**

zhěng tǐ jí tǐ
整 体 | 集体
the whole; totality | collective

quán tǐ qǐ lì
全体起立！
Stand up!

tiān

天

♥ *n.* **day**:

jīn tiān　míng tiān
今天 | 明天
today | tomorrow

zuó tiān　qián tiān
昨天 | 前天
yesterday | the day before yesterday

hòu tiān wǒ jiù huí guó le
后天我就回国了。
I will go back to my country the day after tomorrow.

♥ *n.* **sky; heavens**:

tiān kōng　tiān shàng
天空 | 天上
sky | high in the air; heavenly

tiān tǐ
天体
celestial body

tiān hēi le
天黑了。
Night falls.

♥ *n.* **weather**:

tiān qì　yǔ tiān
天气 | 雨天
weather | rainy day

tiān liáng qǐ lái le
天凉起来了。
It is getting cool.

♥ *n.* **season**:

chūn tiān xià tiān qiū tiān
春天 | 夏天 | 秋天
spring | summer | autumn

zhè lǐ dōng tiān bù tài lěng
这里冬天不太冷。
It's not too cold here in winter.

tián 甜

♥ *adj.* **sweet; honeyed**:

tián shí tián cài
甜食 | 甜菜
sweet food; dessert | sugar beet

zhè táng zhēn tián
这糖真甜。
This candy is so sweet.

♥ *adj.* **comfortable; pleasant**:

shuì de zhēn tián
睡得真甜
have a sound sleep; sleep soundly

gū niang xiào de zhēn tián
姑娘笑得真甜。
The girl has such a sweet smile.

tián 填

♥ *v.* **fill; stuff**:

bǎ gōu tián píng
把沟填平。
Fill up the ditch.

♥ *v.* **write; fill in**:

tián kòng tián biǎo
填空 | 填表
fill in a blank | fill in a form

qǐng tián shàng nín de xìng míng
请填上您的姓名。
Please fill in your name.

tiáo
条
(條)

♥ ***n.* long narrow piece; strip; slip:**

jīn tiáo　miàn tiáo　zhǐ tiáo
金 条 | 面 条 | 纸 条
gold bar | noodles | a strip of paper

♥ ***classifier.* used for long and thin things or itemized nouns:**

yī tiáo jiē　yī tiáo hé
一 条 街 | 一 条 河
a street | a river

liǎng tiáo xīn wén
两 条 新 闻
two pieces of news

sān tiáo jiàn yì
三 条 建 议
three suggestions

tiáo
调
(調)

♥ ***v.* mix; blend; adjust:**

tiáo wèi pǐn　tiáo sè
调 味 品 | 调 色
flavours | mix colours

tiáo zhěng
调 整
adjust; regulate; revise

See diào on p.61

tiào
跳

♥ ***v.* jump; leap; bounce:**

tiào gāo　tiào yuǎn
跳 高 | 跳 远
high jump | long jump

tā gāo xìng de zhí tiào
他 高 兴 得 直 跳。
He jumped up with joy.

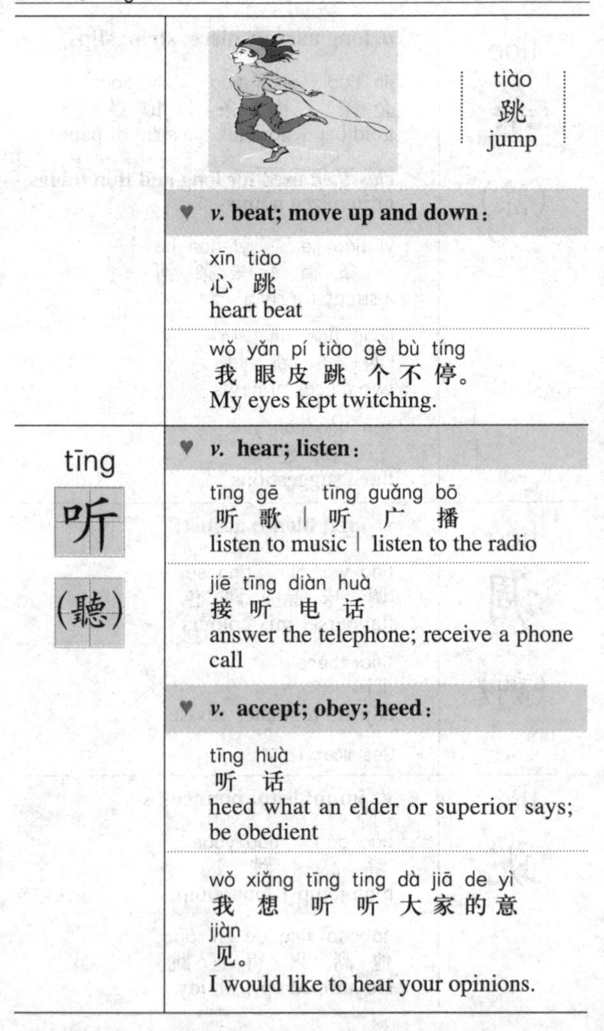

tiào
跳
jump

♥ *v.* **beat; move up and down:**

xīn tiào
心 跳
heart beat

wǒ yǎn pí tiào gè bù tíng
我 眼 皮 跳 个 不 停。
My eyes kept twitching.

tīng
听
(聽)

♥ *v.* **hear; listen:**

tīng gē | tīng guǎng bō
听 歌 | 听 广 播
listen to music | listen to the radio

jiē tīng diàn huà
接 听 电 话
answer the telephone; receive a phone call

♥ *v.* **accept; obey; heed:**

tīng huà
听 话
heed what an elder or superior says; be obedient

wǒ xiǎng tīng ting dà jiā de yì jiàn
我 想 听 听 大 家 的 意 见。
I would like to hear your opinions.

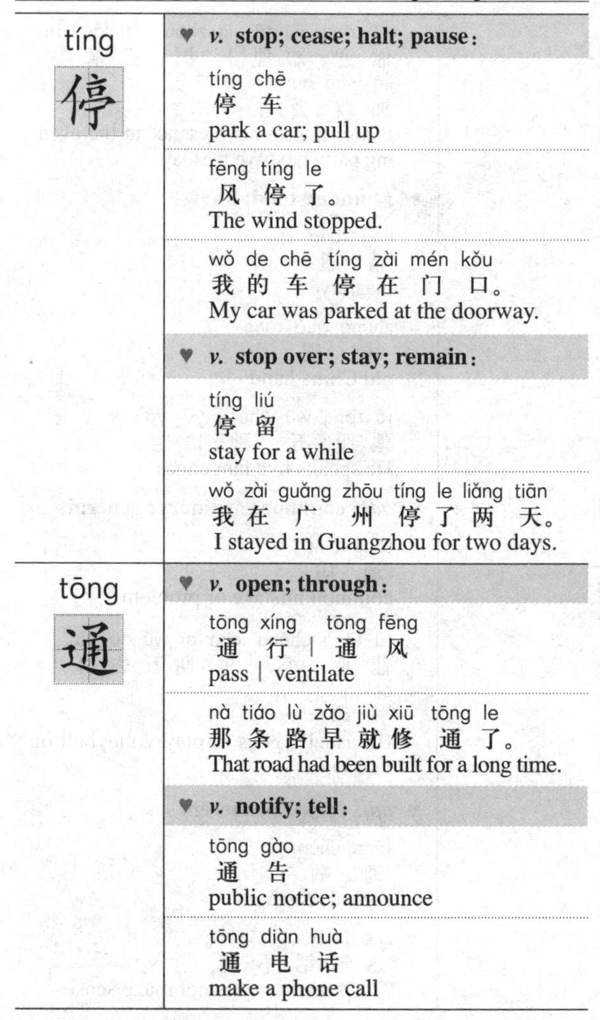

tíng
停

♥ *v.* **stop; cease; halt; pause:**

tíng chē
停车
park a car; pull up

fēng tíng le
风停了。
The wind stopped.

wǒ de chē tíng zài mén kǒu
我的车停在门口。
My car was parked at the doorway.

♥ *v.* **stop over; stay; remain:**

tíng liú
停留
stay for a while

wǒ zài guǎng zhōu tíng le liǎng tiān
我在广州停了两天。
I stayed in Guangzhou for two days.

tōng
通

♥ *v.* **open; through:**

tōng xíng | tōng fēng
通行 | 通风
pass | ventilate

nà tiáo lù zǎo jiù xiū tōng le
那条路早就修通了。
That road had been built for a long time.

♥ *v.* **notify; tell:**

tōng gào
通告
public notice; announce

tōng diàn huà
通电话
make a phone call

nǐ tōng zhī tā xià zhōu sān lái cān
你 通 知 他 下 周 三 来 参
jiā wǎn huì
加 晚 会。
Please inform his presence at the evening party next Wednesday.

♥ *v.* **understand; know**:

jīng tōng
精 通
mastery

zhōng guó tōng
中 国 通
old China hand

tā tōng wǔ zhǒng yǔ yán
他 通 五 种 语 言。
He speaks five languages.

♥ *adj.* **common; ordinary; general**:

tōng bìng
通 病
common mistake or problem

tā tōng cháng xīng qī wǔ qù dǎ
他 通 常 星 期 五 去 打
pái qiú
排 球。
He usually goes to play volleyball on Friday.

♥ *adj.* **logical; coherent**:

tōng shùn
通 顺
logical; coherent

zhè jù huà bù tōng
这 句 话 不 通。
This sentence does not make sense.

tóng 同

♥ ***adj.*** **same; alike; similar：**

tóng shí　xiāng tóng
同时 | 相同
at the same time | same

wǒ hé tā tóng suì
我和他同岁。
He and I are of the same age.

♥ ***adv.*** **together; in common：**

tóng shì
同事
colleague; fellow

wǒ men shì tóng bān tóng xué
我们是同班同学。
We are classmates.

♥ ***prep.*** **as…as; with：**

wǒ tóng tā yī yàng gāo
我同他一样高。
I am as tall as he.

♥ ***conj.*** **together with：**

wǒ tóng tā yī qǐ qù
我同他一起去。
I will go with him.

tǒng 统

♥ ***n.*** **interconnected system:**

chuán tǒng
传统
tradition; traditional

xuè tǒng
血统
bloodline; genealogy

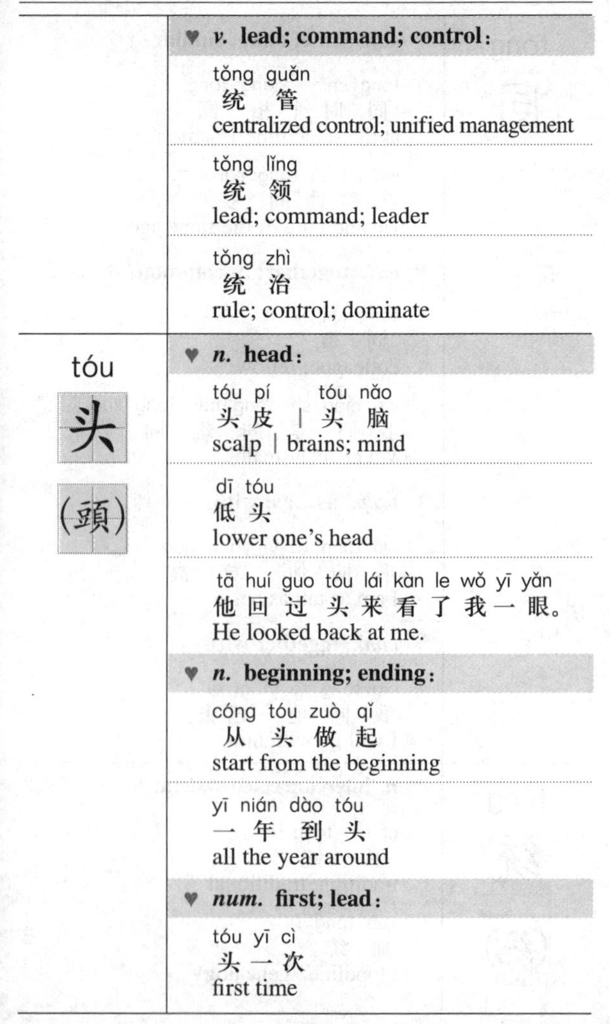

♥ ***v.* lead; command; control:**

tǒng guǎn
统 管
centralized control; unified management

tǒng lǐng
统 领
lead; command; leader

tǒng zhì
统 治
rule; control; dominate

tóu
头
(頭)

♥ ***n.* head:**

tóu pí | tóu nǎo
头 皮 | 头 脑
scalp | brains; mind

dī tóu
低 头
lower one's head

tā huí guo tóu lái kàn le wǒ yī yǎn
他 回 过 头 来 看 了 我 一 眼。
He looked back at me.

♥ ***n.* beginning; ending:**

cóng tóu zuò qǐ
从 头 做 起
start from the beginning

yī nián dào tóu
一 年 到 头
all the year around

♥ ***num.* first; lead:**

tóu yī cì
头 一 次
first time

tā měi tiān dōu zuò tóu bān chē
他每天都坐头班车
shàng bān
上班。
He goes to work by the earliest bus every day.

tú
图
(圖)

♥ ***n.* picture; drawing; chart; map; diagram:**

tú huà | dì tú
图画 | 地图
drawing; picture | map

qǐng gěi wǒ huà yī zhāng xiàn lù tú ba
请给我画一张线路图吧。
Please draw me a road map.

tǔ
土

♥ ***n.* earth; soil:**

huáng tǔ | shā tǔ
黄土 | 沙土
loess; soil | sandy soil

tǔ dì
土地
land; ground

♥ ***adj.* local; native:**

tǔ huà | tǔ chǎn
土话 | 土产
local dialect; slang | local or native product

tā cóng xiǎo jiù bù shuō jiā xiāng de tǔ huà
他从小就不说家乡的土话。
He didn't speak his home dialect from childhood.

tuán

团

(團)

♥ *v.* **unite; rally; assemble**:

tuán yuán tuán jié
团圆 | 团结
reunion | unite; rally

tuán jié jiù shì lì liàng
团结就是力量。
Unity is strength.

♥ *n.* **group; society; circle; organization**:

dài biǎo tuán
代表团
delegation; mission

shè tuán
社团
league; association

mǎi tuán tǐ piào yào pián yi yī xiē
买团体票要便宜一些。
It will be cheaper to buy group tickets.

tuī

推

♥ *v.* **push; shove; thrust**:

tuī chē
推车
push a car

tuī mén
推门
push the door

wǒ tuī le tā yī xiàr
我推了他一下儿。
I gave him a push.

♥ *v.* **push forward; promote; advance; extend**:

tuī dòng tuī xíng
推动 | 推行
promote; motivate | pursue; carry out

yǔ yán tuī guǎng shì yī zhǒng wén
语 言 推 广 是 一 种 文
huà jiāo liú
化 交 流。
Promoting a language is a kind of culture exchange.

♥ *v.* **delay; postpone; put off:**

tuī hòu | tuī chí
推后 | 推迟
put off; delay | postpone; delay; put off

huì yì yǐ tuī dào míng nián le
会议已推到明年了。
The meeting had been postponed until next year.

♥ *v.* **elect; recommand; choose:**

tuī xuǎn
推选
elect; choose

dà jiā tuī jǔ tā dāng bān zhǎng
大家推举他当班长。
They chose him as their monitor.

tuǐ
腿

♥ *n.* **leg:**

dà tuǐ | xiǎo tuǐ
大腿 | 小腿
thigh | calf; crus

zhàn de shí jiān cháng le tuǐ dōu
站得时间长了，腿都
yǒu diǎnr má
有点儿麻。
My legs felt a little numb due to long standing.

tuǐ
腿
leg

♥ *n.* **leg-like support:**

zhuō zi tuǐr
桌 子 腿儿
table legs

yī gè yǐ zi sì tiáo tuǐr
一 个 椅子四 条 腿儿。
A chair has four legs.

tuì
退

♥ *v.* **retreat; move backwards; draw back:**

hòu tuì
后 退
retreat; draw back; fall back

hóng shuǐ tuì xià qù le
洪 水 退 下 去 了。
The flood receded.

♥ *v.* **quit; withdraw from:**

tuì wǔ
退 伍
be discharged from active military service

tuì chū
退 出
withdraw from; secede; quit

tā qù nián jiù tuì xiū le
他去 年 就 退 休 了。
He retired last year.

♥ ***v.* return; give back:**

tuì qián　tuì huò
退钱 | 退货
refund | return products or goods

wǒ děi qù huǒ chē zhàn tuì piào
我得去火车站退票。
I have to get my ticket refunded at the railway station.

tuō
脱

♥ ***v.* take off; cast off:**

tuō xié
脱鞋
take off one's shoes

tuō yī fu
脱衣服
take off one's clothes

tiān rè　nǐ bǎ shàng yī tuō le ba
天热，你把上衣脱了吧。
It is too hot. Take off your jacket, please.

W

wà

袜

(襪)

♥ ***n.* socks; stockings; hose:**

wà zi | cháng wà
袜子 | 长袜
socks | stockings

tā chuān zhe yī shuāng duǎn wà
他穿着一双短袜。
He wears a pair of socks.

wài

外

♥ ***n.* out; outside:**

chuāng wài | mén wài
窗外 | 门外
outside the window | outdoors

wài biān tiān qì hěn lěng
外边天气很冷。
It is very cold outside.

♥ ***adj.* other country; foreign:**

wài guó | wài wén
外国 | 外文
foreign country | foreign language

tā néng shuō wǔ mén wài yǔ
她能说五门外语。
She can speak five foreign languages.

wán

完

♥ ***adj.* intact; whole:**

wán měi | wán hǎo
完美 | 完好
perfect | in perfect condition; intact

tā hái wán quán bù zhī dào zhè jiàn shì
他还完全不知道这件事。
He still does not know this at all.

♥ ***v.* fulfill; complete:**

wán gōng
完工
complete a project

wán shì
完事
be settled; finish doing something

tā hěn hǎo de wán chéng le zhè xiàng rèn wù
他很好地完成了这项任务。
He has completed the task very well.

♥ ***v.* use up; run out:**

shuǐ hē wán le
水喝完了。
I have drunk up the water.

xìn zhǐ yòng wán le
信纸用完了。
Letter paper has been used up.

wán
玩

♥ ***v.* play; frolic; gambol:**

wán zú qiú
玩足球
play football

wǒ men zhǔn bèi qù wǎi dì wán jǐ tiān
我们准备去外地玩几天。
We are preparing to go sightseeing for a few days.

wǎn
晚

♥ ***n.* evening; night:**

wǎn shang | wǎn ān
晚上 | 晚安
evening | good night

tā yī tiān dào wǎn dōu hěn máng
他一天到晚都很忙。
He is very busy from morning till night.

♥ ***adj.* late; later:**

wǎn diǎn
晚点
late; behind schedule; delayed

tiān yǐ jing hěn wǎn le
天已经很晚了。
It is very late now.

wǎn
碗

♥ ***n.* bowl:**

fàn wǎn | chá wǎn
饭碗 | 茶碗
rice bowl | tea bowl

wǎn lǐ yǒu mǐ
碗里有米。
There is rice in the bowl.

wǎn
碗
bowl

wàn
万
(萬)

♥ ***num.* ten thousand:**

yī wàn | shí wàn
一万 | 十万
ten thousand | a hundred thousand

dà xué yǒu liǎng wàn duō míng xué sheng
大学有两万多名学生。
There are over twenty thousand students in this university.

♥ ***adj.* many; large number:**

wàn dài
万代
all ages; generation after generation

wàn gǔ cháng qīng
万古长青
remain forever as fresh as the trees of spring; be everlasting

wàn shì wàn wù dōu yǒu zì jǐ de shēng zhǎng guī lǜ
万事万物都有自己的生长规律。
Everything has its own growth laws.

♥ ***adv.* absolute; under all circumstances:**

wàn bù dé yǐ
万不得已
last resort

wàn wàn méi xiǎng dào tā yě lái le
万万没想到他也来了。
I had never imagined of his coming.

wáng 王

♥ ***n.* king; monarch:**

guó wáng | nǚ wáng
国王 | 女王
king | queen

wáng ye
王爷
your highness

♥ ***n.* the best or strongest of a kind:**

huā wáng
花王
queen of flowers

tā shì yī wèi zhòng cài dà wáng
他是一位种菜大王。
He is the largest vegetable growers.

wǎng 网 (網)

♥ ***n.* net:**

yú wǎng | sā wǎng
鱼网 | 撒网
fishing net | cast a net

♥ ***n.* network; netlike system or organization:**

wǎng zhàn
网站
website

guān xi wǎng
关系网
network of relationships

tā xǐ huan shàng wǎng kàn xīn wén
他喜欢上网看新闻。
He likes surfing the internet for news.

wǎng
网
net

wǎng 往

♥ ***v.* go:**

wǎng lái
往来
come and go

rén lái rén wǎng
人来人往。
People are hurrying to and fro.

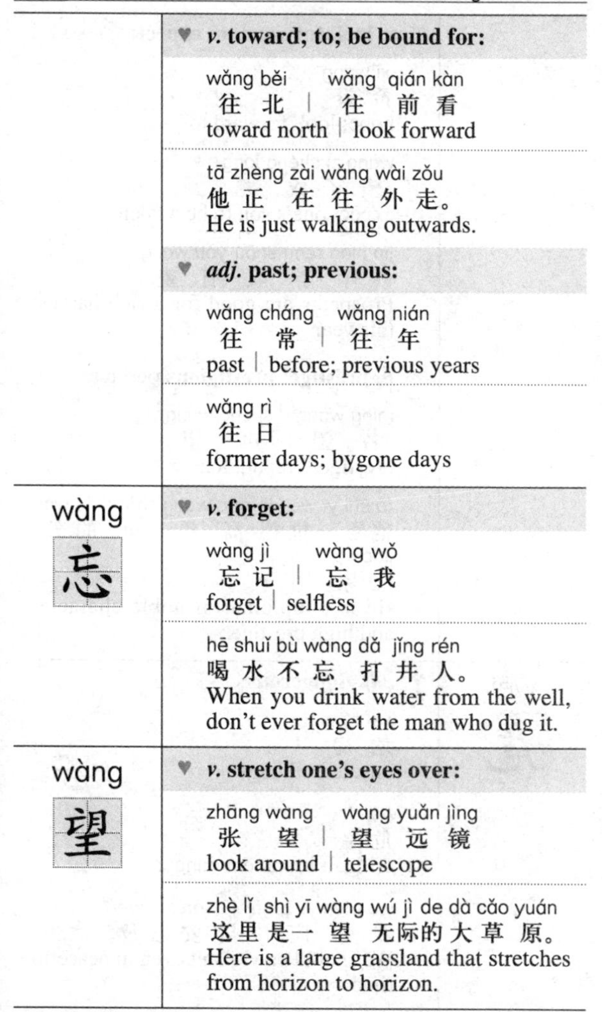

♥ ***v.* toward; to; be bound for:**

wǎng běi | wǎng qián kàn
往北 | 往前看
toward north | look forward

tā zhèng zài wǎng wài zǒu
他正在往外走。
He is just walking outwards.

♥ ***adj.* past; previous:**

wǎng cháng | wǎng nián
往常 | 往年
past | before; previous years

wǎng rì
往日
former days; bygone days

wàng
忘

♥ ***v.* forget:**

wàng jì | wàng wǒ
忘记 | 忘我
forget | selfless

hē shuǐ bù wàng dǎ jǐng rén
喝水不忘打井人。
When you drink water from the well, don't ever forget the man who dug it.

wàng
望

♥ ***v.* stretch one's eyes over:**

zhāng wàng | wàng yuǎn jìng
张望 | 望远镜
look around | telescope

zhè lǐ shì yī wàng wú jì de dà cǎo yuán
这里是一望无际的大草原。
Here is a large grassland that stretches from horizon to horizon.

♥ ***v.* look forward to; expect:**

xī wàng
希望
hope; look forward to

wàng zǐ chéng lóng
望子成龙
expect one's son to be a talent

jīn nián fēng shōu yǒu wàng
今年丰收有望。
Prospects are good for a rich harvest this year.

♥ ***n.* prestige; prestigious person:**

míng wàng　shēng wàng
名望 | 声望
prestige | reputation

tā shì yī wèi dé gāo wàng zhòng de wài jiāo jiā
他是一位德高望重的外交家。
He is a diplomat of noble character and high prestige.

wēi
危

♥ ***adj.* dangerous:**

wēi fáng
危房
unsafe buildings

wēi jí
危急
critical; imminent danger

wǒ men yīng gāi jū ān sī wēi
我们应该居安思危。
We should be vigilant even in peaceful time.

♥ ***v.* endanger; imperil:**

wēi hài
危 害
harm

bù néng wēi jí rén shēn ān quán
不 能 危及人 身 安 全。
Don't put your personal safety at peril.

wéi

为

(爲)

♥ ***v.* do; act:**

dà yǒu kě wéi
大 有 可 为
have bright prospects

jìn lì ér wéi
尽 力 而 为
do all one can do; do one's best

tā shì gè gǎn zuò gǎn wéi de rén
他 是 个 敢 作 敢 为 的 人。
He is bold and decisive in his actions.

♥ ***v.* act as; serve as:**

wéi shǒu
为 首
act as the leader

sì hǎi wéi jiā
四 海 为 家
make one's home wherever one goes; lead a wandering life

wǒ men bài tā wéi shī
我 们 拜 他 为 师。
We take him as our teacher.

♥ ***v.* turn; become:**

yī fēn wéi èr
一分 为 二。
Every coin has two sides.

fǎn bài wéi shèng
反 败 为 胜
turn failure into victory

zhuǎn wēi wéi ān
转 危 为 安
turn danger into safety

See wèi on p.353

wèi

卫

(衛)

♥ ***v.* defend; guard; protect:**

zì wèi
自 卫
self-defense; self-protection

bǎo jiā wèi guó
保 家 卫 国
protect one's home and defend one's country

zhè shì zhèng dàng fáng wèi
这 是 正 当 防 卫。
This is righteous self-defense.

♥ ***n.* guard:**

jǐng wèi
警 卫
guard; safekeeping

mén wèi
门 卫
entrance guard; janitor

tā rèn hòu wèi
他 任 后 卫。
He is a fullback.

wèi

为

(爲)

♥ *prep.* **for; in the interest of:**

wèi nǐ gāo xìng
为你高兴!
Congratulations to you!

♥ *prep.* **for the sake of; for the purpose of:**

yīn wèi
因为
because; for the sake of

nǐ zhè shì wèi shén me
你这是为什么?
Why are you doing this?

See wéi on p.351

wèi

位

♥ *n.* **place; location:**

fāng wèi | zuò wèi
方位 | 座位
direction | seat

yùn dòng yuán yǐ gè jiù gè wèi
运动员已各就各位。
Athletes are already on their marks.

♥ *n.* **position:**

dì wèi | xué wèi
地位 | 学位
position | degree

tā bù jì jiào míng wèi
他不计较名位。
He does not care about fame and position.

♥ *classifier.* **used to refer to people:**

yī wèi lǎo shī
一位老师
a teacher

nà wèi shī shéi
那 位 是 谁?
Who is the one over there?

wèi
喂

♥ *v.* **feed; raise:**

wèi niú
喂 牛
feed cattle

tā zhèng zài gěi lǎo rén wèi fàn
她 正 在 给 老 人 喂 饭。
She is feeding the old man.

♥ **hello; hey:**

wèi qǐng wèn nín zhǎo nǎ wèi
喂，请 问 您 找 哪 位?
Hello, who you are looking for?

wēn
温

♥ *n.* **temperature:**

qì wēn
气 温
atmospheric temperature

tǐ wēn
体 温
body temperature

jīn tiān de qì wēn shì 23℃
今 天 的 气 温 是 23℃。
Today's temperature is twenty three °C.

♥ *adj.* **warm; lukewarm:**

wēn dài
温 带
temperate zone

wēn shuǐ
温 水
lukewarm water

tā ài hē wēn kāi shuǐ
他爱喝温开水。
He likes to drink lukewarm boiled water.

♥ ***adj.* tender; mild; soft:**

wēn hé | wēn qíng
温和 | 温情
mild; tender | tender feelings

tā hěn wēn róu
她很温柔。
She is very gentle.

wén
文

♥ ***n.* written language:**

wén zì
文字
written language

wài wén
外文
foreign language

zhè shì yī běn zhōng yīng wén duì zhào cí diǎn
这是一本中英文对照词典。
This is a Chinese-English dictionary.

♥ ***n.* writing; literary composition:**

wén fēng
文风
style of writing

wén qì
文气
coherence of writing

tā hěn huì xiě wén zhāng
他很会写文章。
He is good at writing articles.

♥ ***n.* culture:**

wén míng
文明
civilization

wén wù
文物
culture relic; historical relic

zhōng huá wén míng lì shǐ yōu jiǔ
中华文明历史悠久。
China has a long history of civilization.

wén

闻

(聞)

♥ ***v.* smell:**

hǎo wén | nán wén
好闻 | 难闻
good smell | unpleasant smell

wǒ wén dào le huā xiāng
我闻到了花香。
I smell the fragrance of flowers.

♥ ***v.* hear:**

fēng wén | wén míng
风闻 | 闻名
hearsay | famous; well-known

bǎi wén bù rú yī jiàn
百闻不如一见。
Seeing is believing.

♥ ***n.* news; story:**

jiàn wén
见闻
what one sees and hears; knowledge

xīn wén
新 闻
news

zhè zhēn shì yī zé qí wén
这 真 是 一 则 奇 闻。
This is a piece of strange news.

wèn
问
(問)

♥ ***v.* ask; enquire:**

wèn dá
问 答
question and answer

dá fēi suǒ wèn
答 非 所 问
give an irrelevant answer

xiàng bié rén wèn lù
向 别 人 问 路
ask the way to others

yǒu wèn tí jiù wèn lǎo shī
有 问 题 就 问 老 师。
Ask the teacher if you have aquestion.

♥ ***v.* ask after; enquire after:**

wèn ān
问 安
wish somebody good health

wèi wèn
慰 问
console; extend one's regards

qǐng dài wǒ wèn hòu nǐ de mā ma
请 代 我 问 候 你 的 妈 妈。
Please give my regards to your mother.

wǒ 我

♥ ***pron.* I, my or me:**

wǒ guó
我 国
our country

zì wǒ yì shi
自 我 意 识
self-consciousness

wǒ shì gè ài yùn dòng de rén
我 是 个 爱 运 动 的 人。
I love doing physical exercises.

wò 握

♥ ***v.* hold; grasp:**

wò bǐ
握 笔
hold a pen or writing brush with fingers

wò shǒu
握 手
shake hands

tā shuāng shǒu jǐn wò fāng xiàng pán
她 双 手 紧 握 方 向 盘。
She is holding the steering wheel firmly with both hands.

wò
握
hold

♥ ***v.* certain; keep:**

bǎ wò
把 握
hold; keep; grasp; certainty

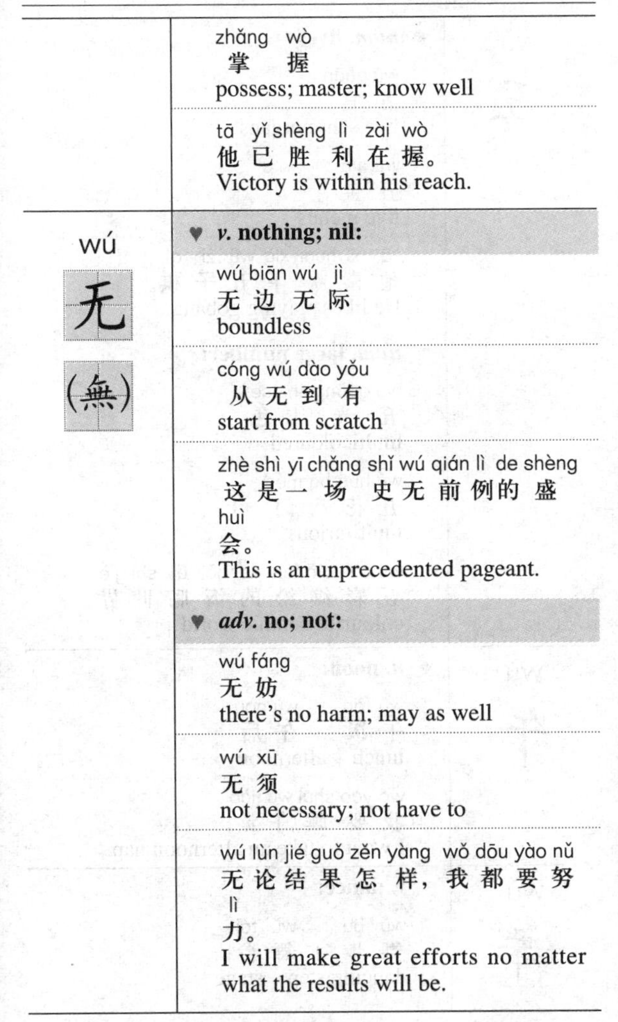

zhǎng wò
掌 握
possess; master; know well

tā yǐ shèng lì zài wò
他已胜利在握。
Victory is within his reach.

wú

无 (無)

♥ ***v.* nothing; nil:**

wú biān wú jì
无边无际
boundless

cóng wú dào yǒu
从无到有
start from scratch

zhè shì yī chǎng shǐ wú qián lì de shèng huì
这是一场史无前例的盛会。
This is an unprecedented pageant.

♥ ***adv.* no; not:**

wú fáng
无妨
there's no harm; may as well

wú xū
无须
not necessary; not have to

wú lùn jié guǒ zěn yàng wǒ dōu yào nǔ lì
无论结果怎样，我都要努力。
I will make great efforts no matter what the results will be.

wǔ 五

♥ ***num.* five:**

wǔ guān
五 官
five sense organs

wǔ jīn
五 金
five metals

tā xǐ huan xià wǔ zǐ qí
他 喜 欢 下 五 子 棋。
He likes playing gobang.

♥ ***num.* large number:**

wǔ guāng shí sè
五 光 十 色
multicoloured

wǔ huā bā mén
五 花 八 门
multifarious

wǔ cǎi bīn fēn de hǎi dǐ shì jiè
五 彩 缤 纷 的 海 底 世 界
colourful benthic world

wǔ 午

♥ ***n.* noon:**

wǔ fàn | wǔ hòu
午 饭 | 午 后
lunch | afternoon

wǒ yào shuì wǔ jiào
我 要 睡 午 觉。
I want to take an afternoon nap.

wǔ 舞

♥ ***v.* dance:**

wǔ bù | wǔ tái
舞 步 | 舞 台
dancing step | stage

wǔ
舞
dance

♥ ***v.* move about in a dance:**

fēi wǔ
飞 舞
flutter

méi fēi sè wǔ
眉 飞 色 舞
with dancing eyes and radiant face

♥ ***v.* wave; wield; brandish:**

wǔ dòng
舞 动
wave; brandish

wǔ lóng dēng
舞 龙 灯
perform a dragon lantern dance

tā zhèng zài wǔ jiàn
她 正 在 舞 剑。
She is practising a sword material acts.

wù
务
(務)

♥ ***n.* affair; business:**

gōng wù
公 务
official business; official assignment

jiā wù
家 务
housework

wǒ bǎo zhèng wán chéng rèn wù
我 保 证 完 成 任 务。
I promise to complete the task.

♥ ***v.* be engaged in; devote one's efforts to:**

wù gōng
务 工
be engaged in industrial work

wù nóng
务 农
be engaged in farming

zuò gōng zuò yào wù shí
做 工 作 要 务 实。
We should be pragmatic in work.

♥ ***adv.* must; have to:**

wù bì
务 必
must; be sure to

zuò shì wù qiú shàn shǐ shàn zhōng
做 事 务 求 善 始 善 终。
Whatever we do, we must do it well from beginning to end.

wù
物

♥ ***n.* thing:**

wù chǎn
物 产
product; produce

wù tǐ
物 体
body; object

jìn lì zuò dào wù jìn qí yòng
尽力 做 到 物 尽其 用。
Try your best to make the best use of everything.

♥ ***n.* content; essence; substance:**

yán zhī wú wù
言之无物
speech without substance

yán zhī yǒu wù
言之有物
speech with substance; speak convincingly

bù shuō kōng dòng wú wù de huà
不说空洞无物的话。
Don't speak without substance.

wù

误

(誤)

♥ ***adj.* mistake; error:**

wù chuán
误传
misrepresent; misrepresentation

wù dǎo
误导
mislead; lead somebody astray

zhè shì gè wù hui
这是个误会。
This is a misunderstanding.

♥ ***n.* by mistake; by accident:**

bǐ wù
笔误
clerical error

kǒu wù
口误
slip of the tongue

tā jiū zhèng le cuò wù
他纠正了错误。
He has corrected his mistakes.

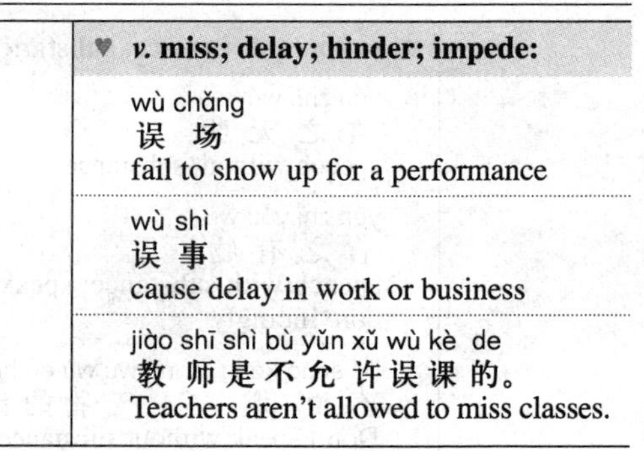

♥ ***v.* miss; delay; hinder; impede:**

wù chǎng
误 场
fail to show up for a performance

wù shì
误 事
cause delay in work or business

jiào shī shì bù yǔn xǔ wù kè de
教 师 是 不 允 许 误 课 的。
Teachers aren't allowed to miss classes.

X

xī

西

♥ ***n.* west:**

xī biān　xī miàn
西边 | 西面
west | west side

fǎ guó wèi yú ōu zhōu xī bù
法国位于欧洲西部。
France is in the west of Europe.

♥ ***n.* western:**

xī fú　xī wén
西服 | 西文
western-style suit | western language

běi jīng yǒu xǔ duō xī cān guǎnr
北京有许多西餐馆儿。
There are many western restaurants in Beijing.

xī

希

♥ ***v.* hope; wish:**

xī qiú
希求
hope for

xī tú
希图
intend to; design to; attempt to

xī wàng zhǔn shí dào huì
希望准时到会。
It is hoped you will be present at the meeting on time.

xī

息

♥ ***v.* stop; cease:**

píng xī　xiū xi
平息 | 休息
calm down | take a rest

zuò xī shí jiān biǎo
作息时间表
time schedule

♥ ***n.* news:**

shēng xī
声息
sound; noise; information; message

xiāo xi
消息
news

wǎng shàng yǒu hěn duō xìn xī
网上有很多信息。
There is a lot of information on the internet.

♥ ***n.* interest:**

běn xī
本息
principal (capital) and interest

nián xī
年息
annual interest

xí
习
(習)

♥ ***v.* practice; review; exercise:**

xí tí | fù xí
习题 | 复习
exercises | review; revision

xué sheng zhèng zài shàng zì xí
学生正在上自习。
Students are studying by themselves.

♥ ***v.* be accustomed to; be familiar with:**

xí jiàn
习见
commonly seen

xí fēi chéng shì
习非成是
get used to what is wrong and regard it as right; take for granted

xí yǐ wéi cháng
习以为常
be accustomed to or used to

xǐ 洗

♥ ***v.* wash; clean:**

xǐ chē
洗车
wash a car

xǐ shǒu jiān
洗手间
toilet room

zhè shì xīn mǎi de xǐ yī jī
这是新买的洗衣机。
This is a newly-bought washing machine.

♥ ***v.* develop film:**

chōng xǐ | jiā xǐ
冲洗 | 加洗
develop film | print more pictures

zhào piàn yǐ jing xǐ chū lái le
照片已经洗出来了。
Photos have already been printed.

xǐ 喜

♥ ***v.* happy; delighted:**

huān xǐ
欢喜
happy; delighted

kuáng xǐ
狂喜
wild with joy

rén rén xǐ chū wàng wài
人 人 喜 出 望 外。
Everyone is pleasantly surprised.

♥ ***n.* happy event:**

bào xǐ
报 喜
announce good news

dà jiā dōu lái xiàng tā hè xǐ
大家 都 来 向 他 贺喜。
Everybody came to congratulate him on a happy event.

xì

系

♥ ***n.* relation; connection:**

guān xi
关 系
relation

wǒ men jīng cháng lián xì
我 们 经 常 联 系。
We always keep in contact.

♥ ***n.* system; series:**

tǐ xì | yǔ xì
体系 | 语系
system | language family

tài yáng xì yǒu bā dà xíng xīng
太 阳 系 有 八 大 行 星。
There are eight planets in the solar system.

♥ ***n.* department; faculty:**

xì zhǔ rèn
系 主 任
head of a department

zhōng wén xì
中文系
Chinese department

wáng lǎo shī zhèng zài xì bàn gōng shì kāi huì
王老师正在系办公室开会。
Teacher Wang is having a meeting in the department office.

See jì on p.141

xì
细
(細)

♥ ***adj.* thin; slender; fine:**

xì shā | xì guǎnr
细沙 | 细管儿
fine sand | thin tube

tā de yāo hěn xì
她的腰很细。
She has a slim waist.

zhè bǐ xiě de hěn xì
这笔写得很细。
This pen writes very well.

♥ ***adj.* soft or low voice:**

xì shēng xì qì
细声细气
in a soft voice

xì yán xì yǔ
细言细语
speak softly

tā de shēng yīn hěn jiān xì
她的声音很尖细。
She has a wiry voice.

♥ ***adj.* meticulous; detailed; delicate:**

xīn xì | xì zhì
心细 | 细致
careful | particularity; meticulous

zhè jiàn zuò pǐn zuò gōng shí fēn jīng xì
这件作品做工十分精细。
This piece of art is of fine workmanship.

xià
下

♥ ***adj.* down; lower:**

xià bàn shēn | xià yóu
下半身 | 下游
lower part of the body | lower reaches

shān xià yǒu yī gè xiǎo cūn zhuāng
山下有一个小村庄。
There is a small village at the foot of the mountain.

♥ ***n.* next; latter:**

xià bàn nián | xià cì
下半年 | 下次
latter half of the year | next time

zhè shìr xià bù wéi lì
这事儿下不为例。
This should not be taken as a precedent.

♥ ***v.* descend; alight:**

xià fēi jī | xià lóu
下飞机 | 下楼
disembark a plane | go downstairs

nán xià de liè chē yǐ jing chū fā le
南下的列车已经出发了。
The south bound train has started off.

♥ ***v.* fall:**

xià yǔ | xià xuě
下雨 | 下雪
raining | snowing

xiǎo yǔ xià de zhèng shì shí hou
小雨下得 正 是时候。
The drizzle came at the proper time.

♥ ***v.* finish work or study:**

xià bān
下班
come off work

xià kè le
下课了。
Class is over.

xià 夏

♥ ***n.* summer:**

chūn xià qiū dōng
春夏秋冬
spring, summer, autumn, and winter

zhè lǐ de xià tiān bù rè
这里的夏天不热。
Summer here is not hot.

xiān 先

♥ ***n.* earlier:**

xiān dǎo | xiān hòu
先导 | 先后
guide | being early or late; order

jì shù yǐ dá shì jiè lǐng xiān shuǐ píng
技术已达世界领先水平。
The technology has reached advanced world level.

♥ ***n.* former; past:**

xiān qián | qǐ xiān
先前 | 起先
previously | at first

yuán xiān tā bìng bù huì shuō hàn yǔ
原先他并不会说汉语。
He couldn't speak Chinese before.

xiǎn
险
(險)

♥ ***n.* danger; risk; peril:**

bǎo xiǎn　fēng xiǎn
保险 | 风险
insurance | risk

yǒu de rén xǐ huan mào xiǎn
有的人喜欢冒险。
There are people who love adventures.

♥ ***n.* place difficult of access; narrow pass:**

tiān xiǎn
天险
natural barrier

xiǎn yào
险要
strategically located and difficult of access

zhè lǐ shān xiǎn dàn jǐng sè hěn měi
这里山险，但景色很美。
The mountain is dangerously steep, but the scenery is beautiful.

xiàn
现
(現)

♥ ***n.* present; current; existing:**

xiàn dài
现代
modern times; contemporary age

xiàn xíng
现行
currently in effect; in force; in operation

♥ ***adv.* impromptu; extempore:**

xiàn xué xiàn yòng
现学现用
practise what one has just learned

dāng shí wǒ zhèng hǎo zài xiàn chǎng
当时我正好在现场。
I was just on the spot then.

♥ ***adj.* on hand:**

xiàn fáng
现房
ready house; apartment

xiàn jīn
现金
cash; ready money

tā xǐ huan xiàn huò jiāo yì
他喜欢现货交易。
He likes spot transactions.

xiāng

相

♥ ***adv.* each other; one another:**

xiāng děng | xiāng hù
相等 | 相互
be equal to; even | each other

xiāng hù xué xí
相互学习
learn from each other

tóng xué zhī jiān yīng hù xiāng bāng zhù
同学之间应互相帮助。
Schoolmates should help each other.

♥ ***adv.* see for oneself:**

xiāng kàn
相看
see in person; look at each other

tā xiāng zhòng le yī jiàn yī fu
她相中了一件衣服。
She took a fancy to a blouse.

xiāng 香

♥ ***adj.* fragrant; aromatic; scented:**

xiāng qì
香 气
fragrance; sweet smell; scent

xiāng tián kě kǒu
香 甜 可口
fragrant and sweet

gōng yuán lǐ niǎo yǔ huā xiāng
公 园 里鸟 语花 香。
There are singing birds and blooming fragrant flowers in the park.

♥ ***adj.* with good appetite; (of sleep) sound:**

chī de xiāng
吃得 香
have a good appetite

shuì de xiāng
睡 得 香
have a sound sleep

nǐ kàn tā shuì de duō xiāng
你 看 他 睡 得 多 香。
Look! He is having a sound sleep.

xiǎng 响 (響)

♥ ***n.* echo; sound:**

fǎn xiǎng
反 响
echo; reply; reverberation

huí xiǎng
回 响
echo; resound

zhè lǐ bù néng yǒu rèn hé xiǎng dòng
这里不 能 有 任 何 响 动。
There should not be any noise or movement.

♥ ***adj.* sonorous; loud and clear:**

xiǎng liàng
响 亮
loud and clear

xiǎng dāng dāng
响 当 当
outstanding; competent

nǐ shuō huà shēng yīn tài xiǎng le
你说话声音太响了。
You speak too loudly.

♥ ***v.* cause sth. to emit a sound; sound:**

xiǎng luó
响 锣
beat a gong

bù shēng bù xiǎng
不声不响
hold one's beath; be quiet; be silent

xià kè zhōng shēng xiǎng le
下课钟声响了。
The bell rang for ending the class.

xiǎng 想

♥ ***v.* think; ponder:**

sī xiǎng
思 想
thought

xiǎng bàn fǎ
想 办 法
try to find a way out

tā sī lái xiǎng qù de xún zhǎo wèn tí de dá àn
她思来想去地寻找问题的答案。
She thought hard to find solutions to the problem.

♥ ***v.* miss; long for:**

huí xiǎng | xiǎng jiā
回想 | 想家
recall | homesick

wǒ men dà jiā dōu hěn xiǎng nín
我们大家都很想您。
We all miss you very much.

♥ ***v.* hope to; want to; consider; suppose:**

lǐ xiǎng | liào xiǎng
理想 | 料想
ideal; cause | expect

wǒ xiǎng dào běi jīng qù xué hàn yǔ
我想到北京去学汉语。
I'd like to go to Beijing to learn Chinese.

xiàng 向

♥ ***v.* toward; to:**

xiàng qián kàn
向前看
look forward

xiàng yáng
向阳
turn toward the sun

wǒ men yào xiàng nǐ xué xí
我们要向你学习。
We should learn from you.

♥ ***n.* direction:**

fēng xiàng | háng xiàng
风向 | 航向
wind direction | course

zhè jiù shì wǒ de yuǎn dà zhì xiàng
这就是我的远大志向。
This is my ambition.

xiàng

像

♥ ***v.* take after; look like; resemble:**

xiāng xiàng
相 像
resemble; be alike

xiàng yàng
像 样
up to the mark; presentable

ér zi zhǎng de xiàng bà ba
儿子 长 得 像 爸爸。
The son looks like his father.

tā de shēng yīn xiàng yīn yuè yī yàng
她的 声 音 像 音 乐一 样。
Her speaking voice was like music.

♥ ***n.* likeness; portrait; picture:**

huà xiàng | tú xiàng
画 像 | 图 像
portrait | image; picture

kǒng zǐ xué yuàn lǐ yǒu kǒng zǐ de sù xiàng
孔 子学 院 里有 孔 子的塑 像。
There is a Confucius's statue in the Confucius Institute.

xiāo

消

♥ ***v.* disappear; vanish:**

xiāo shī
消 失
gradually disappear; vanish

xiāo tuì
消 退
abate; subside; decrease

yān xiāo yún sàn
烟 消 云 散
disappear like smoke and clouds

♥ ***v.* cause to disappear; dispel:**

xiāo chú
消 除
put something out of existence

qǔ xiāo
取 消
cancel; withdraw

♥ ***v.* pass time; spend time; while away:**

xiāo shǔ
消 暑
pass the summer in a leisurely way

xiāo yè
消 夜
night snack

hǎi bīn xiāo xià wǎn huì
海 滨 消 夏 晚 会
seashore summer evening party

♥ ***v.* need; take:**

yī dùn fàn huā yī bǎi duō yuán xiāo fèi bù gāo
一顿 饭 花 一百 多 元，消 费 不 高。
This meal cost us about one hundred *yuan*. It is not too expensive.

xiāo
销
(銷)

♥ ***v.* cancel; annul:**

xiāo jià
销 假
report back after a leave of absence

tā dào cái wù shì zhǎo wǒ bào xiāo
他 到 财 务 室 找 我 报 销。
He came to me at the finance office to apply for reimbursement.

♥ ***v.*** **sell; market:**

rè xiāo　xiāo lù
热销 | 销路
sell well | market; sales channel

zhè shì yī běn chàng xiāo shū
这是一本畅销书。
This is a best-selling book.

♥ ***v.*** **spend; expend:**

huā xiāo
花销
expenses

zuì jìn wǒ de kāi xiāo tài dà le
最近我的开销太大了。
My spending has been too much recently.

xiǎo 小

♥ ***adj.*** **small; little; petty:**

xiǎo chuán
小船
small boat

xiǎo péng you
小朋友
children

nǐ kě bù yào xiǎo tí dà zuò
你可不要小题大做。
Please don't make a fuss of a trifle.

♥ ***adv.*** **short time; short duration:**

xiǎo zhù　xiǎo zuò
小住 | 小坐
short stay | sit for a while

wǒ zhǐ xū xiǎo shuì piàn kè
我只需小睡片刻。
I only need to sleep for a while.

♥ ***adj.* last in seniority among brothers and sisters:**

xiǎo dì di
小 弟弟
youngest brother

xiǎo ér zi
小 儿子
youngest son

tā zài jiā lǐ shì lǎo xiǎo
她在家里是老 小。
She is the youngest in the family.

xiào
校

♥ ***n.* school:**

xiào shè | xué xiào
校 舍 | 学 校
school building | school

quán xiào tóng xué
全 校 同 学
all the students of the school.

See jiào on p.153

xiào
笑

♥ ***v.* smile; laugh:**

xiào róng | xiào shēng
笑 容 | 笑 声
smiling expression | laughter

tā kāi huái dà xiào
他开 怀 大笑。
He laughed to his heart's content.

xiào
笑
smile

♥ *v.* **laugh at; ridicule:**

cháo xiào　jī xiào
嘲 笑 | 讥笑
laugh at; mock | sneer at

bù yào qǔ xiào tā rén de shī wù
不要 取笑 他人 的 失 误。
Don't laugh at others' mistakes.

xiē
些

♥ *classifier.* **some; indefinite:**

nà xiē shū　yī xiē jiàn yì
那些书 | 一些 建议
those books | some suggestions

yǒu xiē péng you hěn xiǎng dào zhōng
有些 朋 友 很 想 到 中
guó xué xí hàn yǔ
国 学习汉 语。
Some friends would like very much to come to China to learn Chinese.

xié
鞋

♥ *n.* **shoe:**

pí xié　yùn dòng xié
皮鞋 | 运 动 鞋
leather shoes | sport shoes

hái zi cóng liǎng suì kāi shǐ jiù huì zì
孩子 从 两 岁开 始就 会自
jǐ jì xié dàir
己系鞋带儿。
The child could tie shoelaces by himself when he was two years old.

xié
鞋
shoe

xiě

写

♥ *v.* **write:**

tīng xiě　　xiě zì
听写 | 写字
dictation | write characters

tā yòng shǒu zhǐ zài shā dì shàng xiě tā de míng zi
他用手指在沙地上写她的名字。
He wrote her name on the sand with his finger.

♥ *v.* **compose; write:**

hé xiě　　xiě zuò
合写 | 写作
co-write | writing

zhè bù xiǎo shuō shì wǒ xiě de
这部小说是我写的。
I wrote this novel.

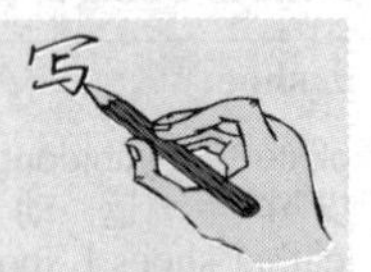

xiě
写
write

xiè

谢

(謝)

♥ *v.* **thank:**

xiè xie
谢谢
thank somebody for his or her kindness

xiè yì
谢意
thankfulness; gratitude

duō xiè nín de zhī chí
多谢您的支持。
Thank you very much for your support.

♥ ***v.* decline:**

xiè kè
谢 客
decline to receive visitors

tuī xiè
推 谢
find an excuse to decline an offer, an invitation, etc.

tā cí xiè le duì fāng de lǐ wù
他辞谢 了对 方 的礼物。
He politely declined the other party's present.

xīn

心

♥ ***n.* heart:**

xīn fáng | xīn tiào
心 房 | 心 跳
atrium | heartbeat

tā de xīn zàng hěn hǎo
他的心 脏 很 好。
His heart is in good condition.

♥ ***n.* mind; feeling; intention:**

xīn dé
心 得
what one has learned from work, study, etc.

xīn qíng
心 情
mood; spirit

tā zǒng néng xīn xiǎng shì chéng
他 总 能 心 想 事 成。
His wishes always come true.

♥ ***n.* core; center:**

shǒu xīn
手 心
palm

gōng zuò zhòng xīn
工 作 重 心
focus of one's work

yào zhuā zhù wén zhāng de zhōng xīn
要 抓 住 文 章 的 中 心
sī xiǎng
思 想。
One should seize the main idea of an article.

xīn
新

♥ ***adj.* new; fresh; up-to-date:**

xīn shēng shì wù
新 生 事 物
something new

xīn wén
新 闻
news

měi nián chǎn shēng xǔ duō xīn cí xīn
每 年 产 生 许 多 新 词 新
yǔ
语。
There are many new words and expressions every year.

♥ ***adj.* brand new; unused:**

xīn jū　　xīn yī fu
新 居 | 新 衣服
new house | new clothes

zhè shì xīn de shéi yě méi kàn guo
这 是 新 的，谁 也 没 看 过。
This is new and nobody has ever seen it.

♥ *adj.* **have something to do with marriage:**

xīn fáng　xīn niáng
新 房 | 新 娘
bridal chamber | bride

yī duì xīn rén hù jìng hù ài
一对 新 人 互 敬 互爱。
The bride and bridegroom respect and love each other.

♥ *adv.* **newly; freshly; recently:**

xīn jìn
新 近
recently; lately

wǒ shì xīn lái de
我 是 新 来的。
I am a newcomer.

xìn
信

♥ *n.* **letter:**

xìn jiàn　jiā xìn
信 件 | 家信
letter | family letter

kāi gè zhèng míng xìn
开 个 证 明 信
write a letter of certificate

tā zhèng zài xiě xìn
她 正 在 写信。
She is writing a letter.

♥ *n.* **news; signal:**

tōng xìn wèi xīng　xìn hào
通 信 卫 星 | 信 号
telecommunication satellite | signal

yòng shǒu jī fā duǎn xìn
用 手 机发 短 信
send a text message by cell phone

♥ ***n.* confidence; trust; faith:**

xìn yòng | xìn yù
信用 | 信誉
credit | credit standing

chéng xìn
诚信
honest

♥ ***adj.* true; real:**

xìn shǐ
信史
true history

xīng

兴

(興)

♥ ***v.* begin; start:**

xīng jiàn
兴建
set up; build; establish

dà xīng tǔ mù
大兴土木
go in for large-scale construction

xīng bàn kǒng zǐ xué yuàn
兴办孔子学院。
Set up Confucius Institutes.

♥ ***v.* become popular; prevail; prosper:**

fù xīng
复兴
revive; reinvigorate

xīn xīng xué kē
新兴学科
newly emerged subject

xiàn zài shí xīng wǎng shàng gòu wù
现在时兴网上购物。
It is popular to do online shopping.

See **xìng** on p.389

xīng 星

♥ ***n.* star:**

xīng xing xīng zuò
星星 | 星座
star | constellation

tā yǎng wàng zhe běi dǒu qī xīng
他仰望着北斗七星。
He was looking up to Charles's Wain.

♥ ***n.* bit; particle like star:**

wǔ jiǎo xīng
五角星
five-angle star

líng líng xīng xīng
零零星星
by twos and threes

xīng xīng zhī huǒ kě yǐ liáo yuán
星星之火，可以燎原。
A single spark can start a prairie fire.

♥ ***n.* famous performer or athlete:**

gē xīng míng xīng
歌星 | 明星
singing star | famous performer

tā shì yī wèi kē jì xīn xīng
他是一位科技新星。
He is a new star in technology.

xíng 行

♥ ***v.* go; walk; travel:**

bù xíng
步行
go on foot; walk

qiān lǐ zhī xíng shǐ yú zú xià
千里之行，始于足下。
A thousand-*li* journey begins with the first step.

♥ ***v.* do; perform; carry out:**

xíng bù tōng　xíng yī
行 不 通 | 行 医
not work; unworkable | practise medicine

zhè zhǒng fāng fǎ jiǎn biàn yì xíng
这 种 方 法 简 便 易 行。
This method is simple and practical.

♥ ***n.* behavior; behave:**

xíng wéi　pǐn xíng
行 为 | 品 行
behaviour | conduct

♥ ***adj.* capable; competent:**

nǐ hái zhēn xíng
你 还 真 行!
You are really terrific!

xiǎo wáng jiù shì xíng
小 王 就 是 行。
Xiao Wang is really capable.

See **háng** on p.111

xǐng
省

♥ ***v.* examine oneself critically:**

fǎn xǐng　nèi xǐng
反 省 | 内 省
retrospection | introspection

♥ ***v.* become concious; be aware:**

bù xǐng rén shì
不 省 人 事
lose consciousness; fall into a coma

měng xǐng qián fēi
猛 省 前 非
awake to previous faults all of a sudden

zhè shì yī cì fā rén shēn xǐng de jiào
这是一次发人深省的教
yù
育。
This is an education that provides much food for thought.

See shěng on p.293

xìng
兴
(興)

♥ ***n.* interest; mood or desire to do something; excitement:**

xìng wèi | xìng zhì
兴味 | 兴致
interest | mood to enjoy; interest

tā men yòng yīn yuè lái zhù xìng
他们用音乐来助兴。
They played music to add to the fun.

See xīng on p.386

xìng
幸

♥ ***adj.* happy; lucky; fortune:**

xìng fú | róng xìng
幸福 | 荣幸
happiness | fortunate; honoured

rèn shí nín zhēn shì sān shēng yǒu xìng
认识您真是三生有幸。
It is extremely lucky to get to know you.

♥ ***adj.* lucky; fortunate:**

xìng cún | xìng hǎo
幸存 | 幸好
survive | happily; just as well

zhè zhēn shì wàn xìng
这真是万幸。
It is really very lucky.

xìng 性

♥ ***n.* nature; character; property:**

gè xìng　　yào xìng
个性 | 药性
character | property of medicine

tā shì gè jí xìng zi
她是个急性子。
She is a pepper box.

♥ ***n.* sex:**

xìng bié　　xìng jiào yù
性别 | 性教育
gender | sex education

zhè lǐ yǒu jiā nǚ xìng yòng pǐn shāng diàn
这里有家女性用品商店。
This is a woman's shop.

♥ ***n.* gender in grammar:**

yīn xìng　　yáng xìng
阴性 | 阳性
feminine gender | masculine gender

xìng 姓

♥ ***n.* surname; family name:**

bǎi jiā xìng
百家姓
Book of Chinese Family Names

wǒ xìng zhāng nǐ xìng shén me
我姓张，你姓什么？
My family name is Zhang, and what is your family name?

xiū 休

♥ ***v.* rest; cease; give up:**

xiū jià
休假
have a holiday or vacation

xiū xi
休息
have a rest

tā yǐ jing tuì xiū le
他已经 退 休 了。
He is retired.

---

xué

须

(須)

(鬚)

♥ ***v.* must; have to:**

xū zhī
须知
notice; instructions; guide

wǒ men bì xū rèn zhēn zuò hǎo měi yī jiàn shì qing
我 们 必须认 真 做 好 每一件 事 情。
We must do everything perfectly.

♥ ***n.* beard; mustache:**

xū fà
须发
beard and hair

zhè shì shù de xū gēn
这 是 树 的须根。
These are fibrous roots of the tree.

---

xū

需

♥ ***v.* need; want; require:**

jí xū
急需
in dire need of; starve for

xū yào
需要
demand; need; want

zhè xiē dōu shì shēng huó bì xū pǐn
这 些 都 是 生 活 必需品。
These are all daily necessities.

xǔ

许

(許)

♥ ***v.* allow; permit:**

xǔ kě | zhǔn xǔ
许可 | 准许
allow; permit | allow; permit

bù xǔ hòu tuì
不许后退。
Don't retreat.

♥ ***v.* promise:**

xǔ nuò
许诺
promise

xǔ yuàn
许愿
make a promise; give a promise

♥ ***adv.* maybe; perhaps:**

xīng xǔ | yě xǔ
兴许 | 也许
maybe; probably | perhaps; maybe

tā méi lái yě xǔ shì yǒu shìr
他没来，也许是有事儿。
He did not come.Maybe he had something else to do.

♥ ***pron.* indicating a rough estimate:**

shǎo xǔ
少许
a little; a small amount of

xǔ jiǔ
许久
for a long time; for ages

guǎng chǎng shàng yǒu xǔ duō rén
广场上有许多人。
There are many people on the square.

xué
学
(學)

♥ ***v.* learn; study:**

xué sheng | xué wén huà
学生 | 学文化
student | learn culture

xué xí fāng fǎ
学习方法
learning method or study method

huó dào lǎo xué dào lǎo
活到老,学到老。
One is never too old to learn.

♥ ***n.* skill; knowledge; learning:**

xué shí
学识
learning

xué wen
学问
knowledge; learning; scholarship

yào yǒu zhēn cái shí xué
要有真才实学。
One should have real ability and learning.

♥ ***n.* school:**

shàng xué | xué xiào
上学 | 学校
go to school | school

wǒ yǐ jing dà xué bì yè le
我已经大学毕业了。
I have already graduated from university.

♥ ***n.* subject of study; branch of learning:**

huà xué　wén xué
化学 | 文学
chemistry | literature

tā xué de shì yùn dòng lì xué
他学的是运动力学。
What he learned is kinetics.

xuě 雪

♥ ***n.* snow:**

xuě huā　xuě piàn
雪花 | 雪片
snowflake | snowflake

yī chǎng xuě
一场雪
a fall of snow

zuó tiān xià le yī chǎng dà xuě
昨天下了一场大雪。
It snowed heavily yesterday.

♥ ***adj.* snow-like; snowy:**

xuě bái
雪白
snow-white

xuě bái de chèn shān
雪白的衬衫。
snow-white shirt

xuè 血

♥ ***n.* blood:**

xuè guǎn　xuè yè
血管 | 血液
blood vessel | blood

tā de xuè yā hěn zhèng cháng
她的血压很正常。
Her blood pressure is normal.

♥ ***n.* energy; effort:**

xīn xuè
心 血
painstaking effort

huā fèi hěn duō xīn xuè
花 费 很 多 心 血
take great pains (to do something)

Y

yā
呀

♥ **indicating a surprise:**

ā yā
啊呀
oh

yā nǐ yě huì shuō hàn yǔ
呀！你也会说汉语！
Oh! You can speak Chinese too!

yā nǐ men dōu zǎo dào le
呀！你们都早到了。
Oh! You are already here.

♥ **expressing sound or voice:**

mén yā de yī shēng dǎ kāi le
门"呀"的一声打开了。
The door opened with a crack.

See ya on p.397

yā
鸭
(鴨)

♥ ***n.* duck; drake:**

yā dàn | jiā yā
鸭蛋 | 家鸭
duck egg | domesticated duck

wǒ xiǎng chī běi jīng kǎo yā
我想吃北京烤鸭。
I'd like to eat Beijing roast duck.

yā
鸭
duck

yá 牙

♥ ***n.*** **teeth:**

xiǎo hái zi zhǎng chū yá le
小孩子长出牙了。
The child has already cut its teeth.

♥ ***n.*** **ivory:**

xiàng yá | yá kè
象牙 | 牙刻
tusk | ivory carving

zhè shì yī méi yá zhāng
这是一枚牙章。
This is an ivory seal.

yà 亚 (亞)

♥ ***adj.*** **inferior; shabby; substandard:**

yà jūn
亚军
runner-up; second place in a sports game

yà jiàn kāng
亚健康
subhealth

zhè lǐ shì yà rè dài dì qū
这里是亚热带地区。
Here is a subtropical area.

♥ ***n.*** **short for Asia:**

dōng yà | yà yùn huì
东亚 | 亚运会
east Asia | Asian Games

ya 呀

♥ **used in place of "啊"(ɑ) when the preceding character ends in sound** ɑ、e、i、o、u:

nǐ kuài lái ya
你快来呀!
Come quickly!

chéng guǒ lái zhī bù yì ya
成果来之不易呀。
The achievements did not come easily.

nǐ zěn me xiàn zài hái bù huí jiā ya
你怎么现在还不回家呀?
Why don't you go home until now?

See yā on p.396

yán

言

♥ ***v.* speak; talk; describe:**

yán jiào
言教
teach by word; give verbal directions

yù yán
预言
predict; foretell

tā zì yán zì yǔ de shuō qǐ lái le
她自言自语地说起来了。
She started talking to herself.

♥ ***n.* speech; word:**

míng yán
名言
motto; maxim

yǒu yán zài xiān
有言在先
have a piece of advice in advance

tā zài diàn huà lǐ liú yán le
她在电话里留言了。
She left a telephone message.

♥ ***n.* character; word; sentence:**

qiān yán wàn yǔ
千言万语
tens of thousands of words–have much to say

yán
颜 (顏)

♥ ***n.* color:**

yán liào　yán sè
颜料 | 颜色
pigment | colour; hue

wǔ yán liù sè de xiān huā
五颜六色的鲜花
colourful fresh flowers

♥ ***n.* face; facial expression:**

yán róng
颜容
facial expression; complexion

róng yán
容颜
looks; appearance

rén rén xǐ xiào yán kāi
人人喜笑颜开。
Everyone is smiling and laughing happliy.

yǎn
眼

♥ ***n.* eye:**

diàn zǐ yǎn　yǎn qiú
电子眼 | 眼球
security camera | eyeball

tā yǎn míng shǒu kuài
他眼明手快。
He was sharp-eyed and deft-handed.

yǎn
眼
eye

♥ ***n.* small hole; aperture:**

zhēn yǎn
针眼
the eye of a needle; pinprick

huǒ yǎnr
火 眼儿
pinkeye

dǎ gè yǎnr dāng jì hao
打 个 眼儿 当 记 号。
Punch a small hole as a mark.

yǎn
演

♥ ***v.* perform:**

kāi yǎn
开 演
begin to perform

yǎn chàng
演 唱
sing in a performance

wǒ yǎn yī gè jǐng chá
我 演 一个 警 察。
I played the role of a policeman.

♥ ***v.* develop; evolve:**

yǎn huà | yǎn jìn
演 化 | 演 进
evolution | gradual progress; evolution

fā zhǎn yǎn biàn
发 展 演 变
develop and gradual progress

♥ ***v.* exercise; calculate:**

yǎn shì
演 示
explain and illustrate; demonstrate

yǎn suàn
演 算
perform mathematical calculations

yáng
羊

♥ ***n.* sheep; goat:**

shān yáng　yáng ròu
山 羊 | 羊 肉
goat | mutton; lamb

yáng máo chū zài yáng shēn shàng
羊 毛 出 在 羊 身 上。
The wool comes from the sheep's back–you have to pay for what you are given.

yáng
羊
goat

yáng
阳
(陽)

♥ ***n.* sun; sunlight:**

yáng guāng　yáng lì
阳 光 | 阳 历
sunshine; sunlight | solar calendar

zhè xiē fáng jiān dōu shì yáng miàn de
这 些 房 间 都 是 阳 面 的。
These rooms all face south.

yàng
样
(樣)

♥ ***n.* shape; appearance:**

yàng shì
样 式
form; type; style; pattern

tóng yàng
同 样
uniformity; similarity

jiā xiāng biàn yàng le
家 乡 变 样 了。
A lot of changes have taken place in my hometown.

♥ *n.* **sample; model; pattern:**

yàng běn　yàng pǐn
样 本 | 样 品
sample copy | sample product

zhè shì yī běn yàng shū
这 是 一 本 样 书。
This is a sample book.

♥ ***classifier.*** **sort; kind; type:**

liǎng yàng shuǐ guǒ
两 样 水 果
two kinds of fruit

yàng yàng dōu xíng
样 样 都 行
be good at everything

yī yàng dōng xi yě bù néng shǎo
一 样 东 西 也 不 能 少。
Nothing should be eliminated.

yāo
要

♥ *v.* **demand; ask; force; coerce:**

yāo qiú　yāo xié
要 求 | 要 挟
demand | coerce

yìng guǎng dà guān zhòng de yāo qiú
应 广 大 观 众 的 要 求
at the request of the audience

zhè shì hé lǐ yāo qiú
这 是 合 理 要 求。
This is a reasonable demand.

See yào on p.403

yào

♥ ***adj.* important; major:**

yào dào
要道
thoroughfare; main road

yào yuán
要员
very important person; VIP

zhè gè dì fang hěn xiǎn yào
这个地方很险要。
This place is strategically located and difficult of access.

♥ ***n.* main point; essential:**

gāng yào
纲要
outline; sketch

tí yào
提要
summary; abstract; story highlights

wén zhāng zhāi yào bié chāo guò 200 zì
文章摘要别超过200字。
Abstracts of articles should not exceed two hundred characters.

♥ ***v.* intend; want; desire:**

nǐ yào gàn shén me
你要干什么?
What do you want?

♥ ***v.* demand; claim:**

yào zhàng
要账
demand repayment of a debt

yào yī běn shū
要 一 本 书
want or ask for a book

zhè gè wǒ bù yào le
这 个 我 不 要 了。
I don't want this one.

♥ ***v.* should; must:**

yǔ tiān lù huá yào xiǎo xīn
雨 天 路 滑，要 小 心。
The road is slippery in rainy days. Please be careful.

nǐ yào hǎo hǎo xué hàn yǔ
你 要 好 好 学 汉 语。
You should learn Chinese assiduously.

See **yāo** on p.402

yào

药

(藥)

♥ ***n.* medicine; drug; remedy:**

nóng yào
农 药
pesticide

zhōng yào
中 药
traditional Chinese medicine

zhè yào yī diǎnr yě bù kǔ
这 药 一 点儿 也 不 苦。
This medicine is not bitter at all.

♥ ***n.* certain chemicals:**

huǒ yào | zhà yào
火 药 | 炸 药
gun powder | explosive; dynamite

yé 爷 (爺)	♥ ***n.* grandfather; grandpa:** yé ye　lǎo dà ye 爷爷 ｜ 老大爷 grandfather ｜ uncle; grandpa zuó tiān wǒ qù yé ye jiā le 昨天我去爷爷家了。 I went to my grandfather's home yesterday.
yě 也	♥ ***adv.* also; too; either:** nǐ qù　wǒ yě qù 你去，我也去。 I will go with you. tā xué de hǎo　wǒ xué de yě bù cuò 他学得好，我学得也不错。 He studied well, so did I. ♥ ***adv.* indicating emphasis:** yī diǎnr yě bù rè 一点儿也不热。 It's not hot at all. tā lián kàn yě bù kàn yī yǎn 他连看也不看一眼。 He did not even take a glance at it.
yè 业 (業)	♥ ***n.* course of study:** jié yè　xué yè 结业 ｜ 学业 complete a course ｜ course of study tā gāng bì yè 她刚毕业。 She has just graduated.

♥ ***n.* line of business; trade; industry:**

gōng yè　shǒu gōng yè
工业 | 手工业
industry | handicraft industry

gè háng gè yè dōu néng chū zhuàng yuan
各行各业都能出状元。
There are outstanding talents in all walks of life.

♥ ***n.* occupation; profession; employment:**

cóng yè rén yuán　jiù yè
从业人员 | 就业
employee | employment

yè wù
业务
business; professional work

♥ ***n.* property; estate:**

yè zhǔ
业主
owner; home owner

jiā yè
家业
family property; family fortune

jiā dà yè dà
家大业大
a large family with large property

♥ ***n.* business; cause; enterprise:**

tíng yè
停业
close down

xiū yè
休业
suspend business; come to an end

shāng diàn míng tiān kāi yè
商店明天开业。
The shop will start doing business tomorrow.

yè
页
(頁)

♥ *n.* **page or leaf:**

huà yè
画页
plate; illustrated pages (in a book or magazine)

huó yè zhǐ
活页纸
loose-leaf paper

zhè běn shū zhōng yǒu jǐ gè chā yè
这本书中有几个插页。
There are a few interleaves in this book.

♥ *n.* **page:**

wǎng yè | yè miàn
网页 | 页面
web page | page layout

zhè běn shū wǒ gāng dú le jǐ yè
这本书我刚读了几页。
I have only read several pages of this book.

yè
夜

♥ *n.* **night; evening:**

yè bān
夜班
night shift

yè jiān
夜间
at night

liú xīng huá guò yè kōng
流星划过夜空。
Meteors slash the night sky.

♥ ***n.* night:**

sān tiān sān yè
三 天 三 夜
three days and three nights

rì rì yè yè sī niàn nǐ
日日夜夜思 念 你。
Miss you day and night.

yī

一

♥ ***num.* one:**

yī gè
一 个
one

yī zì qiān jīn
一字 千 金
each word is worth a thousand pieces of gold; valuable words

zhè yàng kě yǐ yī jǔ liǎng dé
这 样 可以一举 两 得。
Doing it this way is like killing two birds with one stone.

♥ ***adj.* same:**

yī huí shì
一 回 事
the same thing

shuǐ tiān yī sè
水 天 一 色
water mirroring the sky

shéi qù dōu yī yàng
谁 去 都 一 样。
Whoever goes will do.

♥ ***pron.* every; each:**

yī gè yuè chū liǎng cì chāi
一个 月 出 两 次 差
make two business trips in one month

yī zhōu sān gè háng bān
一周三个航班
three flights in one week

♥ *adj.* **whole; all; throughout:**

yī chē rén | yī shēng
一车人 | 一生
a car full of people | all one's life

zhù nín yī lù píng ān
祝您一路平安。
Wish you a pleasant journey.

♥ ***adv.* used before a verb to indicate an action to be followed by a result:**

yī jiào jiù dào
一叫就到
come as soon as called

yī wèn biàn zhī
一问便知
ask if you want to know

tā yī kàn jiù huì le
他一看就会了。
He will learn it at a glance.

♥ ***pron.* some:**

yī tiān
一天
one day

lái le yī gè nián qīng rén
来了一个年轻人。
There came a young man.

♥ **expressing emphasis:**

yī zhí
一直
all along; all the while; all through

	tā yī zhǔnr zài jiā 他一准儿在家。 He is surely at home.
yī 衣	♥ ***n.* clothes; clothing; garment:**
	nèi yī 内衣 | yī wù 衣物 underwear | clothing; clothes
	yī shí zhù xíng dōu yào kǎo lǜ dào 衣食住行都要考虑到。 Consideration should be given to the necessities of daily life.
	yī 衣 clothes
	♥ ***n.* coating; covering:**
	yào piàn de wài biān shì yī céng táng yī 药片的外边是一层糖衣。 The tablets are sugar-coated.
yī 医 (醫)	♥ ***n.* doctor:**
	yī shēng 医生 | yī shī 医师 doctor | certified doctor
	tā shì yī wèi yǒu míng de yá yī 他是一位有名的牙医。 He is a famous dentist.
	♥ ***v.* cure; treat:**
	yī hù rén yuán 医护人员 | yī zhì 医治 doctors and nurses | cure; treat

zhè lǐ yī liáo tiáo jiàn tè bié hǎo
这里医疗条件特别好。
Medical conditions here are very good.

♥ ***n.* medicine; medical science:**

yī xué | yī yuàn
医学 | 医院
medicine | hospital

tā de yī shù hěn gāo míng
他的医术很高明。
He is a skilled doctor.

yí
宜

♥ ***adj.* suitable; appropriate; fitting:**

hé yí | shì yí
合宜 | 适宜
suitable; appropriate | fitting

yí jū
宜居
suitable for living

jǐng sè yí rén
景色宜人。
The scenery is attractive.

♥ ***v.* should; ought to:**

shì bù yí chí
事不宜迟。
Let us hurry up.

bù yí cāo zhī guò jí
不宜操之过急。
Haste makes waste.

zhè shìr yí zǎo bù yí wǎn
这事儿宜早不宜晚。
This should be done earlier rather than later.

yǐ 已

♥ *adv.* **already:**

yǐ wǎng
已 往
before; previously; in the past

yǐ zhī shù
已 知 数
datum; known number

tā yǐ jing zhī dào le
他已经知道了。
He already knows this.

yǐ 以

♥ *prep.* **with; by means of:**

yǐ yī dāng shí
以一当十
pit one against ten

yǐ bù biàn yìng wàn biàn
以不变应万变
meet all changes by remaining unchanged

yǐ lǐ fú rén yǐ qíng dòng rén
以理服人，以情动人。
Convince people by reasoning, and move people by feelings.

♥ *prep.* **according to:**

yǐ cì rù zuò
以次入座
take seats in order

yǐ yīn wéi xù
以音为序
order according to pronunciation

yǐ bǐ huà duō shǎo pái xù
以笔画多少排序
order according to the number of strokes

♥ ***prep.* expressing time, direction, and range of number:**

wǔ bǎi yǐ xià
五百以下
below five hundred

cháng jiāng yǐ běi huáng hé yǐ nán
长江以北，黄河以南
north of the Yangtze River and south of the Yellow River

♥ ***prep.* in order to; so as to:**

yǐ biàn
以便
so that; in order to

yǐ qī
以期
in the hope of

yǐ lì xià yī bù gōng zuò
以利下一步工作
for the purpose of work in the next step

yǐ
椅

♥ ***n.* chair:**

yǐ zi | yáo yǐ
椅子 | 摇椅
chair | rocking chair

zhè shì yī bǎ míng dài de tài shī yǐ
这是一把明代的太师椅。
This is a fauteuil made in Ming dynasty.

yǐ
椅
chair

yì

亿

(億)

♥ *num.* **a hundred million:**

yì wàn
亿 万
hundreds of millions; millions upon millions

yī yì nián qián
一 亿 年 前
a hundred million years ago

zhōng guó yǒu 13 yì rén
中 国 有 13 亿 人。
China has a population of one point three billion.

yì

义

(義)

♥ *n.* **justice; righteous:**

dào yì
道 义
morality and justice

zhèng yì
正 义
justice; righteousness

zhè shì wǒ men yì bù róng cí de
这 是 我 们 义 不 容 辞 的
zé rèn
责 任。
This is our unshirkable duty.

♥ *adj.* **righteous; equitable; just:**

yì jǔ | yì yǎn
义举 | 义 演
righteous deed | charity performance

kāi zhǎn yì mài huó dòng
开 展 义 卖 活 动
launch charity sales

♥ ***n.* human ties; relationships; friendship:**

yì qì
义气
code of brotherhood; personal loyalty

yǒu qíng yǒu yì
有情有义
affectionate and faithful

♥ ***adj.* adopted or adoptive:**

yì fù | yì nǚ
义父 | 义女
adoptive father | adopted daughter

yì
艺
(藝)

♥ ***n.* skill:**

shǒu gōng yì
手工艺
handicraft

yuán yì
园艺
gardening; horticulture

tā xiǎng zuò gè duō cái duō yì de rén
他想做个多才多艺的人。
He wants to be a versatile man.

♥ ***n.* art:**

yì míng
艺名
stage name

yì lín
艺林
the realm of art and literature

tā rè ài wén yì
她热爱文艺。
She loves literature and art.

yì
议
(議)

♥ *v.* **discuss; talk over; exchange views on:**

yì dìng
议 定
discuss and decide

yì lùn
议 论
discuss; talk; comment

dà jiā xiān bǎ zhè gè wèn tí yì yī xià
大家 先 把 这 个 问 题 议 一 下。
Let's discuss this issue first.

♥ *n.* **opinion; view:**

tí yì | yì yì
提 议 | 异 议
recommendation | different opinion

wǒ tí gè jiàn yì
我 提 个 建 议。
I have a suggestion.

yì
易

♥ *adj.* **easy:**

lái zhī bù yì | qīng ér yì jǔ
来之不易 | 轻 而 易 举
hard-earned; hard-won | easy to do

zhè zhǒng fāng fǎ jiǎn biàn yì xíng
这 种 方 法 简 便 易 行。
This method is simple and practical.

♥ *v.* **exchange:**

jiāo yì | mào yì
交 易 | 贸 易
deal; business | trade

yǐ wù yì wù
以物易物
barter

yì 意

♥ ***n.* meaning; idea; thought:**

lái yì
来 意
the purpose of a visitor

chū qí bù yì
出其不意
out of somebody's expectation

zhī kě yì huì bù kě yán chuán
只可意会，不可言传。
It can be sensed, but is beyond description.

yīn 因

♥ ***prep.* because; as a result of:**

yīn cǐ | yīn wèi
因此 | 因为
thus; therefore | because; as

tā yīn nǔ lì ér huò dé chéng gōng
他因努力而获得成功。
He succeeded due to his hard work.

♥ ***n.* cause; reason:**

chéng yīn | qián yīn hòu guǒ
成因 | 前因后果
cause of something | cause and effect

zhè shì yī zhǒng yīn guǒ guān xi
这是一种因果关系。
This is a kind of causality.

yīn 阴 (陰)

♥ ***adj.* cloudy; overcast:**

duō yún zhuǎn yīn | yīn tiān
多云转阴 | 阴天
cloudy to overcast | overcast sky

jīn tiān yòu yīn le
今天又阴了。
Today is cloudy again.

♥ ***n.* shade:**

yīn miàn
阴 面
shady side; back side; northern side

rén men zài shù yīn xià xiū xi
人 们 在 树 阴 下 休 息。
People are taking a rest under the shade of a tree.

yīn
音

♥ ***n.* sound:**

yīn yuè | dú yīn
音 乐 | 读 音
music | pronunciation

liú xíng yīn yuè
流 行 音 乐
popular music

zhè zhǒng shēng yīn duō hǎo tīng
这 种 声 音 多 好 听!
What a pleasant sound!

♥ ***n.* news:**

yīn xìn
音 信
message

wǒ men jìng hòu jiā yīn
我 们 静 候 佳 音。
We are waiting for good news silently.

♥ ***n.* syllable:**

dān yīn cí
单 音 词
monosyllabic word

duō yīn cí
多 音 词
polysyllabic word

xiàn dài hàn yǔ lǐ shuāng yīn cí duō
现代汉语里双音词多。
There are many double-syllable words in contemporary Chinese.

yín
银
(銀)

♥ ***n.*** **silver:**

bái yín | yín qián
白银 | 银钱
silver | money

zhè gè jiè zhi shì yín de
这个戒指是银的。
This is a silver ring.

♥ ***adj.*** **silver-colored:**

yín bái sè
银白色
silvery white

yín fā
银发
silver hair; gray hair

tài yáng xì bǐ yín hé xì xiǎo
太阳系比银河系小。
The solar system is smaller than the Milky Way Galaxy.

♥ ***n.*** **relating to currency or money:**

shōu yín tái
收银台
cashier's

yín háng
银行
bank

tā shì gè shōu yín yuán
她是个收银员。
She is a cashier.

yīng

应

(應)

♥ ***v.* should; ought to:**

yīng dāng
应 当
ought to

yīng gāi
应 该
should; be supposed to

yīng yǒu jìn yǒu
应 有 尽 有
have everything that one could ask for

See yìng on p.422

yīng

英

♥ ***adj.* talent or intelligence:**

yīng cái
英 才
outstanding person; talent

yè jiè jīng yīng
业 界 精 英
elites in business circles

jīn tiān zhào kāi de shì qún yīng huì
今 天 召 开 的 是 群 英 会。
The meeting today is a gathering of heroes.

♥ ***n.* Britain:**

yīng lǐ | yīng zhì
英 里 | 英 制
mile | British system of units

wǒ mǎi le yī tái 34 yīng cùn de diàn shì
我 买 了 一 台 34 英 寸 的 电 视。
I bought a thirty-four inch television.

yíng 迎

♥ ***v.* welcome; greet; go to meet:**

yíng jiē | yíng qīn
迎接 | 迎亲
meet; welcome | to meet the bride

huān yíng gè guó péng you lái zhōng guó xué xí hàn yǔ
欢迎各国朋友来中国学习汉语。
Friends from other countries are welcome to learn Chinese in China.

♥ ***prep.* against; towards:**

yíng fēng | yíng miàn
迎风 | 迎面
against the wind | in the face

yǐng 影

♥ ***n.* shadow:**

dào yǐng
倒影
inverted image; inverted reflection in water

yǐng zi
影子
shadow

tā men liǎ xíng yǐng bù lí
他们俩形影不离。
They are always together.

♥ ***n.* picture; photo:**

liú yǐng
留影
take a photo as a souvenir

yǐng jí
影集
photo album

bì yè hé yǐng yǐ jing ná dào le
毕业合影已经拿到了。
I have got the graduation group photo.

♥ ***n.* film; movie:**

yǐng piān yǐng yuàn
影片｜影院
film | cinema

tā shì yī wèi yǐng shì míng xīng
她是一位影视明星。
She is a film and TV star.

yìng

应

(應)

♥ ***v.* answer; respond; reply:**

yìng dá xiǎng yìng
应答｜响应
reply | respond; answer; in answer to

tā duì kǎo guān de tí wèn yìng duì rú liú
他对考官的提问应对如流。
He gave fluent answers to the examiner's questions.

♥ ***v.* accept; permit; meet the demand; comply with:**

yìng yāo
应邀
at the invitation of ab.

yìng yuē
应约
meet sb. by appointment

yìng guān zhòng yāo qiú ér jiā yǎn
应观众要求而加演。
Add performance to satisfy audiences' request.

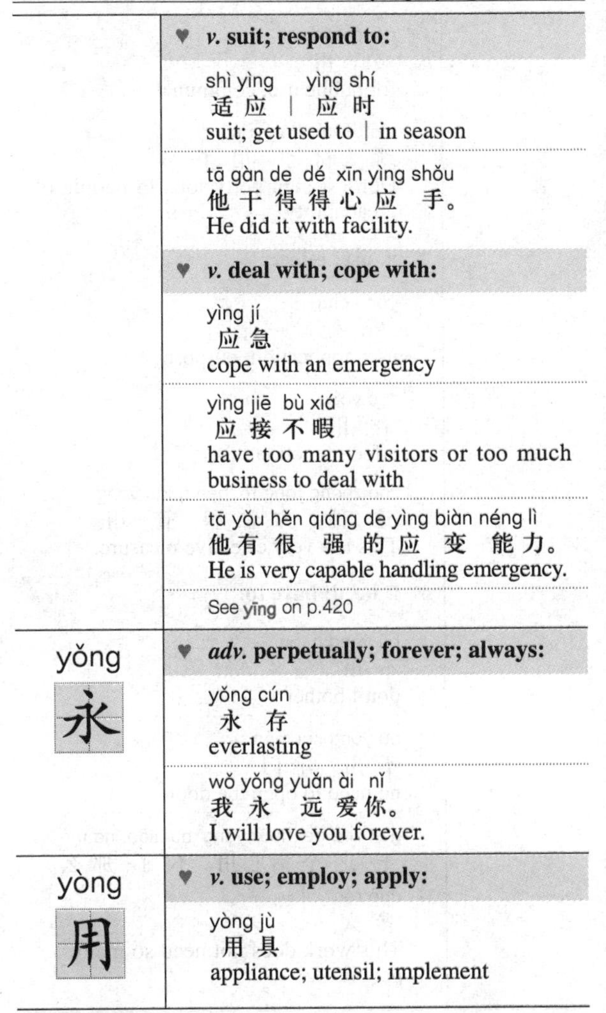

♥ ***v.* suit; respond to:**

shì yìng　yìng shí
适应 | 应时
suit; get used to | in season

tā gàn de dé xīn yìng shǒu
他干得得心应手。
He did it with facility.

♥ ***v.* deal with; cope with:**

yìng jí
应急
cope with an emergency

yìng jiē bù xiá
应接不暇
have too many visitors or too much business to deal with

tā yǒu hěn qiáng de yìng biàn néng lì
他有很强的应变能力。
He is very capable handling emergency.

See yīng on p.420

yǒng 永

♥ ***adv.* perpetually; forever; always:**

yǒng cún
永存
everlasting

wǒ yǒng yuǎn ài nǐ
我永远爱你。
I will love you forever.

yòng 用

♥ ***v.* use; employ; apply:**

yòng jù
用具
appliance; utensil; implement

gōng yòng
公用
for public use; communal

bié dà cái xiǎo yòng le
别大材小用了。
Don't assign petty jobs to people of great ability.

♥ ***n.* use; effect:**

yòng chù
用处
use; application; purpose

zuò yòng
作用
effect; function

zhè zhǒng fāng fǎ hěn guǎn yòng
这种方法很管用。
This is a very effective measure.

♥ ***v.* need; have to:**

bù yòng guǎn
不用管
don't bother

bù yòng kāi mén
不用开门
no need to open the door

gàn zhè gè huór yòng bù liǎo nà me duō rén
干这个活儿用不了那么多人。
This work does not need so many people.

♥ ***v.* eat; drink:**

qǐng màn yòng
请 慢 用。
Please enjoy your meal.

qǐng yòng shuǐ
请 用 水。
Please drink some water.

yòng wán cān zhī hòu qǐng xiū xi yī xià
用 完 餐 之 后 请 休息一下。
Please have a rest after the meal.

yōu
优
(優)

♥ ***adj.* excellent:**

yōu diǎn
优 点
strong points

yōu yù
优 育
provide children with the best possible health care and education

wǒ men shì zé yōu lù qǔ
我 们 是 择 优 录 取。
We employ on the basis of merit.

♥ ***adj.* ample; abundant; affluent; plentiful:**

yōu hòu
优 厚
munificent; generous; favourable

yōu huì tiáo jiàn
优 惠 条 件
favourable condition; easy terms

dài yù cóng yōu
待 遇 从 优
give preferential treatment

zhè shì yōu huì jià gé
这是优惠价格。
This is preferential price.

yóu 邮 (郵)

♥ ***v.* post; mail:**

yóu jì | yóu xìn
邮寄 | 邮信
post; send by post | post a letter

wǒ gěi nín yóu le yī zhāng zhào piàn
我给您邮了一张照片。
I mailed you a photo.

♥ ***n.* postal; mail:**

yóu piào | yóu jú
邮票 | 邮局
stamp | post office

tā zài yóu zhèng xì tǒng gōng zuò
他在邮政系统工作。
He works in the postal service.

♥ ***n.* stamp:**

yóu shì | yóu zhǎn
邮市 | 邮展
stamp market | philatelic exhibition

wǒ shì gè jí yóu ài hào zhě
我是个集邮爱好者。
I am a stamps cottector.

yóu 油

♥ ***n.* oil; fat; grease; petroleum:**

jī yóu | shí yóu
机油 | 石油
machine oil | oil; petroleum

tā xǐ huan yòng huā shēng yóu chǎo cài
她喜欢用花生油炒菜。
She likes to cook dishes with peanut oil.

♥ ***v.* paint:**

yóu qī | yóu chuāng hu
油漆 | 油窗户
paint | paint the window

xīn dǎ de jiā jù xū yào zài yóu yī biàn
新打的家具需要再油一遍。
Newly made furniture should be painted again.

♥ ***adj.* oily; glib:**

yóu qiāng huá diào | yóu zuǐ huá shé
油腔滑调 | 油嘴滑舌
glib; oily | glib-tongued

nǐ yě tài yóu le
你也太油了。
You are too tricky.

---

yóu
游

♥ ***v.* swim:**

yóu shuǐ | yóu yǒng
游水 | 游泳
swim | swim

wǒ men jīng cháng yǒu yǒng
我们经常游泳。
We always go to swim.

yú ér zài shuǐ zhōng yóu lái yóu qù
鱼儿在水中游来游去。
Fish are swimming around in water.

yóu
游
swim

♥ ***v.* move around; travel; stroll; tour:**

yóu kè　chūn yóu
游客 | 春游
traveller; tourist | spring outing

tā yún yóu sì fāng biàn fǎng míng shān dà chuān
他云游四方，遍访名山大川。
He travelled everywhere and visited well-known mountains and rivers.

♥ ***v.* hesitate:**

yóu yí bù dìng
游移不定
hesitate and cannot decide

♥ ***n.* section of a river; reach:**

shàng yóu　zhōng yóu
上游 | 中游
upper reach | middle reach

tā zhù zài cháng jiāng de xià yóu dì qū
他住在长江的下游地区。
He lives in the lower reaches of the Yangtze River.

yǒu 友

♥ ***n.* friend; acquaintance:**

péng you
朋友
friend

yǒu qíng
友情
friendship; friendly sentiment

lǎo wáng shì wǒ de xué yǒu
老王是我的学友。
Lao Wang is my schoolmate.

♥ *adj.* **intimate; friendly:**

tuán jié yǒu ài | yǒu hǎo
团结友爱 | 友好
fraternal unity | friendly; close friend

tā wéi rén yǒu shàn
他为人友善。
He behaves friendly.

yǒu
有

♥ *v.* **exist; there is:**

dì shàng yǒu shuǐ
地上有水。
There is water on the ground.

fáng jiān lǐ yǒu rén
房间里有人。
There are people in the room.

tā yǒu liǎng tái diàn nǎo
他有两台电脑。
He has two computers.

♥ *v.* **have; possess:**

lǐng yǒu
领有
possess; own

yǒu shēng yǒu sè
有声有色
vivid and lively

tā hěn yǒu běn shi
他很有本事。
He is very capable.

♥ *v.* **indicating occurrence or emergence:**

tā yǒu shìr chū qù le
他有事儿出去了。
He went out on business.

zhè lǐ yǒu le xīn de biàn huà
这里有了新的变化。
New changes have taken place here.

♥ ***v.* certain; some:**

yǒu rén shuō
有人说
it is said

yǒu yī tiān
有一天
some day

yǒu dì fang xià yǔ le
有地方下雨了。
It is raining somewhere.

♥ **used before certain verbs to form polite formulas:**

yǒu láo dà jià
有劳大驾。
Sorry to bother you; May I trouble you?

yǒu qǐng nín guāng lín
有请您光临。
Thanks you for your presence.

yòu

又

♥ ***adv.* again:**

bǐ le yòu bǐ
比了又比
compare again and again

shuō le yī cì yòu yī cì
说了一次又一次
say something again and again

yòu lái le
又来了。
It came again.

♥ ***adv.* indicating the simultaneous existence of more than one situation or property:**

tā gàn huó yòu hǎo yòu kuài
他干活又好又快。
He worked both quickly and well.

zhè lǐ de píng guǒ yòu dà yòu tián
这里的苹果又大又甜。
Apples here are both big and sweet.

♥ ***adv.* indicating a turning of meaning; used in rhetorical question to make it more emphatic:**

lái le rén yòu zǒu le
来了人，又走了。
Someone came, but went away again.

nǐ yòu méi cuò pà shén me
你又没错，怕什么。
You are not wrong. Don't worry.

yòu
右

♥ ***n.* right:**

yòu biān | yòu shǒu
右边 | 右手
right; right side | right hand

xiàng yòu zhuǎn
向右转！
Turn right!

yú
鱼

♥ ***n.* fish:**

jīn yú
金鱼
gold fish

yú shuǐ qíng
鱼水情
inseparable relationship between fish and water

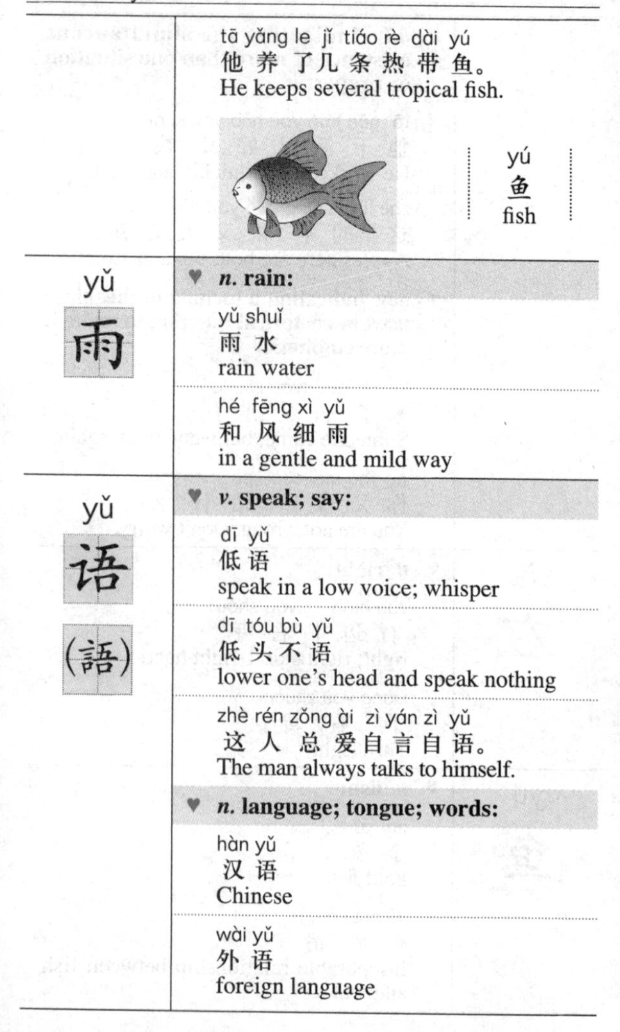

tā yǎng le jǐ tiáo rè dài yú
他养了几条热带鱼。
He keeps several tropical fish.

yú
鱼
fish

---

yǔ
雨

♥ ***n.* rain:**

yǔ shuǐ
雨水
rain water

hé fēng xì yǔ
和风细雨
in a gentle and mild way

---

yǔ
语
(語)

♥ ***v.* speak; say:**

dī yǔ
低语
speak in a low voice; whisper

dī tóu bù yǔ
低头不语
lower one's head and speak nothing

zhè rén zǒng ài zì yán zì yǔ
这人总爱自言自语。
The man always talks to himself.

♥ ***n.* language; tongue; words:**

hàn yǔ
汉语
Chinese

wài yǔ
外语
foreign language

qiān yán wàn yǔ
千 言 万 语
tens of thousands of words–have much to say

♥ ***n.* sign; signal:**

dēng yǔ
灯 语
lamp signal

shǒu yǔ
手 语
sign language; body language

tā yòng qí yǔ yǔ duì fāng jiāo liú
他 用 旗 语 与 对 方 交 流。
He communicated with the other side by flag signal.

yù 育

♥ ***v.* give birth to; labour:**

shēng yù
生 育
procreate

shēng ér yù nǚ
生 儿 育 女
bear sons and daughters

♥ ***v.* raise; bring up; rear:**

yù ér
育 儿
raise a child

yù lín
育 林
grow trees

yù zhǒng gōng zuò jìn zhǎn shùn lì
育 种 工 作 进 展 顺 利。
Breeding work progressed smoothly.

♥ ***v.* educate:**

jiào yù | yǎng yù
教育 | 养育
educate; education | bring up; rear; foster

wǒ de zhí zé jiù shì jiāo shū yù rén
我的职责就是教书育人。
My responsibility is to disseminate knowledge and educate people.

yuán
元

♥ ***adj.* first; primary; initial:**

yuán nián | yuán yuè
元年 | 元月
first year | January; first month of the lunar year

míng tiān jiù shì yuán dàn le
明天就是元旦了。
Tomorrow is New Year's Day.

♥ ***adj.* chief; principle; leading:**

yuán lǎo | yuán shǒu
元老 | 元首
founding father | head of state; monarch

tā jiù shì nà wèi lǎo yuán shuài
他就是那位老元帅。
He is the veteran marshal.

♥ ***adj.* basic; fundamental:**

yuán qì | yuán yīn
元气 | 元音
vitality; vigor | vowel

shuǐ shì rén lèi shēng cún bì xū de jī běn yuán sù zhī yī
水是人类生存必需的基本元素之一。
Water is one of the basic elements for human survival.

♥ ***classifier.* unit of money; same as "圆" (yuan):**

měi yuán ōu yuán
美 元 | 欧 元
US Dollar | Euro

1 yuán děng yú 100 fēn
1 元 等 于 100 分。
One *yuan* equals a hundred *fen*.

---

yuán
园
(園)

♥ ***n.* garden; plot; plantation:**

guǒ yuán yuán lín
果 园 | 园 林
orchard | garden; park

tā bà ba shì gè yuán yì shī
他 爸 爸 是 个 园 艺 师。
His father is a landscaper.

♥ ***n.* place of recreation; park; garden:**

dòng wù yuán
动 物 园
zoo

yóu lè yuán
游 乐 园
amusement park

tā men jīng cháng qù gōng yuán
他 们 经 常 去 公 园。
They always go to the park.

jiàn shè měi hǎo de jiā yuán
建 设 美 好 的 家 园。
Construct beautiful homestead.

yuán

♥ ***n.* person engaged in some field of work or study:**

guān yuán | yuán gōng
官员 | 员工
official | staff; personnel; clerk; worker

xiǎo gāo shì gè xīn xué yuán
小高是个新学员。
Xiao Gao is a new student.

♥ ***n.* member of a group or an organization:**

chéng yuán | huì yuán zhì
成员 | 会员制
member | membership

dǎng yuán
党员
party member

yuán

♥ ***adj.* primary; original; inceptive; at the very beginning:**

yuán lái
原来
originally; formerly

yuán shǐ shè huì
原始社会
primitive society

♥ ***adj.* crude; raw; unprocessed:**

yuán mù | yuán yóu
原木 | 原油
log; unprocessed wood | crude oil

zhè lǐ shì yuán cái liào tí gōng jī dì
这里是原材料提供基地。
Here is the base that supplies raw materials.

♥ ***adj.* original; former:**

yuán xiān
原 先
former; original

yuán yì
原 意
original meaning or intention

♥ ***n.* plain; level and extensive land:**

cǎo yuán | gāo yuán
草 原 | 高 原
grassland | highland

zhè lǐ shì gè dà píng yuán
这里是个大平原。
Here is a large plain.

yuǎn

远

(遠)

♥ ***adj.* far away in time or space; distant; remote:**

yuǎn fāng | yuǎn gǔ
远 方 | 远 古
distant place | remote antiquity

yuǎn qīn bù rú jìn lín
远亲不如近邻。
A far-away relative is not as helpful as a nearby neighbour.

♥ ***adj.* distant blood relation:**

yuǎn fáng
远 房
distant relative

♥ ***adj.* far:**

nǐ yuǎn bǐ tā hǎo
你远比他好。
You are by far better than he.

tā liǎ xìng gé xiāng chà hěn yuǎn
他俩性格相差很远。
They two are very much different in personality.

yuàn 院

♥ ***n.* yard; courtyard; compound:**

yuàn zi
院子
courtyard; yard; compound

gē ge zhù zài qián yuànr
哥哥住在前院儿。
The elder brother lives in the foreyard.

♥ ***n.* courtyard:**

sì hé yuàn
四合院
courtyard

yuàn zi lǐ zhǒng le hěn duō huār
院子里种了很多花儿。
Many flowers are planted in the yard.

♥ ***n.* designation for certain government organizations and public places:**

fǎ yuàn | huà yuàn
法院 | 画院
court | academy of fine art

wǒ zhèng zài diàn yǐng yuàn kàn diàn yǐng
我正在电影院看电影。
I am watching a film in the cinema.

♥ ***n.* college; university; hospital:**

chū yuàn
出院
be discharged from hospital

yuàn xiào
院 校
institute of learning

zhè lǐ shì jì suàn jī xué yuàn
这里是计算机学院。
Here is the Institute of Computer Technology.

yuàn
愿
(願)

♥ ***v.* be willing; be ready:**

qíng yuàn
情 愿
be willing

zì yuàn
自 愿
of one's own free will; voluntarily

wǒ shì yī míng ào yùn huì zhì yuàn zhě
我是一名奥运会志愿者。
I am a volunteer of the Olympic Games.

♥ ***v.* hope; wish; desire:**

yuàn wàng
愿 望
desire; wish; aspiration

tā zhōng yú rú yuàn le
她终于如愿了。
Her dream has finally come true.

yuè
月

♥ ***n.* moon:**

míng yuè | yuè guāng
明 月 | 月 光
bright moon | moon light

huā hǎo yuè yuán
花 好 月 圆
blooming flowers and full moon

yuè
月
moon

♥ ***n.* month:**

nián yuè
年 月
days; years; age; time

yuè chū
月 初
beginning of a month

wǒ mǎi de shì yuè piào
我 买 的 是 月 票。
What I bought is a monthly ticket.

yuè
乐
(樂)

♥ ***n.* music:**

shēng yuè | yuè qì
声 乐 | 乐 器
vocal music | musical instrument

tóng xué men zì jǐ zǔ zhī le yī gè xiǎo yuè duì
同 学 们 自 己 组 织 了 一 个 小 乐 队。
Students organized a small band by themselves.

See lè on p.188

yuè
越

♥ ***v.* get over; jump over; stride over; leap over:**

chuān yuè | kuà yuè
穿 越 | 跨 越
go through | span

tā chéng fēi jī fēi yuè le tài píng yáng
他 乘 飞机 飞 越 了 太 平 洋。
He flew over the Pacific Ocean.

♥ *v.* **exceed; overstep; go beyond:**

yuè jí
越 级
skip a rank; bypass one's immediate superior

yuè jiè
越 界
overstep the boundary; cross the border

tā yòu yuè wèi le
他 又 越 位 了。
He offsided again.

♥ ***adv.*** **used often repetitively to express deepening of degree:**

yuè fā
越 发
even more; all the more

yuè pǎo yuè kuài
越 跑 越 快
run faster and faster

tā de hàn yǔ yuè shuō yuè hǎo
他 的 汉 语 越 说 越 好。
His Chinese is getting better and better.

yún
云
(雲)

♥ ***n.*** **cloud:**

bái yún
白 云
white cloud

yún duǒ
云 朵
cloud

yún kāi rì chū tiān fàng qíng
云 开 日 出 天 放 晴。
The sun scatters the clouds.

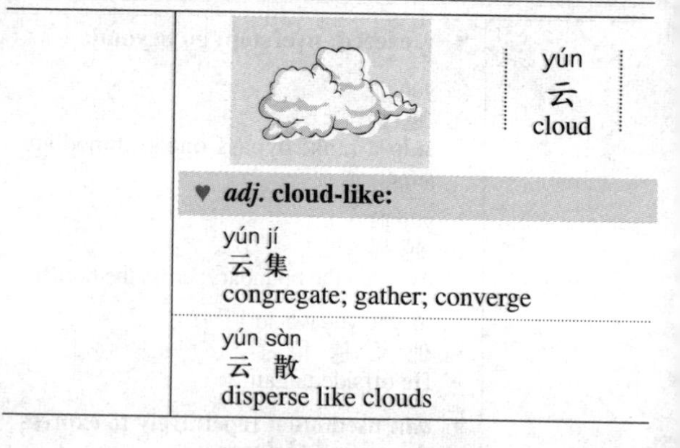

♥ ***adj.* cloud-like:**

yún jí
云集
congregate; gather; converge

yún sàn
云散
disperse like clouds

Z

zāi

灾

♥ ***n.* catastrophe; calamity; disaster:**

zāi hài
灾 害
catastrophe; calamity; disaster

zāi nàn
灾 难
disaster; calamity

cǎi qǔ yǒu lì cuò shī jiǎn shǎo tiān zāi
采取有力措施 减 少 天灾。
Take effective measures to minimize the losses inflicked by natural disasters.

zài

再

♥ ***adv.* once more; again; one more time:**

zài bǎn
再 版
second edition

zài lái yī cì
再 来一次
do it again

yī ér zài zài ér sān
一而再，再 而 三。
Over and over again; time and again.

♥ ***adv.* again:**

zài jiàn
再 见
goodbye; see you again; so long

míng tiān zài shuō
明 天 再 说
put off until tomorrow

shí nián hòu zán men zài xiāng huì
十 年 后 咱 们 再 相 会。
Let's meet again ten years later.

♥ ***adv.* indicating one action taking place after the completion of another:**

chī wán zài zǒu
吃 完 再 走
leave after having meal

yǔ tíng le zài qù
雨 停 了再 去。
Go when the rain stops.

xiǎng hǎo le zài dòng shǒu xiě
想 好 了再 动 手 写。
Get down writing once you have already thought about it.

♥ ***adv.* to a greater extent or degree:**

zài duō diǎn
再 多 点
some more

zài kuài diǎn
再 快 点
faster

nǐ hái néng zuò de zài hǎo yī xiē
你还 能 做 得 再 好 一 些。
You can do better.

zài
在

♥ ***v.* exist; be alive:**

zài shì
在 世
(of a person) be living; be alive

qīng chūn cháng zài
青 春 常 在
remain young forever

tā de fù mǔ dōu hái jiàn zài
他的父 母 都 还 健 在。
His parents are still in good health.

♥ ***v.* indicating where a person or something is:**

zài wèi
在 位
be on the throne; in office

zài zuò
在 座
presence at a meeting or a banquet

tā zài jiā lǐ
他在 家里。
He is at home.

♥ ***adv.* indicating an action on progress:**

tā zài kàn shū
他在 看 书。
He is reading a book.

tā zài shàng wǎng
他在 上 网。
He is surfing the internet.

tā zài tiào wǔ
她在 跳 舞。
She is dancing.

♥ ***v.* depend on; lie in; rely on:**

zài yú
在于
lie in; rely on; depend on

shì zài rén wéi
事 在 人 为。
Human effort is the decisive factor.

zhè shìr zài nǐ zì jǐ le
这 事儿在 你自己了。
It's up to you now.

♥ ***prep.* indicating time, place, scope, etc.:**

zài xiǎo yǔ zhōng sàn bù
在小雨中散步
take a walk in the drizzle

gōng rén zài chē jiān lǐ gōng zuò
工人在车间里工作。
Workers work in the workshop.

zán

咱

♥ ***pron.* we; us; our:**

zán bān | zán men
咱班 | 咱们
our class | we; us

zán men yào nǔ lì bǎ hàn yǔ xué hǎo
咱们要努力把汉语学好。
We should try our best to learn Chinese.

♥ ***pron.* I; me:**

nǐ bù shuō zán yě zhī dào
你不说咱也知道。
I know it even if you don't tell me.

zhè gè dào lǐ zán míng bái
这个道理咱明白。
I understand this.

zāng

脏

(髒)

♥ ***adj.* dirty; filthy; unclean:**

zāng shǒu zāng jiǎo
脏手脏脚
dirty hands and dirty feet

nǐ de yī fu zāng le
你的衣服脏了。
Your clothes are dirty.

See **zàng** on p.447

zàng 脏 (臟)

♥ ***n.* internal organs of the body; guts:**

gān zàng nèi zàng
肝 脏 | 内 脏
liver | internal organs; innerds

tā de xīn zàng gōng néng hěn hǎo
他的心 脏 功 能 很 好。
His heart functions well.

See zāng on p.446

zǎo 早

♥ ***n.* morning:**

zǎo diǎn
早 点
breakfast

zǎo fàn
早 饭
breakfast

zǎo shang hǎo
早 上 好。
Good morning.

♥ ***adj.* early; former; previous:**

zǎo qī
早 期
early time; early phase; early stage

zǎo shuì zǎo qǐ
早 睡 早 起
go to bed early and get up early

♥ ***adv.* long ago; long before:**

wǒ zǎo jiù zhī dào le
我 早 就知 道 了。
I knew it already.

wèn tí zǎo yǐ jiě jué le
问 题早已解 决了。
The problems were solved long ago.

zé 责 (責)

♥ ***v.* demand; exact:**

zé chéng
责 成
enjoin; instruct; charge

qiú quán zé bèi
求 全 责 备
demand perfection

zé rén cóng kuān zé jǐ cóng yán
责人 从 宽，责己从 严。
Be tolerant toward others and be strict with oneself.

♥ ***n.* duty; liability; responsibility:**

fù zé
负责
take responsibility; be responsible

zé rèn zhòng dà
责任 重 大
have a grave responsibility

bǎo hù huán jìng rén rén yǒu zé
保 护 环 境，人 人 有 责。
It is every citizen's duty to protect the environment.

zěn 怎

♥ ***pron.* why; how:**

zěn me bàn
怎 么 办
what to do

zěn me yàng
怎 么 样
how about; what about

wǒ zěn néng kàn zhe bù guǎn ne
我 怎 能 看 着 不 管 呢。
How can I just look on without doing anything.

zēng 增

♥ ***v.* add; increase; gain; enhance:**

zēng duō
增 多
grow in number or quantity; increase; become larger

zēng gāo
增 高
get higher; rise; increase

wǒ men de shōu rù yòu zēng jiā le
我 们 的 收 入 又 增 加了。
Our income has increased again.

zhǎn 展

♥ ***v.* open up; spread out; unfold:**

shū zhǎn
舒 展
unfold; extend

zhǎn kāi
展 开
spread; stretch

xiǎo niǎo zhǎn chì gāo fēi
小 鸟 展 翅 高 飞。
The little bird soared into the sky.

♥ ***v.* to enlarge; develop:**

fā zhǎn
发 展
develop

kuò zhǎn
扩 展
enlarge; expand; extend; spread

gōng zuò qǔ dé le hěn dà jìn zhǎn
工 作 取 得 了 很 大 进 展。
Big progress has been achieved in our work.

♥ ***v.* exhibit; display; show:**

zhǎn shì
展 示
show; put on a show

zhǎn xiāo
展 销
trade fair; commodity fair

zhè lǐ zhèng zài jǔ bàn guó jì shū zhǎn
这里正在举办国际书展。
An international book fair is going on here.

zhàn

站

♥ ***v.* stand; be on one's feet:**

zhàn lì
站立
stand

zhàn qǐ lái
站起来!
Stand up!

tā zhàn de hěn zhí
他站得很直。
He stood upright.

zhàn
站
stand

♥ ***v.* stop; come to a halt:**

zhàn zhù
站 住
come to a stop; stop; halt

wǒ pǎo de tài kuài le yī xià zǐ zhàn bù zhù
我跑得太快了，一下子站不住。
I was running so fast that I could not stop at once.

♥ ***n.* station; stop:**

huǒ chē zhàn | zhàn zhǎng
火车站 | 站长
railway station | station master

xīn háng zhàn lóu yǐ jing qǐ yòng
新航站楼已经启用。
The new airport terminal building has been put into service.

♥ ***n.* station or centre for rendering certain services:**

gōng zuò zhàn | wǎng zhàn
工作站 | 网站
working station | website

tā zài huà wù zhàn gōng zuò
她在话务站工作。
She works in the telephone centre.

zhāng
张
(張)

♥ ***v.* open; spread; draw; stretch:**

zhāng kāi shuāng yǎn
张开双眼
open one's eyes

zhāng zuǐ
张嘴
open one's mouth

hái zi yī zhāng kǒu jiù jiào mā ma
孩子一张口就叫妈妈。
The child called his mother as soon as he spoke.

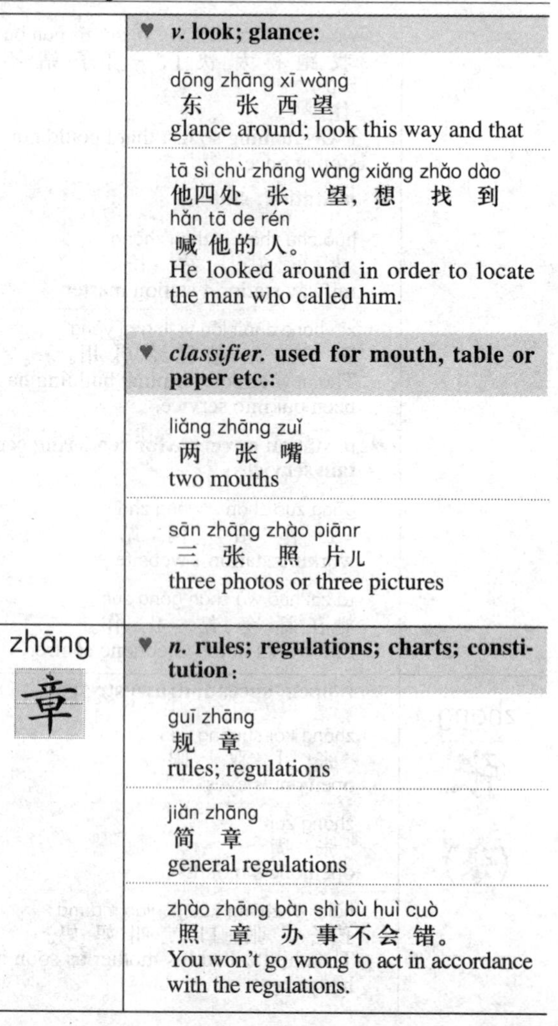

♥ **v. look; glance:**

dōng zhāng xī wàng
东 张 西 望
glance around; look this way and that

tā sì chù zhāng wàng xiǎng zhǎo dào
他四处 张 望，想 找 到
hǎn tā de rén
喊 他的 人。
He looked around in order to locate the man who called him.

♥ ***classifier.* used for mouth, table or paper etc.:**

liǎng zhāng zuǐ
两 张 嘴
two mouths

sān zhāng zhào piānr
三 张 照 片儿
three photos or three pictures

zhāng
章

♥ ***n.* rules; regulations; charts; constitution:**

guī zhāng
规 章
rules; regulations

jiǎn zhāng
简 章
general regulations

zhào zhāng bàn shì bù huì cuò
照 章 办 事 不 会 错。
You won't go wrong to act in accordance with the regulations.

♥ ***n.* chapter; section; division:**

yuè zhāng
乐 章
movement of a symphony

zhāng jié
章 节
section; chapter

zhè shū yī gòng liù zhāng
这 书 一 共 六 章。
There are six chapters in this book.

♥ ***n.* order; orderliness:**

zá luàn wú zhāng
杂 乱 无 章
disorderly; in a mess

bàn shì qing yào yǒu zhāng fǎ
办 事 情 要 有 章 法。
Run day-to-day affairs according to regulations.

zhǎng
长
(長)

♥ ***v.* grow; develop:**

chéng zhǎng
成 长
grow up; grow to maturity

zhǎng jiàn shi
长 见 识
increase one's knowledge; gain experience

shān shàng zhǎng mǎn le shù mù
山 上 长 满 了 树 木。
The mountains are covered with trees.

♥ ***adj.* older; elder; senior:**

nián zhǎng　zhǎngzǐ
年　长 | 长子
senior | eldest son

zhǎng bèi
长　辈
elder member of a family

♥ ***n.* chief; head; leader:**

bù zhǎng
部长
minister

shǒu zhǎng
首　长
senior official

xiào zhǎng
校　长
president; school headmaster

See **cháng** on p.28

zhǎng
掌

♥ ***n.* palm:**

zhǎng xīn
掌　心
center of the palm; sphere of control

jiǎo zhǎng
脚　掌
sole of the foot

tā zuò zhè shìr　yì rú fǎn zhǎng
他做　这事儿易如反　掌。
This is something as easy as turning his hand.

♥ ***v.* hold in one's hand; control; be in charge of; wield:**

zhǎng guǎn
掌 管
be in charge of; administer

zhǎng wò
掌 握
master; grasp; know well; have in hand

zhàng
账
(賬)

♥ ***n.* account:**

guǎn zhàng
管 账
take charge of account

zhàng běn
账 本
account book

zhè shì tā jì de zhàng
这 是 他记的 账。
This is the account that he kept.

♥ ***n.* debt; credit:**

huán zhàng
还 账
repay a debt

qiàn zhàng yǐ jing huán qīng le
欠 账 已经 还 清 了。
Debts have been paid off.

zhāo
着

♥ ***n.* a move in a chess game:**

gāo zhāor
高 着儿
clever move

bié zhī zhāor
别 支 着儿!
Don't tell him how to do it!

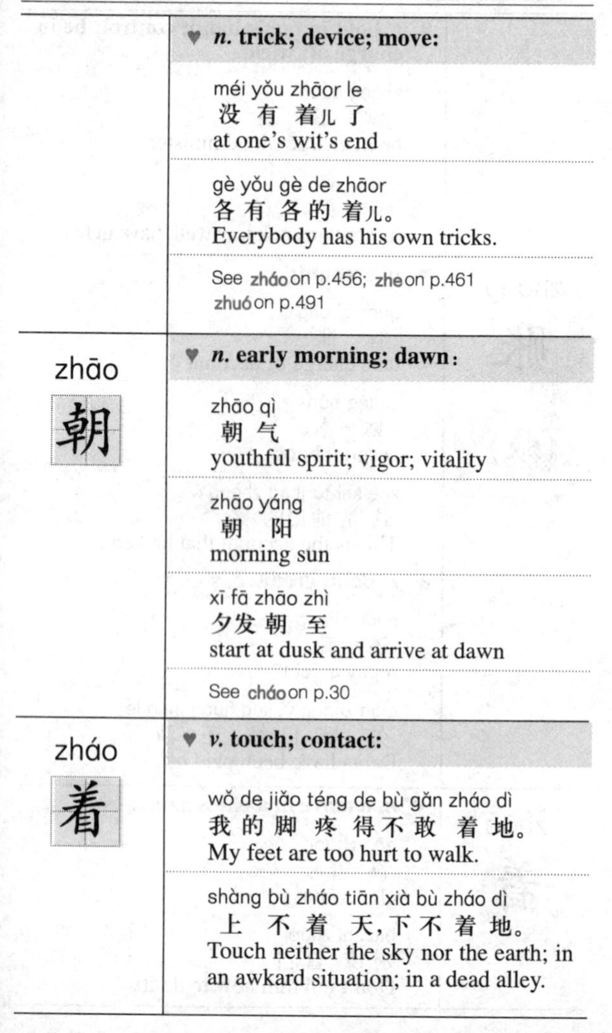

♥ ***n.* trick; device; move:**

méi yǒu zhāor le
没 有 着儿 了
at one's wit's end

gè yǒu gè de zhāor
各 有 各的 着儿。
Everybody has his own tricks.

See zháo on p.456; zhe on p.461
zhuó on p.491

zhāo 朝

♥ ***n.* early morning; dawn:**

zhāo qì
朝 气
youthful spirit; vigor; vitality

zhāo yáng
朝 阳
morning sun

xī fā zhāo zhì
夕发 朝 至
start at dusk and arrive at dawn

See cháo on p.30

zháo 着

♥ ***v.* touch; contact:**

wǒ de jiǎo téng de bù gǎn zháo dì
我 的 脚 疼 得不 敢 着 地。
My feet are too hurt to walk.

shàng bù zháo tiān xià bù zháo dì
上 不 着 天，下 不 着 地。
Touch neither the sky nor the earth; in an awkard situation; in a dead alley.

♥ ***v.* feel; suffer:**

zháo fēng
着 风
be chilled by the wind; become unwell for staying in a draught

zháo liáng
着 凉
catch a cold; catch a chill

qǐng nín bù yào zháo jí
请 您 不 要 着 急。
Please don't worry.

♥ ***v.* burn; be ignited; be lit:**

zháo huǒ le
着 火 了。
A fire broke out.

lù dēng hái méi yǒu zháo ne
路 灯 还 没 有 着 呢。
The streetlights are not on yet.

♥ ***v.* uesd after a verb to indicate the result of reaching the goal or the action:**

dǎ zháo le
打 着 了
hit the target

dēng diǎn zháo le
灯 点 着 了。
The lamp is lit.

hái zi yǐ jing shuì zháo le
孩 子 已 经 睡 着 了。
The child has fallen asleep.

See **zhāo** on p.455; **zhe** on p.461
zhuó on p.491

zhǎo 找

♥ ***v.* try to find; look for; seek:**

zhǎo rén
找 人
look for sb.

xún zhǎo
寻 找
search; look for; in search of

zhè shì wǒ bāng nín zhǎo de cái liào
这 是 我 帮 您 找 的 材 料。
This is the material that I found for you.

♥ ***v.* give change:**

zhǎo líng qián
找 零 钱
give change

zhǎo qí
找 齐
balance; even up; make complete

zhè shì zhǎo gěi nín de qián
这 是 找 给 您 的 钱。
This is your change.

zhào 照

♥ ***v.* shine; illuminate; light up; radiate:**

rì zhào | zhào míng
日照 | 照 明
sunshine | illumination; lighting

gěi xiǎo wáng zhào lù
给 小 王 照 路。
Light Xiao Wang's way.

yáng guāng zhào zài tā de liǎn shàng
阳 光 照 在她的 脸 上。
Her face is lit by the sunlight.

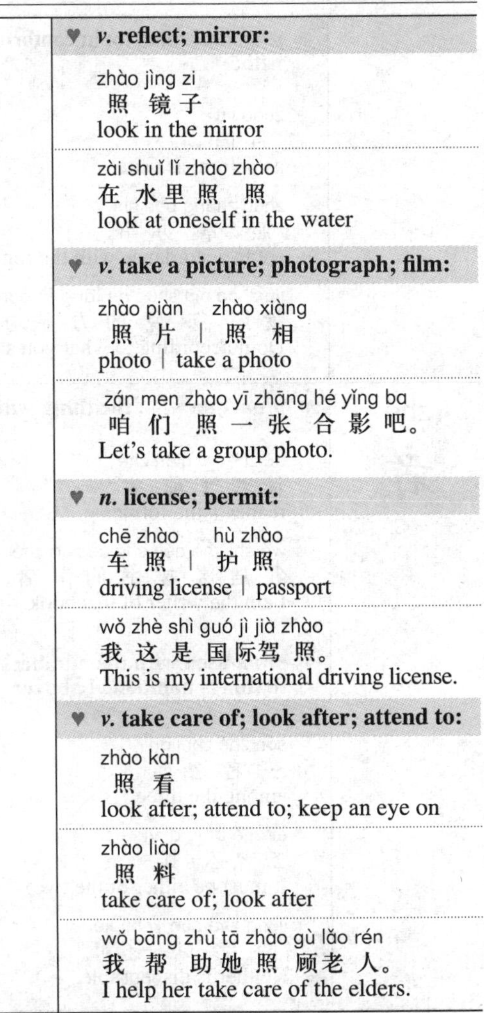

♥ ***v.* reflect; mirror:**

zhào jìng zi
照 镜 子
look in the mirror

zài shuǐ lǐ zhào zhào
在 水 里 照 照
look at oneself in the water

♥ ***v.* take a picture; photograph; film:**

zhào piàn　zhào xiàng
照 片 | 照 相
photo | take a photo

zán men zhào yī zhāng hé yǐng ba
咱 们 照 一 张 合 影 吧。
Let's take a group photo.

♥ ***n.* license; permit:**

chē zhào　hù zhào
车 照 | 护 照
driving license | passport

wǒ zhè shì guó jì jià zhào
我 这 是 国 际 驾 照。
This is my international driving license.

♥ ***v.* take care of; look after; attend to:**

zhào kàn
照 看
look after; attend to; keep an eye on

zhào liào
照 料
take care of; look after

wǒ bāng zhù tā zhào gù lǎo rén
我 帮 助 她 照 顾 老 人。
I help her take care of the elders.

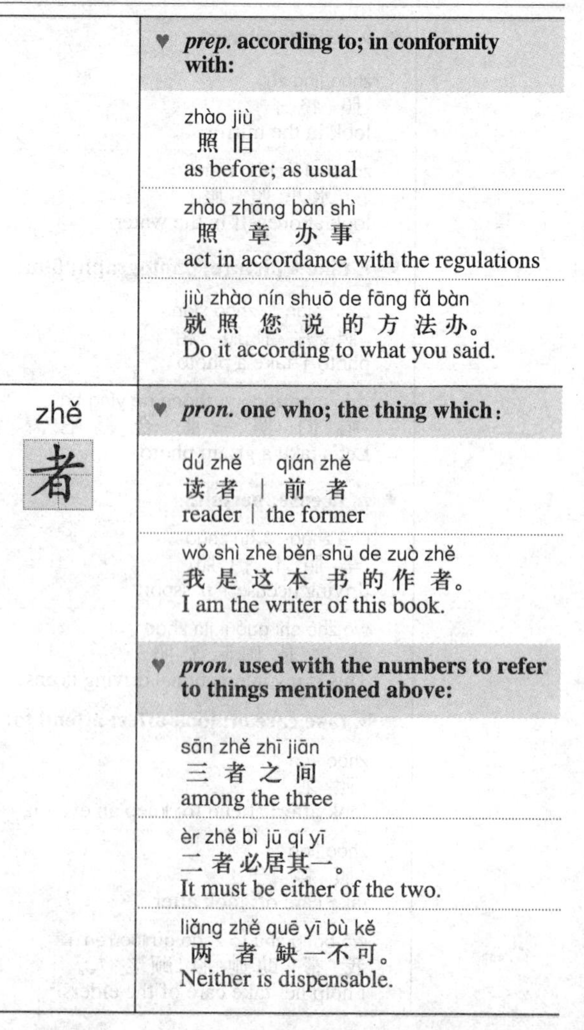

♥ ***prep.* according to; in conformity with:**

zhào jiù
照 旧
as before; as usual

zhào zhāng bàn shì
照 章 办 事
act in accordance with the regulations

jiù zhào nín shuō de fāng fǎ bàn
就 照 您 说 的 方 法 办。
Do it according to what you said.

zhě
者

♥ ***pron.* one who; the thing which:**

dú zhě | qián zhě
读 者 | 前 者
reader | the former

wǒ shì zhè běn shū de zuò zhě
我 是 这 本 书 的 作 者。
I am the writer of this book.

♥ ***pron.* used with the numbers to refer to things mentioned above:**

sān zhě zhī jiān
三 者 之 间
among the three

èr zhě bì jū qí yī
二 者 必居其一。
It must be either of the two.

liǎng zhě quē yī bù kě
两 者 缺一不可。
Neither is dispensable.

zhè 这 (這)

♥ *pron.* **this**:

zhè gè　zhè rén
这个 | 这人
this one | this person

jiù zài zhèr zhù xià ba
就在这儿住下吧。
Let's settle down here.

♥ *pron.* **now; then:**

zhè huìr　zhè shí hou
这会儿 | 这时候
now; at the moment | now

wǒ zhè shí cái zhī dào
我这时才知道。
I didn't know it until now.

zhe 着

♥ **be doing**:

wǒ men zhèng tán zhe ne
我们正谈着呢。
We are just talking about it.

tā shǒu lǐ ná zhe yī běn shū
她手里拿着一本书。
She is holding a book in her hand.

♥ **used after a verb**:

cháo zhe zhè biān lái
朝着这边来。
Walk toward this side.

zhào zhe wǒ shuō de bàn jiù kě yǐ le
照着我说的办就可以了。
It is OK to do as what I said.

♥ **used after adjectives or verbs to strengthen the tone:**

nǐ děng zhe
你 等 着!
Just wait!

kuài zhe diǎnr
快 着 点儿!
Be quick!

bù zi kuài zhe diǎnr
步子 快 着 点儿。
Quicken your steps, please.

See **zhāo** on p.455; **zháo** on p.456
zhuó on p.491

zhēn

真

♥ ***adj.* true; real; genuine:**

zhēn cái shí xué | zhēn lǐ
真 才 实 学 | 真 理
real ability and learning | truth

zhè kě shì qiān zhēn wàn què de
这 可 是 千 真 万 确 的。
This is absolutely true.

♥ ***adv.* really; truly; indeed:**

zhēn hǎo
真 好
really good

zhēn piào liang
真 漂 亮
really beautiful

nǐ hàn yǔ shuō de zhēn hǎo
你 汉 语 说 得 真 好。
You speak very good Chinese.

♥ ***n.* portrait; image:**

chuán zhēn
传 真
fax

xiě zhēn
写 真
draw a portrait

tā dǎ kāi le chuán zhēn jī
他打开了传真机。
He turned on the fax machine.

zhēng 正

♥ ***n.* first month of the lunar year; first moon:**

zhēng yuè
正 月
first month of the lunar year; first moon

zhēng yuè chū yī
正 月 初 一
Chinese New Year's Day

See **zhèng** on p.463

zhèng 正

♥ ***adj.* in the centre; main:**

zhèng fáng
正 房
principle or main room facing south

bǎ zhào piàn guà zhèng
把 照 片 挂 正
hang the picture straight

zuò zhèng le
坐 正 了。
Please sit straight.

♥ ***adj.* chief; principle:**

zhèng běn
正 本
original copy

zhèng tí
正 题
subject of a talk or essay

zhèng jiào shòu
正 教 授
full professor

tā shì gè zhèng bù zhǎng
他是个 正 部 长。
He is a chief minister.

♥ ***adj.* right; correct; honest; upright:**

zhèng dàng
正 当
correct; right

tā wéi rén hěn zhèng zhí
他为人很 正 直。
He is an upright man.

♥ ***adv.* be doing; just; just now:**

tā zhèng zài shàng kè ne
他正 在 上 课呢。
He is in the class now.

wài biān zhèng xià yǔ ne
外 边 正 下雨呢。
It is raining outside.

wǒ zhèng kàn shū ne
我 正 看 书 呢。
I am reading a book.

♥ ***adv.* just; precisely; exactly:**

zhèng hǎo
正 好
just enough; just right

zhèng hé nǐ yì
正 合你意。
It's precisely to your liking.

yī fu de cháng duǎn zhèng hé shì
衣服的 长 短 正 合适。
The clothes fit perfectly.

♥ ***adj.* front; obverse; right side:**

zhèng miàn
正 面
right side; obverse

zhèng fǎn liǎng miàn
正 反 两 面
front and back sides

zhǐ de zhèng miàn bǐ jiào guāng huá
纸的 正 面 比较 光 滑。
The right side of the paper is smooth.

See **zhēng** on p.463

zhèng
证
(證)

♥ ***v.* testify to; prove; demonstrate:**

lùn zhèng
论 证
expound and prove

zhèng shí
证 实
confirm; verify

tā kě yǐ zhèng míng zhè shì zhēn shí de
他可以 证 明 这 是 真 实的。
He can testify that this is true.

♥ ***n.* evidence; proof; certificate:**

rén zhèng
人 证
witness

wù zhèng
物 证
material evidence

zhè shì wǒ de xué shēng zhèng
这是我的学 生 证。
This is my student card.

zhèng

政

♥ ***n.* politics; political affairs:**

zhèng cè
政 策
policy

zhèng fǔ
政 府
government

zhèng wù
政 务
administrative affairs

♥ ***n.* certain administrative aspects of government:**

cái zhèng bù
财 政 部
ministry of finance

yóu zhèng jú
邮 政 局
post office

tā zài mín zhèng jú gōng zuò
他在民 政 局 工 作。
He works at the civil administration bureau.

zhī

之

♥ ***pron.* used in place of objective noun or pronoun:**

cāo zhī guò jí
操之过急
too hasty

qiú zhī bù dé
求之不得
all one can hope for

yǒu guò zhī ér wú bù jí
有过之而无不及
go beyond

♥ **the same as "的" (de):**

yuán gōng zhī jiā
员工之家
employees' entertainment centre

wú jià zhī bǎo
无价之宝
priceless treasure

zhè jiù shì tā de yán wài zhī yì
这就是他的言外之意。
This is his real meaning.

zhī

支

♥ ***v.* support; sustain; bear:**

zhī jià
支架
support; trestle; stand

lè bù kě zhī
乐不可支
overwhelmed with joy

tǐ lì bù zhī
体力不支
be too tired to go on doing something

♥ ***n.* branch; offshoot:**

zhī liú　　zhī xiàn
支流 | 支线
tributary | branch line; feeder line

zhè shì yī gè fēn zhī jī gòu
这是一个分支机构。
This is a branch department.

♥ ***v.* pay or withdraw:**

zhī chū　　zhī qǔ
支出 | 支取
expense | withdraw

zuì jìn kāi zhī tài dà le
最近开支太大了。
The expenditure was too much recently.

zhī
只
(隻)

♥ **used as a classifier:**

liǎng zhī yā zi　　yī zhī xié
两只鸭子 | 一只鞋
two ducks | a shoe

hú shàng yǒu sān zhī xiǎo mù chuán
湖上有三只小木船。
There are three small wood boats on the lake.

♥ ***adj.* single; one only:**

zhī shēn yī rén
只身一人
by oneself

zhī yán piàn yǔ
只言片语
a word or two

tā duì zhè shìr zhī zì wèi tí
他对这事儿只字未提。
He did not utter a word about this.

See zhǐ on p.471

zhī 汁

♥ ***n.* juice:**

guǒ zhīr 果汁儿 | tāng zhī 汤汁
fruit juice | soup

yī wǎn niú ròu zhī
一碗牛肉汁
a bowl of beef broth

zhī 知

♥ ***v.* know; realize; be aware of:**

zhī dào
知道
know; realize

zhī wú bù yán
知无不言
say all one knows

míng zhī gù wèn
明知故问
ask while knowing the answer

♥ ***n.* learning; knowledge:**

qiú zhī 求知 | zhī shi 知识
seek knowledge | knowledge

♥ ***v.* inform; notify; tell:**

gào zhī
告知
inform

zhòng suǒ zhōu zhī
众所周知
it is known to all

tōng zhī dà jiā fàng jià de shí jiān
通知大家放假的时间。
Inform everybody of the time of taking holidays.

zhí

♥ ***adj.* straight:**

bǐ zhí　　píng zhí
笔直 | 平直
bolt upright | smooth and straight

tā zhí qǐ shēn zi xiū xi le yī huìr
他直起身子休息了一会儿。
He straightened his body to have a rest.

♥ ***adj.* candid; frank; downright:**

zhèng zhí
正直
righteous; honest

zhí xìng zi
直性子
out-spoken personality

tā shì gè xīn zhí kǒu kuài de rén
他是个心直口快的人。
He is a out-spoken and straight-forward man.

♥ ***adv.* straight; directly:**

zhí dá　　zhí jiē
直达 | 直接
go straight to | direct; immediate

yī zhí wǎng qián zǒu
一直往前走
go straight foward

huì yì yī zhí kāi dào wǎn shang cái jié shù
会议一直开到晚上才结束。
The meeting did not come to an end until evening.

zhǐ

只

(衹)

♥ ***adv.* only; just; merely:**

zhǐ yào
只 要
if only; as long as; provided

wǒ zhǐ zhī dào zhè xiē
我 只 知 道 这 些。
This is what I know.

zhǐ xǔ nǐ men liǎng gè qù
只 许 你 们 两 个 去。
Only you two are allowed to go.

See zhī on p.468

zhǐ

纸

(紙)

♥ ***n.* paper:**

zhǐ zhāng | bào zhǐ
纸 张 | 报 纸
paper | newspaper

dìng yí fèn bào zhǐ
订 一 份 报 纸
subscribe to a newspaper

bāo zhuāng zhǐ yīng gāi huí shōu
包 装 纸 应 该 回 收。
Wrapping paper should be reclaimed.

zhǐ

指

♥ ***n.* finger:**

wú míng zhǐ
无 名 指
ring finger

zhǐ tou
指 头
finger

qū zhǐ kě shǔ
屈 指 可 数
can be counted on one's fingers—very few

♥ ***v.* point to; point at:**

zhǐ xiàng　zhǐ zhe qián fāng
指 向 | 指 着 前 方
point at; point to | point to the front

tā yòng shǒu zhǐ le zhǐ hēi bǎn
他用手指了指黑板。
He pointed at the blackboard with his finger.

♥ ***v.* give direction or guidance:**

zhǐ diǎn
指点
advice

zhǐ míng
指明
show clearly; point out

qǐng duō zhǐ jiào
请多指教。
Kindly give us your advice, please.

♥ ***v.* depend on; rely on; lie in:**

zhǐ wàng
指望
expect; count on

bù néng zhǐ zhǐ wàng yī gè rèn
不能只指望一个人。
We can't reckon on just one person.

dé guàn jūn quán zhǐ zhe nǐ la
得冠军全指着你啦。
It all depends on you to gain the champion.

zhì

至

♥ *v.* **up to; to; until:**

zhì cǐ
至此
until now; by now; up to this time

shí zhì jīn rì
时至今日
up to this day

cóng gǔ zhì jīn dōu shì zhè yàng de
从古至今都是这样的。
It has been like this since ancient times.

♥ ***adj.*** **very; most:**

zhì lǐ míng yán
至理名言
wise saying; most sensible remarks

zhì qīn hǎo yǒu
至亲好友
beloved family and friends

tā men liǎ shì zhì jiāo
他们俩是至交。
They two are close friends.

♥ ***adv.*** **extremely; supreme:**

zhì gāo wú shàng
至高无上
supreme; sovereign

zhì shǎo
至少
at least

jì zhù zhè yī diǎn zhì guān zhòng yào
记住这一点至关重要。
It is of great importance to remember this point.

zhì

志

♥ ***n.* ambition; ideal; aspiration; will; wish:**

zhì qì
志 气
aspiration; spirit; ambition

zhì xiàng
志 向
ambition

wǒ men shì zhì tóng dào hé de péng you
我 们 是志 同 道 合的 朋 友。
We are like-minded friends.

♥ ***n.* written or printed documents; records; annals:**

rì zhì
日志
daily record; journal

zhè běn shū míng jiào sān guó zhì
这 本 书 名 叫《 三 国 志》。
The title of this book is *Records of Three Kingdoms*.

zhì

制

♥ ***v.* make; produce; turn out:**

dìng zhì
定 制
tailor-made; custom-made

zhì tú
制 图
charting; drawing; mapping

zhè shì yī jiàn fù zhì pǐn
这 是 一 件 复 制 品。
This is a replica.

♥ ***v.* rule; control; restrict; restrain:**

guǎn zhì
管 制
control; put under surveillance

kè zhì
克 制
control; restraint

yǐn shí yào yǒu jié zhì
饮 食 要 有 节 制。
Eating and drinking should be morderate.

♥ ***n.* system; institution:**

fǎ zhì
法 制
legal system

xué zhì
学 制
educational system; length of schooling

xué zhì shì sān nián
学 制 是 三 年。
The length of schooling is three years.

zhì 治

♥ ***v.* rule; govern; control:**

zhì guó
治 国
govern a country; manage state affairs

zì zhì qū
自 治 区
autonomous region

tā zhì jiā yǒu fāng
她 治 家 有 方。
She was talented in running a household.

♥ ***v.* treat; cure; heal:**

zhì liáo
治疗
cure; treat; heal

zhì gǎn mào de yào
治感冒的药
cold cure; cold remedy

tā néng zhì hǎo zhè zhǒng bìng
他能治好这种病。
He can cure this kind of illness.

zhōng

中

♥ ***n.* centre; middle:**

jū zhōng
居中
in the middle; at the centre

zhōng xīn
中心
centre; midst; middle

yuàn zi zhèng zhōng yǒu kē píng guǒ shù
院子正中有棵苹果树。
There is an apple tree in the middle of the yard.

♥ ***n.* in; among; amid; amidst:**

jiā zhōng
家中
in the family; at home; in the house

xīn zhōng
心中
at heart; in mind; on one's mind

zhè shì yī suǒ kōng zhōng hàn yǔ xué xiào
这是一所空中汉语学校。
This is a broadcasting Chinese language school.

♥ ***n.* medium; intermediate:**

zhōng jí | zhōng jiān
中 级 | 中 间
intermediate | in the middle

hái zi yǐ jing shàng zhōng xué le
孩子已经上中学了。
The child has already entered middle school.

♥ ***n.* China:**

gǔ jīn zhōng wài
古今中外
at all times and in all countries

zhōng xī jié hé
中西结合
mixture of Chinese and Western

zhōng yī shì zhōng guó de chuán tǒng yī xué
中医是中国的传统医学。
Chinese medicine is China's traditional medicine.

See zhòng on p.479

zhōng
钟
(鐘)
(鍾)

♥ ***n.* clock; bell:**

shí zhōng | zhōng biǎo
时 钟 | 钟 表
clock; timepiece | clocks and watches

zuò zhōng
座钟
desk clock

zhōng
钟
clock

♥ ***n.* time:**

sān diǎn zhōng
三 点 钟
three o'clock

zhōng diǎn
钟 点
hour; time at which sth. happens or gets done

nǐ shí fēn zhōng zhī hòu zài lái
你十分 钟 之后 再来。
Please come again ten minutes later.

shí fēn zhōng jiù kě yǐ dào nà lǐ
十分 钟 就可以 到 那里。
It takes ten minutes to get there.

♥ ***n.* bell:**

zhōng lóu
钟 楼
bell tower; clock tower

zhōng shēng xiǎng le 12 xià
钟 声 响 了12下。
The bell rang twelve times.

♥ ***v.* focus on; concentrate on:**

zhōng ài
钟 爱
love; cherish

zhōng qíng
钟 情
be deeply in love with

tā men liǎ yī jiàn zhōng qíng
他们俩一见 钟 情。
They two fell in love at first sight.

zhòng

♥ ***v.* fit exactly; hit:**

bǎi fā bǎi zhòng
百发百 中
shoot with a hundred percent accuracy

zhòng yì
中 意
catch somebody's fancy

ràng nǐ shuō zhòng le
让 你 说 中 了。
You have hit it.

♥ ***v.* suffer; undergo; be affected by:**

zhòng dú | zhòng fēng
中 毒 | 中 风
be poisoned | stroke

nǐ zhòng le tā de jì le
你 中 了他的计了。
You fell into his traps.

See **zhōng** on p.476

zhòng

(衆)

♥ ***adj.* many; numerous:**

zhòng kǒu yī cí
众 口 一词
unanimous; in one voice

♥ ***n.* many people; crowd; multitude:**

mín zhòng
民 众
the masses; multitude

wàn zhòng yī xīn
万 众 一心
all the people of one mind

guān zhòng men pāi shǒu jiào hǎo
观 众 们拍 手 叫 好。
The audience all clapped and shouted "bravo".

zhòng
重

♥ ***adj.* heavy; weighty; hefty; important:**

zhòng liàng
重 量
weight

zhè kuài shí tou zhòng de hěn
这 块 石 头 重 得 很。
This stone is rather heavy.

♥ ***n.* weight; heft:**

jìng zhòng
净 重
net weight

máo zhòng
毛 重
gross weight

jǔ zhòng
举 重
weight lifting

tā de tǐ zhòng jiǎn qīng le
他 的 体 重 减 轻 了。
He lost weight.

♥ ***v.* attach importance to; lay stress on:**

kàn zhòng
看 重
think a lot of; value

zhòng shì
重 视
attach importance to; think much of

tā hěn zhòng shì nǐ
他 很 重 视 你。
He thinks much of you.

♥ *adj.* **deep; serious:**

zhòng bìng zài shēn
重病在身
be seriously ill

zhòng shāng
重伤
gravely wounded; critically wounded

zhè fú huà de yán sè hěn zhòng
这幅画的颜色很重。
The colours of this painting are very dark.

zhōu
州

♥ *n.* **administrative division; prefecture:**

zhōu zhǎng
州长
chief executive; governor

zì zhì zhōu
自治州
autonomous prefecture

zhōu
周

♥ *n.* **make a circuit; make a circle:**

zhōu nián
周年
anniversary

zhōu ér fù shǐ
周而复始
move in cycles; go round and round

dì qiú rào tài yáng yī zhōu wéi yī nián
地球绕太阳一周为一年。
It takes a year for the earth to circle around the sun once.

♥ ***adj.* all; whole:**

zhōu yóu
周 游
travel around

zhōu shēn shì tǔ
周 身 是 土
be covered by dirt all over the body

zhòng suǒ zhōu zhī
众 所 周 知
it is known to all

♥ ***adj.* thoughtful; with no detail missing:**

zhōu quán
周 全
thorough; comprehensive

zhào gù bù zhōu
照 顾 不 周
not take good care of

tā men de fú wù hěn zhōu dào
她 们 的 服 务 很 周 到。
They offered good service.

♥ ***n.* week:**

shàng yī zhōu　zhōu wǔ
上 一 周 | 周 五
last week | Friday

yī gè yuè yǒu sì zhōu
一个 月 有 四 周。
There are four weeks in one month.

zhōu rì yǒu wǎn huì
周 日 有 晚 会。
There will be an evening party on Sunday.

zhōu 洲

♥ ***n.* land of sand, stone, or silt built up in a river; sandbar:**

lǜ zhōu　shā zhōu
绿洲 | 沙洲
oasis | sandbar

jiāng xīn xiǎo zhōu
江心小洲
sandbar in the centre of a river

♥ ***n.* continent:**

yà zhōu　ōu zhōu
亚洲 | 欧洲
Asia | Europe

měi guó hé jiā ná dà wèi yú běi měi zhōu
美国和加拿大位于北美洲。
The U.S. and Canada are in North America.

zhū 猪

♥ ***n.* pig:**

zhū ròu　zhū sì liào
猪肉 | 猪饲料
pork | pig fodder

xiǎo zhū hěn kě ài
小猪很可爱。
The piggy is very lovely.

mǔ zhū shēng le 12 zhī xiǎo zhū
母猪生了12只小猪。
The sow gave birth to twelve piggies.

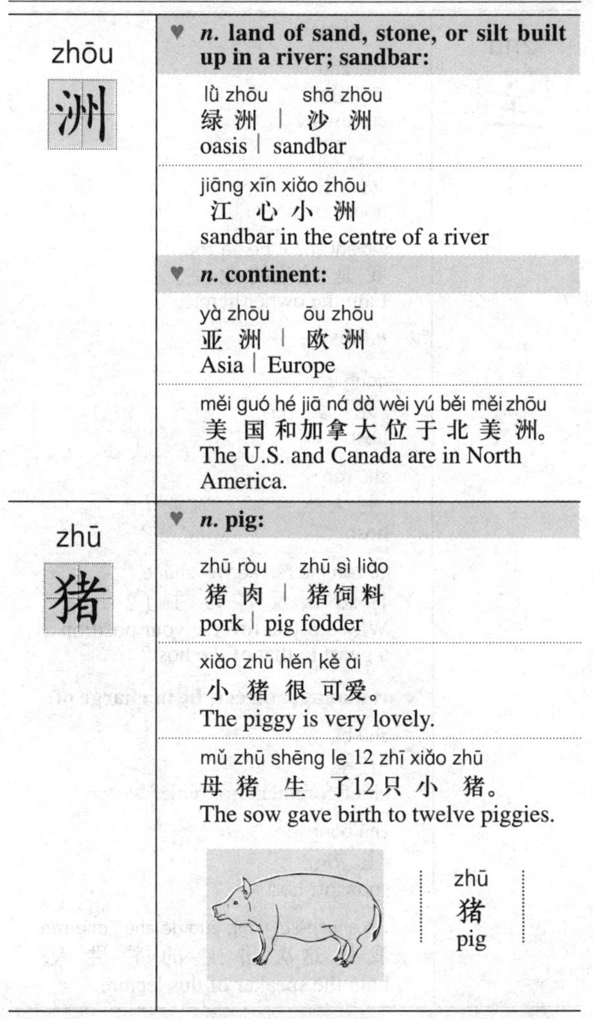

zhū
猪
pig

zhǔ

主

♥ ***n.* owner:**

chē zhǔ
车 主
car owner

fáng zhǔ
房 主
house owner

wǒ shì zhè lǐ de yè zhǔ
我 是 这里的 业 主。
I am the owner here.

♥ ***n.* host:**

dōng dào zhǔ
东 道 主
host

zhǔ rén
主 人
host

nǐ zěn me fǎn kè wéi zhǔ le
你 怎 么 反 客 为 主 了?
Why did you reverse your position as a guest to that of the host?

♥ ***v.* manage; direct; be in charge of:**

zhǔ bǐ
主 笔
chief commentator; chief writer

zhǔ bàn
主 办
sponsor; host

wǒ shì zhè cì jiǎng zuò de zhǔ jiǎng rén
我 是 这 次 讲 座 的 主 讲 人。
I am the speaker of this lecture.

♥ ***v.* advocate:**

zhǔ zhāng
主 张
advocate; view; position; stand

zhǔ hé
主 和
advocate peace

zì zhǔ
自主
freedom; independence

wǒ men lì zhǔ hé píng
我 们 力主和 平。
We do our utmost to advocate peace.

♥ ***adj.* main; primary:**

zhǔ jué
主 角
leading actor

zhǔ yào rèn wù
主 要 任 务
main assignment; primary assignment

gōng zuò yào fēn qīng zhǔ cì
工 作 要 分 清 主次。
Differentiate what is primary from what is secondary in work.

♥ ***n.* person or party concerned:**

mǎi zhǔ | mài zhǔ
买 主 | 卖 主
buyer | seller

tā shì shì zhǔ
他是 事 主。
He is the victim of crime.

zhù 助

♥ ***v.* help; assist; aid:**

bāng zhù　　hù zhù
帮 助 | 互 助
help | help each other

zhù rén wéi lè shì tā de xí guàn
助 人 为乐是 他 的习 惯。
He takes pleasure in helping others.

zhù 住

♥ ***v.* live; reside; stay:**

jū zhù　　zhù diàn
居 住 | 住 店
reside; dwell | stay in a hotel

wǒ jiā zhù zài běi jīng
我 家 住 在 北 京。
My family live in Beijing.

♥ ***v.* stop; cease:**

zhù kǒu　　zhù shǒu
住 口 | 住 手
shut up | stop; hand off

fēng tíng le　yǔ yě zhù le
风 停 了,雨 也 住 了。
The wind stopped, so did the rain.

♥ ***v.* firmly:**

tā lā zhù wǒ jiù bù fàng shǒu
她拉 住 我 就不 放 手。
She grabbed me and would not let me go.

tā zǒng shì jì bù zhù shēng cí
他 总 是记不 住 生 词。
He cannot learn new words by heart.

zhù
注

♥ *v.* **fix; concentrate:**

guān zhù
关 注
pay close attention to; concern

zhù shì
注 视
look attentively at; gaze at

zhù yì shēn tǐ
注意 身 体
pay attention to health

♥ *n.* **annotation; explain with notes:**

zhù jiě
注 解
annotation

jiǎo zhù
脚 注
footnote

zhù
祝

♥ *v.* **wish; express good wishes:**

zhù cí
祝 词
congratulatory speech; congratulations

zhù jiǔ
祝 酒
drink a toast; propose a toast

zhù nín jiàn kāng
祝 您 健 康。
I wish you good health.

zhù hè nǐ chéng gōng
祝 贺你 成 功!
Congratulations on your success!

zhuàn

传

(傳)

♥ ***n.* biography:**

wài zhuàn
外 传
unauthorized biography

xiǎo zhuàn
小 传
brief biography; biographical sketch; profile

zhè shì tā de zì zhuàn
这 是 他 的 自 传。
This is his autobiography.

See chuán on p.38

zhuāng

装

(裝)

♥ ***n.* clothing; outfit; luggage:**

xíng zhuāng
行 装
luggage

shí zhuāng
时 装
fashionable dress

duì yuán men zhěng zhuāng dài fā
队 员 们 整 装 待 发。
All team members are ready to start.

♥ ***v.* dress up; deck out; act:**

huà zhuāng
化 装
make up

zhuāng bàn
装 扮
dress up; deck out; disguise; pretend

tā shì gǎo fáng wū zhuāng xiū de
他 是 搞 房 屋 装 修 的。
His job is to furnish houses.

♥ ***v.* load; pack; hold:**

zhuāng chē
装 车
load a truck or a cart

zhuāng chuán
装 船
load a ship

bǎ shū zhuāng jìn shū bāo
把书 装 进书包
put books into a schoolbag

♥ ***v.* install; fit; assemble:**

ān zhuāng
安 装
install; fit; assemble

zǔ zhuāng
组 装
package; assemble

wǒ zhuāng de shì kě shì diàn huà
我 装 的是可视 电 话。
I installed a videophone.

zhǔn
准
(準)

♥ ***adj.* exact; accurate:**

zhǔn què
准 确
accurate; exact

zhǔn shí
准 时
punctual; on time; on schedule

huǒ chē zhǔn diǎn dào dá
火 车 准 点 到 达。
The train arrived on time.

♥ ***adv.* certainly; definitely:**

tā zhǔn néng zuò hǎo
他 准 能 做 好。
He can do a good job of it.

wǒ míng tiān zhǔn qù
我 明 天 准 去。
I will definitely be there tomorrow.

♥ ***n.* standard; norm; criterion:**

biāo zhǔn | zhǔn zé
标 准 | 准 则
standard; criterion | standard; norms

dà jiā yǐ cǐ wéi zhǔn
大家以此为 准。
Everyone should take this as the standard.

♥ ***v.* allow; permit; grant:**

zhǔn xǔ
准 许
allow; permit; grant

shì chǎng zhǔn rù zhì dù
市 场 准 入制 度
market access system

zhuō
桌

♥ ***n.* table; desk:**

fāng zhuō | shū zhuō
方 桌 | 书 桌
square table | desk; writing desk

zhuō shàng fàng zhe diàn nǎo
桌 上 放 着 电 脑。
There is a computer on the desk.

zhuō
桌
table

♥ **used as a classifier:**

yī zhuō cài
一桌菜
a table of dishes

sān zhuō kè rén
三桌客人
three tables of guests

zhuó
着

♥ ***v.* wear; dress:**

chuān zhuó | zhuó zhuāng
穿着 | 着装
dress; apparel | clothing; put on clothes

tā de yī zhuó shí fēn xiān yàn
她的衣着十分鲜艳。
She wears very bright costumes.

♥ ***v.* apply; attach:**

zhuó bǐ
着笔
begin to write or paint

zhuó shǒu
着手
begin; set about

yào cóng dà chù zhuó yǎn
要从大处着眼。
We should take a wider view.

♥ ***n.* whereabouts:**

zhuó luò
着落
whereabouts

shēng huó wú zhuó
生活无着
have no means to make a living

See **zhāo** on p.455; **zháo** on p.456
zhe on p.461

zǐ

子

♥ ***n.* son; child:**

ér zi zǐ nǚ
儿子 | 子女
son | sons and daughters

tā men liǎ shì fù zǐ guān xi
他们俩是父子关系。
They two are father and son.

♥ ***adj.* subsidiary:**

zǐ chéng
子城
satellite city

zǐ shòu
子兽
newborn animal; young animal

zhè jiā gōng sī zài niǔ yuē yǒu gè zǐ gōng sī
这家公司在纽约有个子公司。
This company has a branch in New York City.

♥ ***n.* ancient term of respect for a learned man:**

lǎo zǐ
老子
Lao Zi

zhuāng zǐ
庄子
Zhuang Zi (Zhuang Zhou)

kǒng zǐ shì zhōng guó gǔ dài yǒu míng de jiào yù jiā
孔子是中国古代有名的教育家。
Confucius was a celebrated educator in ancient China.

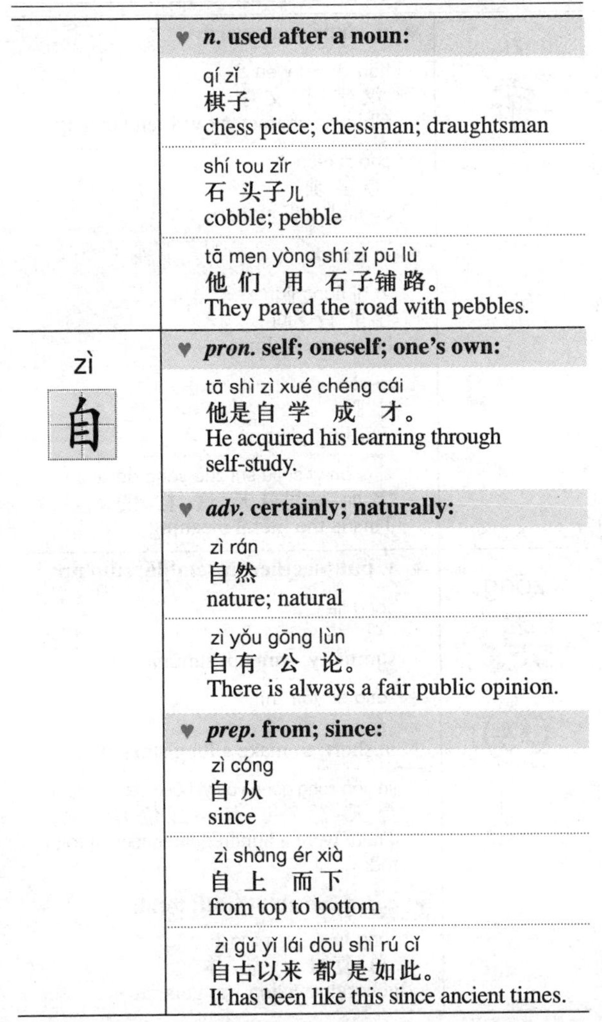

♥ ***n.* used after a noun:**

qí zǐ
棋子
chess piece; chessman; draughtsman

shí tou zǐr
石 头子儿
cobble; pebble

tā men yòng shí zǐ pū lù
他 们 用 石子铺 路。
They paved the road with pebbles.

zì

自

♥ ***pron.* self; oneself; one's own:**

tā shì zì xué chéng cái
他是自 学 成 才。
He acquired his learning through self-study.

♥ ***adv.* certainly; naturally:**

zì rán
自然
nature; natural

zì yǒu gōng lùn
自有 公 论。
There is always a fair public opinion.

♥ ***prep.* from; since:**

zì cóng
自 从
since

zì shàng ér xià
自 上 而 下
from top to bottom

zì gǔ yǐ lái dōu shì rú cǐ
自古以来 都 是如此。
It has been like this since ancient times.

zì 字

♥ ***n.* character; word:**

hàn zì | wén zì
汉字 | 文字
Chinese character | written language

chá zì diǎn
查字典
consult a dictionary

♥ ***n.* word:**

zì lǐ háng jiān
字里行间
between the lines

zì yǎn
字眼
wording; diction

zì miàn yì si jiù shì zhè yàng de
字面意思就是这样的。
This is the literal meaning.

zǒng 总 (總)

♥ ***v.* put together; assemble; sum up:**

zǒng jié
总结
summary; sum up; summarize

zǒng ér yán zhī
总而言之
in short; to make a long story short

jīn tiān zǒng gòng yǒu yī bǎi wèi tīng zhòng
今天总共有一百位听众。
There were a hundred attendees in total today.

♥ ***adj.* general; overall; total:**

zǒng fù xí | zǒng tǐ
总复习 | 总体
general revision | in general

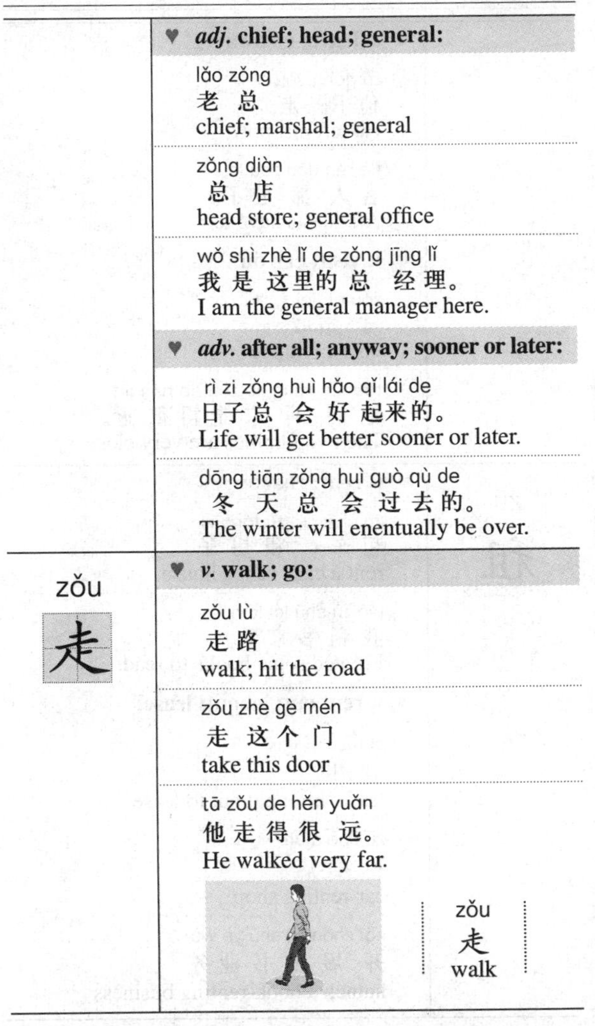

♥ ***adj.* chief; head; general:**

lǎo zǒng
老 总
chief; marshal; general

zǒng diàn
总 店
head store; general office

wǒ shì zhè lǐ de zǒng jīng lǐ
我 是 这里的 总 经 理。
I am the general manager here.

♥ ***adv.* after all; anyway; sooner or later:**

rì zi zǒng huì hǎo qǐ lái de
日子 总 会 好 起来的。
Life will get better sooner or later.

dōng tiān zǒng huì guò qù de
冬 天 总 会 过 去 的。
The winter will enentually be over.

zǒu
走

♥ ***v.* walk; go:**

zǒu lù
走 路
walk; hit the road

zǒu zhè gè mén
走 这 个 门
take this door

tā zǒu de hěn yuǎn
他 走 得 很 远。
He walked very far.

zǒu
走
walk

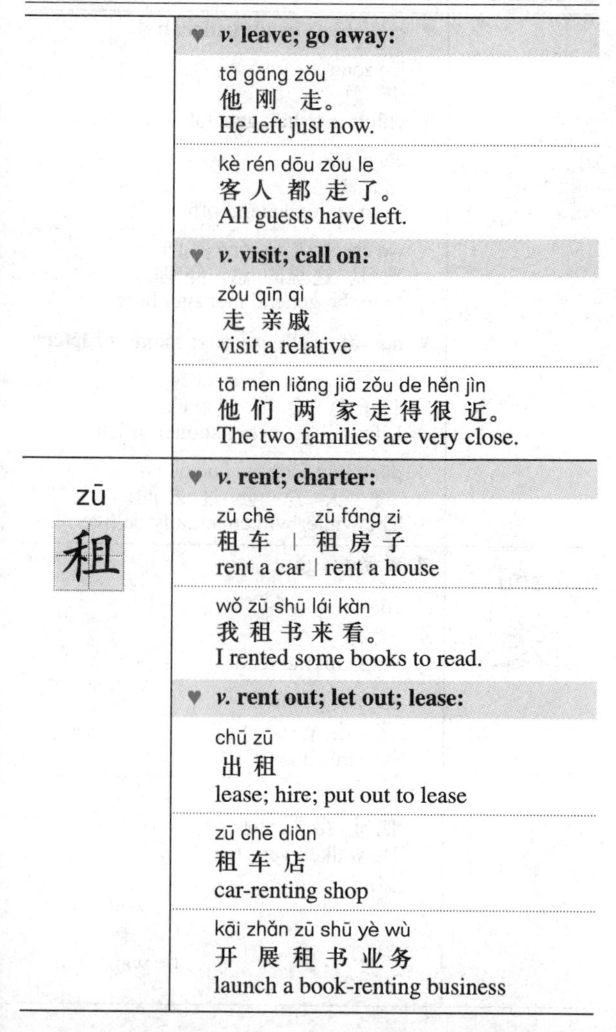

♥ ***v.* leave; go away:**

tā gāng zǒu
他 刚 走。
He left just now.

kè rén dōu zǒu le
客 人 都 走 了。
All guests have left.

♥ ***v.* visit; call on:**

zǒu qīn qì
走 亲戚
visit a relative

tā men liǎng jiā zǒu de hěn jìn
他 们 两 家 走 得 很 近。
The two families are very close.

zū
租

♥ ***v.* rent; charter:**

zū chē | zū fáng zi
租 车 | 租 房 子
rent a car | rent a house

wǒ zū shū lái kàn
我 租 书 来 看。
I rented some books to read.

♥ ***v.* rent out; let out; lease:**

chū zū
出 租
lease; hire; put out to lease

zū chē diàn
租 车 店
car-renting shop

kāi zhǎn zū shū yè wù
开 展 租 书 业 务
launch a book-renting business

♥ ***n.* rent; money or kind received from sth. rented:**

zū jīn
租金
rent; rental

xiàn zài fáng zū tí gāo le
现 在 房 租提高 了。
House rents have increased recently.

zú

足

♥ ***n.* foot:**

shǒu zú
手 足
hands and feet; member; brother

zú bù chū hù
足不 出 户
remain within doors; stay indoors

tā hěn ài wán zú qiú
他 很 爱 玩 足 球。
He likes playing football very much.

♥ ***n.* football or relevant to football:**

guó jì zú lián
国 际足 联
Fédération Internationale de Football Association; FIFA

zú qiú bǐ sài
足 球 比 赛
football match

zhōng guó nǚ zú yòu huò shèng le
中 国 女足 又 获 胜 了。
The Chinese women's football team won yet another match.

♥ *adj.* **enough; ample; sufficient:**

chōng zú
充 足
abundant; plentiful; enough

zú gòu
足 够
enough; sufficient; ample

tā tè bié róng yì mǎn zú
他特别容易满足。
He is very easy to be satisfied.

zú 族

♥ *n.* **clan:**

tóng zú
同 族
of the same clan

zú zhǎng
族 长
patriarch; clan leader; head of a clan

jiā zú zhì hěn yán gé
家族制很严格。
Patriarchy is very strict.

♥ *n.* **race; nationality:**

mín zú | zhǒng zú
民族 | 种族
people; race; nationality | race; tribe

♥ *n.* **class or group of things with common features:**

dǎ gōng zú
打 工 族
wage earner

wǒ men dōu shì shàng bān zú
我们都是上班族。
We are all salaried employees.

zǔ

组

(組)

♥ ***v.* form; organize:**

zǔ chéng
组 成
organize; form; make up of

zǔ hé
组合
make up; compose; constitute

xué yuán men zhèng zài zǔ zhuāng diàn shì jī
学 员 们 正 在组 装 电 视机。
Students are assembling a TV set.

♥ ***n.* group; small unit consisting of a few people:**

xiǎo zǔ
小 组
small group

zǔ zhǎng
组 长
group leader

tā men sān rén yī zǔ
他 们 三 人一组。
Three of them form a group.

♥ ***classifier.* suite; series:**

zǔ huà
组 画
a series of paintings

zǔ shī
组 诗
a suite of poems

tā zài huà yī zǔ yóu huà
他在 画一组 油 画。
He is drawing a series of oil paintings.

zǔ

♥ ***n.* ancestor:**

gāo zǔ　　xiān zǔ
高 祖 ｜ 先 祖
great-great-grandfather ｜ ancestor

zǔ xiān chuàng zào le gǔ dài wén huà
祖先创造了古代文化。
Our ancestors created our ancient culture.

♥ ***n.* grandparents:**

wài zǔ mǔ　　zǔ fù
外祖母 ｜ 祖父
maternal grandmother ｜ grandfather

tā de wài zǔ fù shì gè yī shēng
他的外祖父是个医生。
His maternal grandfather is a doctor.

♥ ***n.* founder of a craft, religious, etc.:**

zǔ shī yé
祖师爷
founder of a school of learning, craft, etc.

tā shì zhè gè lǐng yù de bí zǔ
他是这个领域的鼻祖。
He was the originator of this field.

zuǐ

嘴

♥ ***n.* mouth:**

píng zuǐr　　zuǐ ba
瓶嘴儿 ｜ 嘴巴
mouth of a bottle ｜ mouth

qǐng bì shàng zuǐ
请闭上嘴。
Please close your mouth.

zuǐ
嘴
mouth

♥ ***n.* speach:**

zuǐ kuài | zuǐ tián
嘴快 | 嘴甜
have a loose tongue | honey mouthed

tā cóng bù duō zuǐ
她从不多嘴。
She never talks too much.

zuì 最

♥ ***adv.* extremely; utmost:**

zuì hǎo | zuì jìn
最好 | 最近
had better | recently

zhè shì zuì zhòng yào de
这是最重要的。
This is the most important.

♥ ***n.* in the first place; incomparable:**

zhōng guó zhī zuì
中国之最
best of China

cháng chéng kān chēng shì jiè zhī zuì
长城堪称世界之最。
The Great Wall can be rated as the best of its kind in the world.

zuì 罪

♥ ***n.* crime; guilt:**

fàn zuì
犯罪
commit a crime

zuì guò
罪过
fault; offensive; sin

tā yǐ jing rèn zuì le
他已经认罪了。
He has pleaded guilty.

♥ ***n.* suffering; pain; hardship:**

zāo zuì
遭 罪
endure hardships, tortures, etc.; sufferring

ràng nǐ shòu zuì le
让 你 受 罪了。
Sorry to make you suffer.

zuó

昨

♥ ***n.* yesterday:**

zuó rì
昨日
yesterday

zuó tiān zǎo shang
昨 天 早 上
yesterday morning

zuó yè xīng guāng càn làn
昨夜星 光 灿烂。
Yesterday evening the sky was twinkling with stars.

♥ ***n.* the past:**

jì zhù zuó rì zhǎn wàng míng tiān
记住 昨日，展 望 明 天。
Remember yesterday, and look forward to the future.

zuǒ

左

♥ ***n.* left:**

zuǒ biān | zuǒ shǒu
左 边 | 左 手
left; left side | left hand

xiàng zuǒ zhuǎn
向 左 转!
Turn left!

zuò
作

♥ ***v.* make; manufacture:**

zhì zuò
制 作
make; produce; manufacture

yào kē xué ān pái zuò xī shí jiān
要 科 学 安 排 作 息 时 间。
Arrange your work and rest time scientifically.

♥ ***v.* engage in a certain activity:**

zuò bào gào | zuò bié
作 报 告 | 作 别
give a lecture | take leave

♥ ***v.* write; paint; compose:**

zuò pǐn | zuò wén
作 品 | 作 文
writings; work | composition

zhè shì tā chuàng zuò de
这 是 他 创 作 的。
This was created by him.

♥ ***n.* writings; work:**

chéng míng zuò
成 名 作
work by which sb's reputation was first made

dà zuò
大 作
great (literary, art) work

zhè shì wǒ de chǔ nǚ zuò
这 是 我 的 处 女 作。
This is my maiden work.

♥ ***v.* regard as; look as:**

dāng zuò　kàn zuò
当 作 | 看 作
regard as | look as; consider as

zuò
坐

♥ ***v.* sit:**

zuò xià
坐 下
sit down

qǐng zuò
请 坐。
Please be seated.

tā néng zuò qǐ lái le
他 能 坐 起来了。
He can sit up now.

♥ ***v.* take; travel by:**

zuò chuán　zuò huǒ chē
坐 船 | 坐 火 车
travel by ship | travel by train

zuò diàn tī shàng qù
坐 电 梯 上 去
go up by lift

hái zi ài zuò fēi jī
孩子爱 坐 飞机。
Children love travelling by plane.

♥ ***v.* (of house) have its back towards:**

zuò běi cháo nán
坐 北 朝 南
(of a house) with the front to the south and the back to the north

zuò luò
坐 落
be situated; be located

zuò
座

♥ *n.* **seat; place:**

zuò cì | zuò wèi
座次 | 座位
seating order | seat; place to seat

qǐng gè wèi dài biǎo rù zuò
请 各 位 代 表 入 座。
All the delegates please take your seat.

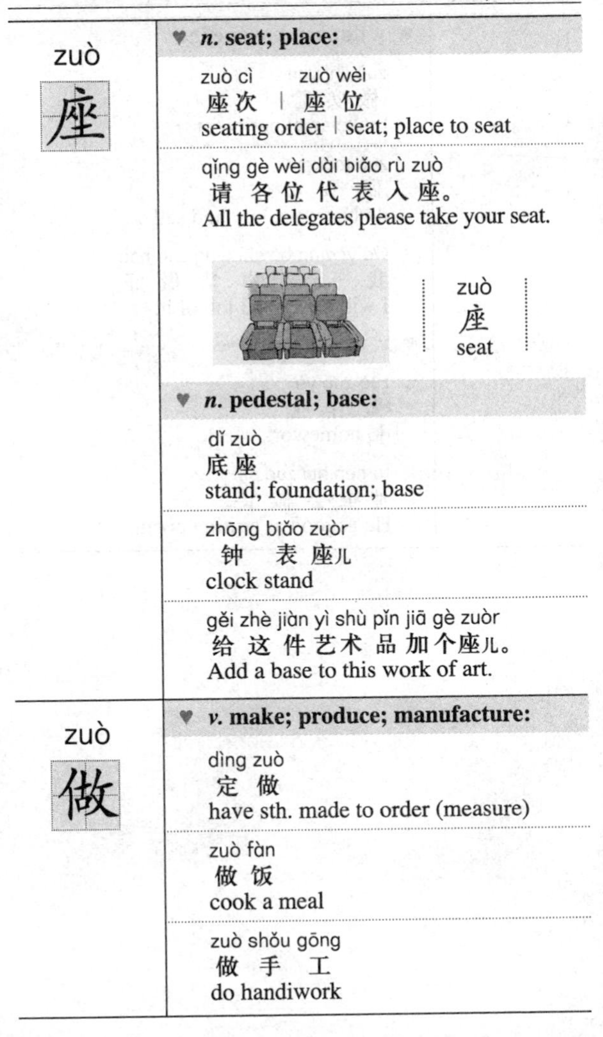

zuò
座
seat

♥ *n.* **pedestal; base:**

dǐ zuò
底座
stand; foundation; base

zhōng biǎo zuòr
钟 表 座儿
clock stand

gěi zhè jiàn yì shù pǐn jiā gè zuòr
给 这 件 艺术 品 加个座儿。
Add a base to this work of art.

zuò
做

♥ *v.* **make; produce; manufacture:**

dìng zuò
定 做
have sth. made to order (measure)

zuò fàn
做 饭
cook a meal

zuò shǒu gōng
做 手 工
do handiwork

♥ ***v.* do; act; engage in:**

zuò shí yàn
做实验
make an experiment

zuò mǎi mai
做买卖
do business; buy and sell

wǒ yī dìng bǎ shì qing zuò hǎo
我一定把事情做好。
I will do a good job of it.

♥ ***v.* write; compose:**

zuò zuò yè
做作业
do homework

tā hěn huì zuò shī
他很会做诗。
He is good at writing poems.

jìzhě
记者
reporter
fúwùyuán
服务员
waiter/waitress
jǐngchá
警察
police officer
sījī
司机
driver
jiàoshī
教师
teacher
hùshi
护士
nurse
gōngwùyuán
公务员
civil servant
xuésheng
学生
student
nóngmín
农民
farmer

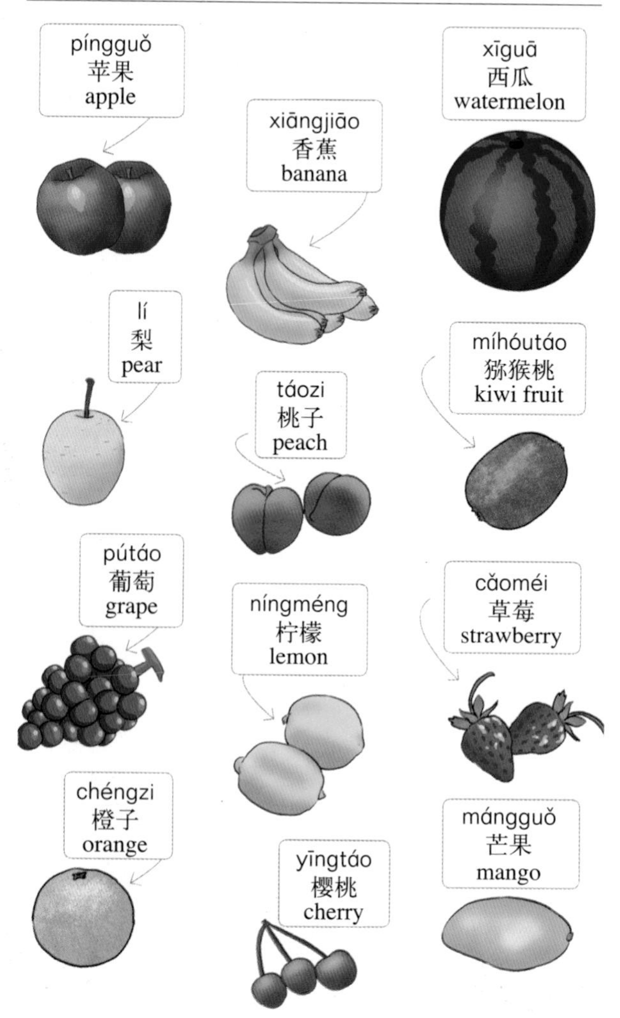
píngguǒ
苹果
apple
xiāngjiāo
香蕉
banana
xīguā
西瓜
watermelon
lí
梨
pear
táozi
桃子
peach
míhóutáo
猕猴桃
kiwi fruit
pútáo
葡萄
grape
níngméng
柠檬
lemon
cǎoméi
草莓
strawberry
chéngzi
橙子
orange
yīngtáo
樱桃
cherry
mángguǒ
芒果
mango